Les grands auteurs de l'économie

Smith, Malthus, Say, Ricardo, Marx, Walras, Marshall, Schumpeter, Keynes, Hayek, Friedman

Gilles Jacoud
Directeur du département d'Économie
à l'Université Jean-Monnet de Saint-Étienne

Éric Tournier
Agrégé de Sciences sociales
Chargé de cours
à l'Université Jean-Monnet de Saint-Étienne

initial

Maquette : Alain Berthet et Graphismes
Graphiques : Corédoc

© HATIER, Paris, août 1998. – ISBN : 2-218-**72501**-0

Avertissement

L'objet de cet ouvrage est de montrer l'apport des principaux auteurs qui ont marqué de leur empreinte la science économique. À travers une sélection de onze auteurs, il permet de découvrir l'évolution de la science économique, depuis sa constitution en une discipline autonome jusqu'à la période contemporaine. Les auteurs présentés sont Adam Smith, Thomas Robert Malthus, Jean-Baptiste Say, David Ricardo, Karl Marx, Léon Walras, Alfred Marshall, Joseph Schumpeter, John Maynard Keynes, Friedrich von Hayek et Milton Friedman.

Toute sélection comporte nécessairement une dose d'arbitraire. Si certaines personnes sont retenues d'une manière presque indiscutable, d'autres peuvent voir leur place contestée. C'est évidemment le cas lorsqu'il s'agit de retenir onze économistes. Il est vraisemblable que ce choix ne fera pas l'unanimité. Il n'est toutefois pas certain que les économistes contemporains soient à même de s'entendre pour déterminer quel auteur ne devrait pas trouver ici sa place et quel autre mériterait indiscutablement de le remplacer.

La démarche suivie pour chaque présentation permet néanmoins de montrer le rôle joué par beaucoup d'autres auteurs ayant apporté leur pierre à la construction de la science économique. Chacune débute en replaçant « l'homme dans son temps » pour éclairer le contexte dans lequel il écrit et les influences qu'il subit. Elle s'achève avec une ouverture, « postérité et influence », qui expose les développements auxquels a donné lieu son analyse.

Les citations sont suivies de l'indication de l'ouvrage et du chapitre d'où elles sont tirées. Pour ne pas alourdir la notation, cette indication n'est généralement pas répétée lorsqu'une citation renvoie à la même référence que la précédente. Certaines citations sont directement traduites de l'anglais, aussi le lecteur ne trouvera-t-il pas toujours exactement la même formulation lorsqu'il se reportera aux versions des ouvrages publiées en français.

Les parties sur Smith, Say, Ricardo, Walras et Keynes sont été préparées par Gilles Jacoud, celles sur Malthus, Marx, Marshall, Schumpeter, Hayek et Friedman par Éric Tournier.

Sommaire

Adam SMITH

I. L'homme dans son temps

• La vie d'Adam Smith

Adam Smith naît le 5 juin 1723 dans la petite ville écossaise de Kirkaldy, peu après la mort de son père qui exerçait les fonctions de contrôleur des douanes. Son enfance n'est marquée que par un incident notoire : son enlèvement par des bohémiens avant l'âge de trois ans. L'enfant est rapidement retrouvé. Il consacre sa jeunesse à l'étude. À quatorze ans, il quitte Kirkaldy pour l'université de Glasgow où il suit les cours de sciences morales et politiques de Francis Hutcheson dont l'influence sur le futur philosophe et économiste semble avoir été déterminante.

La famille de Smith envisage cependant pour lui une carrière ecclésiastique et, après trois années passées à Glasgow, il est envoyé à cette fin à Oxford en bénéficiant d'une bourse. En dépit d'une santé délicate, il y mène des études variées allant de la littérature aux mathématiques en passant par les langues anciennes. Manifestant plus de zèle pour la philosophie que pour la théologie, à l'étude de laquelle il était pourtant censé se consacrer comme boursier, il est même pris en flagrant délit de lecture du dernier ouvrage de David Hume. Réprimandé pour cela, il finit par renoncer à l'Église et retourne à Kirkaldy.

Désirant professer, il assure ses premiers cours à Édimbourg où il se fait rapidement connaître et se lie d'amitié avec Hume. Sa réputation conduit l'université de Glasgow à lui offrir, en 1751, une chaire de logique et le titre de professeur. Moins d'un an plus tard, il se voit attribuer la chaire de philosophie morale.

Devenu un professeur renommé, il publie en 1759 la *Théorie des sentiments moraux*. L'ouvrage est fortement imprégné de la philosophie morale d'Hutcheson, mais le disciple se sépare du maître notamment sur la question de la bienveillance qui, pour Hutcheson, constituait le vrai mobile des actes des individus. Pour Smith, ce mobile réside dans la « sympathie », c'est-à-dire la capacité à se mettre à la place de l'autre et à éprouver ses sentiments. Le succès de l'ouvrage, très bien accueilli en Écosse, gagne rapidement l'Angleterre. C'est même ce succès qui conduit Smith à abandonner la chaire de philosophie morale où il a assis sa réputation. L'auteur de la *Théorie des sentiments moraux* se voit en effet proposer de devenir le précepteur du jeune duc de Buccleugh et de l'accompagner dans un voyage sur le continent destiné à parfaire son éducation. Après plusieurs années d'hésitations, il accepte la proposition.

Smith s'embarque donc en mars 1764 pour la France et retrouve à Paris son ami Hume alors très en vogue, puis part avec son élève à Toulouse où il reste dix-huit mois. Après un séjour dans le Sud du pays et à Genève, il revient à Paris où il rencontre les philosophes et les économistes, notamment François Quesnay. En octobre 1766, deux mois et demi après son arrivée en France, il retourne outre-Manche avec son élève.

Après plusieurs années d'une retraite solitaire à Kirkaldy, il fait paraître l'ouvrage qui le fera passer à la postérité : les *Recherches sur la nature et les causes de la richesse des nations.* C'est cet ouvrage, constitué de cinq livres, qui fait de Smith l'un des plus grands économistes ayant jamais existé. *La Richesse des nations,* titre raccourci sous lequel l'œuvre est popularisée, rencontre un succès immédiat. Certes, Smith ne fait souvent que reprendre des idées déjà développées par ses prédécesseurs dans un ouvrage dont la lecture est parfois rendue difficile par les répétitions ou les digressions, mais il synthétise en un véritable traité d'économie politique un ensemble de connaissances utilisables pour mener une politique visant l'enrichissement de la nation.

Peu après la publication de *La Richesse des nations,* Smith quitte Kirkaldy pour Londres. La famille de Buccleugh lui obtient, en 1778, un poste de commissaire des douanes à Édimbourg. C'est ainsi que l'ardent défenseur du libre-échange se trouve amené à appliquer la législation douanière qu'il dénonçait dans *La Richesse des nations.* Il reste à Édimbourg jusqu'à sa mort qui survient le 17 juillet 1790. Peu avant celle-ci, Smith s'était assuré de la destruction de tous ses manuscrits qu'il ne voulait pas publier.

Si Adam Smith est généralement considéré comme le « père de l'économie politique », selon la formule de Jean-Baptiste Say, il n'en demeure pas moins qu'au moment où il publie *La Richesse des nations,* la réflexion sur les phénomènes économiques est déjà amorcée depuis longtemps.

• L'ancienneté de la réflexion économique

Les multiples références d'Adam Smith aux auteurs de l'Antiquité grecque et latine témoignent de l'ancienneté de la réflexion économique. Au ve siècle av. J.-C., les sophistes qui professent dans les cités grecques réclament déjà la réduction du rôle de l'État et la libéralisation des échanges avec l'extérieur. Leurs idées sont combattues par Socrate (v. 470-399 av. J.-C) puis Platon (428-347 av. J.-C.).

Avec Xénophon (v. 430-v. 355 av. J.-C.), la réflexion est encore plus centrée sur les questions économiques, comme tendent à l'indiquer les titres de deux de ses ouvrages : *L'Économique et Les Revenus.* Dans l'un et l'autre, il se demande comment accroître la richesse. Le premier traite de l'économie au sens d'économie domestique, définie comme l'art permettant à un homme de bien administrer son patrimoine. Ce patrimoine est constitué de biens dont Xénophon distingue la valeur d'usage (une flûte est utile à celui qui sait en jouer) et la valeur d'échange (l'utilité de la flûte pour le non-musicien tient à la possibilité de vendre celle-ci), concepts qui seront précisés par Smith. La production de ces biens passe par l'utilisation de la terre sur laquelle doit s'exercer un travail. L'enrichissement de leur propriétaire est favorisé par l'épargne et le recours à l'échange. Dans *Les Revenus,* c'est l'enrichissement de la Cité que Xénophon cherche à expliquer. Les mesures en faveur du commerce ou de l'exploitation des mines d'argent sont à même de bénéficier à la population et à l'État.

Aristote (384-322 av. J.-C.) est aussi l'auteur de réflexions économiques dispersées dans plusieurs ouvrages : *Politique, Éthique à Nicomaque, Les Économiques.* Distinguant l'économie, qui correspond à l'administration de la maison, de la politique, qui relève du gouvernement de la Cité, il étudie plus particulièrement l'art d'acquérir la richesse : la *chrématistique.* Certains aspects de la pensée d'Aristote, étroitement liés à la société dans laquelle il vit, ne pourront qu'être rejetés ultérieurement par les économistes. C'est le cas de la défense de l'esclavage. D'autres marqueront les pratiques de l'Occident médiéval. C'est vrai pour la condamnation du prêt à intérêt. D'autres enfin correspondent à des préoccupations fondamentales des économistes. C'est particulièrement vrai pour la recherche de la détermination du rapport d'échange entre les biens, qui selon Aristote doit répondre à un principe de justice, ou pour l'analyse du rôle de la monnaie dont il perçoit les différentes fonctions.

Les auteurs latins ne nous ont pas laissé d'ouvrages économiques marquants, même si Smith se réfère à diverses reprises à Columelle, Varron ou Pline. La chrétienté contribuera ensuite à limiter l'intérêt pour les questions économiques, la *Cité de Dieu* étant, selon Saint Augustin (354-430), plus importante que la cité terrestre. L'auteur qui marque le plus la réflexion économique au Moyen Âge est sans doute Saint Thomas d'Aquin (1225-1274). Tentant de concilier la position de l'Église et la doctrine d'Aristote, il retient la nécessité de la propriété privée et accepte l'échange marchand qui doit être caractérisé par un « juste prix » et un « juste salaire ». Comme Aristote, il dénonce le prêt à intérêt. En revanche, il réhabilite le travail manuel qu'Aristote voulait réserver aux esclaves.

Avec la fin du Moyen Âge, la réflexion économique est développée par les auteurs mercantilistes contre lesquels s'élèvera Smith.

• La réaction contre le mercantilisme

Adam Smith est le premier auteur à parler de « système mercantile » pour désigner le courant de pensée dominant au moment où il écrit. Le mercantilisme correspond ainsi à la conception de l'économie qui prévaut de la fin du Moyen Âge au XVIIIe siècle. Il n'est pas possible de le considérer comme un corps de doctrine unifié tant les auteurs qui se succèdent au cours de ces trois siècles présentent des différences de tous ordres. S'ils montrent que l'enrichissement des marchands va de pair avec le renforcement de la puissance de l'État, les mesures qu'ils préconisent pour assurer l'un et l'autre diffèrent dans le temps et dans l'espace.

Le mercantilisme espagnol du XVIe siècle préconise ainsi l'accumulation de métaux précieux. Celle-ci est rendue possible par une arrivée massive d'or et d'argent en provenance d'Amérique. On parle de *bullionisme* pour définir cette approche qui voit dans le stock de métaux précieux l'expression de la richesse du pays et qui, pour cette raison, cherche à favoriser l'entrée de ces métaux dans le pays et à limiter leur sortie. Smith dénonce cette confusion entre monnaie et richesse.

Le mercantilisme français est tourné vers la recherche de l'industrialisation. La richesse trouve sa source dans le travail des individus.

L'État doit donc utiliser efficacement la population. Pour cela, il lui faut mener une politique interventionniste. La politique suivie par Colbert, caractérisée par la mise en place de manufactures dotées de privilèges et fonctionnant à l'abri de barrières protectionnistes, constitue l'exemple type de mise en œuvre des mesures prônées par les mercantilistes français.

Quant au mercantilisme anglais, il voit dans le commerce extérieur, notamment maritime, la source de la richesse du pays. Adam Smith illustre parfaitement la mise en œuvre de cette forme de mercantilisme en décrivant le contenu de l'*Acte de navigation* qui attribue aux navires britanniques le monopole du transport maritime pour le pays. Tous les vaisseaux dont les propriétaires et les trois quarts des membres de l'équipage ne sont pas sujets britanniques se voient interdire ce commerce sous peine de confiscation du bâtiment et de la cargaison. La même réglementation interdit l'importation de bon nombre d'articles ou les soumet à des droits de douane dissuasifs.

L'accumulation de métaux précieux dans le pays, le soutien à l'industrie nationale ou la recherche d'un excédent commercial passent par des mesures qui confèrent un caractère nationaliste au mercantilisme. Les importations sont découragées, surtout s'il s'agit de produits transformés puisque leur production bénéficie à l'industrie étrangère et non nationale. Les exportations de produits agricoles et de matières premières doivent être évitées car il faut effectuer leur transformation sur place de façon à pouvoir exporter des produits finis à forte valeur ajoutée. Il faut favoriser la main-d'œuvre et les commerçants nationaux. Les intérêts des différentes nations sont perçus comme antagonistes, le commerce international étant compris comme un jeu à somme nulle dans lequel un pays ne peut s'enrichir qu'au détriment d'un autre.

Qui sont ces auteurs qui défendent un système auquel Smith ne consacre pas moins de huit chapitres pour le fustiger ? Si leur nombre interdit une présentation exhaustive, il convient de reconnaître que quelques-uns ont nettement marqué de leur empreinte l'histoire de la pensée économique. Ainsi Jean Bodin (1530-1596) est surtout passé à la postérité pour avoir expliqué, dans une controverse devenue célèbre avec le seigneur de Malestroit, que l'accroissement du stock de monnaie métallique amenait une hausse des prix, amorçant ce qui deviendra ensuite la théorie quantitative de la monnaie. Thomas Mun (1571-1641) donne à l'un de ses livres un titre dont Smith écrira qu'il est devenu « une maxime fondamentale de l'économie politique » : *Le Trésor de l'Angleterre dans le commerce étranger.* Avec *le Traité de l'économie politique* qu'Antoine de Montchrétien (1576-1621) publie en 1615, l'économie, qui traite de l'organisation de la maison, et la politique, qui s'occupe de la vie de la Cité, sont réunies en une seule expression pour désigner ce qui deviendra la science économique. William Petty (1623-1687) entreprend de construire une *arithmétique politique* permettant de formuler les problèmes économiques « en termes de nombres, poids et mesures ».

Le mercantilisme n'est pas le seul système d'économie politique auquel s'en prend Smith. Il critique aussi, beaucoup moins longuement toutefois, « cet ingénieux système » qu'il désigne comme étant le « système de l'agriculture » et que nous connaissons aujourd'hui sous le terme de *physiocratie*.

• L'inspiration physiocrate

La physiocratie correspond à un courant beaucoup plus limité dans le temps et dans l'espace que le mercantilisme. Cette école, dont les membres se dénomment eux-mêmes « économistes » et désignée par ses détracteurs comme étant la « secte des économistes », prospère dans la France des années 1750-1770. Si le mot « physiocratie » (du grec *phusis,* nature, et *kratos,* force) est créé par Pierre Samuel Dupont de Nemours (1739-1817), le chef de file incontesté de cette école est le docteur François Quesnay (1694-1774).

L'œuvre des physiocrates est une véritable réaction contre les politiques mercantilistes. Ces politiques ont déjà été contestées avant les physiocrates, notamment par Pierre de Boisguilbert (1646-1714). Celui-ci voit la richesse non pas dans la monnaie mais dans les « fruits de la terre », qui représentent la « richesse nécessaire », et dans les « biens d'industrie », qui sont des « richesses commodes et superflues ». L'agriculture joue un rôle moteur dans le fonctionnement d'un circuit qui relie les « laboureurs et marchands » au « beau monde ». Son activité est toutefois pénalisée par les obstacles aux échanges et par une fiscalité inadaptée. De telles idées sont au cœur de la pensée physiocrate.

L'essentiel de cette pensée figure dans le *Tableau économique* que Quesnay publie en 1758. La nation est divisée en trois classes : la classe productive, la classe des propriétaires et la classe stérile. La première est réduite aux agriculteurs tandis que la dernière comprend tous ceux qui sont occupés « à d'autres travaux que ceux de l'agriculture ». Si les agriculteurs forment la seule classe productive, c'est parce ce qu'ils multiplient les richesses alors que les autres travailleurs ne font que les transformer. La prépondérance de l'agriculture transparaît dans le fait qu'elle génère un surplus, le « produit net », qui constitue le revenu de la classe des propriétaires, alors que la classe stérile n'est pas productive dans le sens où « l'artisan détruit autant en subsistance qu'il produit par son travail » (article « Grains » de *L'Encyclopédie*). Quesnay explique en effet que la production nécessite des « avances », c'est-à-dire des apports de capitaux, qui doivent être reconstituées à chaque cycle productif par des « reprises ». L'activité de la classe stérile assure simplement la reconstitution des avances alors que celle de la classe productive laisse un produit net.

Le *Tableau économique* montre les liens qui unissent ces trois classes (la classe productive vend ainsi aux propriétaires et à la classe stérile, laquelle vend elle-même aux deux autres classes), d'où le nom de *ziczac* (zigzag) pour désigner l'enchevêtrement de liens constituant le circuit économique. Chaque classe dépense l'intégralité de son revenu dans une économie dont les cycles productifs se reproduisent à l'identique. Cette reproduction nécessite toutefois que les avances puissent être régulièrement reconstituées. Pour cela, il ne faut pas que la classe productive soit frappée par l'impôt car celui-ci serait un prélèvement sur les avances destinées à assurer la production de la période suivante. L'impôt doit uniquement porter sur le produit net qui revient aux propriétaires puisque c'est le seul surplus. Toute autre ponction hypothéquerait la production ultérieure. Le caractère révolutionnaire de la pensée physiocrate en matière de fiscalité explique les difficultés rencontrées par Turgot lorsque, contrôleur général des Finances de 1774 à 1776, il tente de mettre en application ce principe. L'opposition des privilégiés amène l'échec de la tentative.

Le maintien des revenus des agriculteurs suppose aussi un « bon prix » du grain. Or ce prix risque d'être bridé par les entraves aux échanges. C'est pourquoi « il est de la plus grande importance à une nation de parvenir par une pleine liberté de commerce, au plus haut prix possible dans les ventes des productions de son territoire ». Les conclusions auxquelles aboutit Quesnay vont donc radicalement à l'encontre des idées mercantilistes. « Les progrès du commerce et de l'agriculture marchent ensemble, et l'exportation n'enlève jamais qu'un superflu qui n'existerait pas sans elle, et qui entretient toujours l'abondance et augmente les revenus du royaume. »

On comprend dès lors que même si Smith est loin de partager l'analyse des physiocrates, il puisse la juger digne d'attention. La recherche des règles qui régissent le fonctionnement de l'économie, l'intérêt porté à la production, la défense de la liberté des échanges constituent des éléments importants de la pensée de cet auteur dont nous allons maintenant dégager les principaux apports.

II. Division du travail, valeur et prix

• La division du travail

La richesse d'une nation est constituée par l'ensemble des « choses nécessaires et commodes à la vie » (*La Richesse des nations,* introduction) qui peuvent être consommées par ses habitants. Ces choses sont le fruit du travail humain. L'accroissement de la richesse passe donc par l'amélioration de la « puissance productive » du travail. C'est cette amélioration que permet la division du travail.

L'exemple de la manufacture d'épingles

Dès le premier chapitre du livre 1 de *La Richesse des nations,* Smith s'appuie sur l'exemple, devenu célèbre depuis, de la manufacture d'épingles qu'il emprunte en fait à l'article « manufacture » de *L'Encyclopédie* de d'Alembert et Diderot. Dans cette manufacture, le processus de production d'une épingle est décomposé en dix-huit opérations distinctes. Chaque ouvrier est affecté à une opération ou à quelques-unes. Cette organisation permet d'obtenir une production quotidienne de 4 800 épingles par ouvrier, alors que si chaque ouvrier s'était employé à assurer la production complète de l'épingle, il n'en aurait vraisemblablement pas produit une vingtaine dans la journée, peut-être même pas une seule. La division du travail conduit donc à une amélioration spectaculaire de la puissance productive du travail, c'est-à-dire, dans le langage contemporain, de la productivité.

La division du travail permet des gains de productivité pour trois raisons. En premier lieu, la spécialisation de l'ouvrier dans quelques tâches simples accroît son habileté. Il peut donc exécuter une tâche en un temps beaucoup plus réduit que s'il n'était pas habitué à l'effectuer régulièrement. Ensuite, cette spécialisation permet d'éliminer le temps mort que représente le passage d'une tâche à l'autre. L'ouvrier, concentré en permanence sur la même activité, reste productif pendant toute la journée. Enfin, cette division du travail favorise l'utilisation des machines qui permettent d'économiser le travail. Smith présente d'ailleurs l'invention des machines comme une conséquence de cette division. Le fait que l'attention de l'ouvrier soit toujours fixée sur la même tâche fait de lui la personne la plus apte à découvrir des procédés qui faciliteront cette tâche.

La division du travail, fruit du penchant des hommes à l'échange
L'origine de la division du travail est plus à rechercher dans l'existence d'un penchant naturel des hommes à échanger que dans l'effet de la sagesse humaine. Un homme ne peut pas vivre sans l'aide de ses semblables. Il ne doit toutefois pas attendre cette aide de leur bienveillance. Les autres ne l'aident que s'ils y trouvent eux-mêmes leur intérêt. « Ce n'est pas de la bienveillance du boucher, du brasseur ou du boulanger que nous attendons notre dîner, mais de l'attention qu'ils portent à leur propre intérêt. Nous nous adressons non à leur humanité, mais à leur amour d'eux-mêmes et nous ne leur parlons jamais de nos propres besoins mais de leur avantage. » (*La Richesse des nations,* livre 1, chapitre 2.)

C'est ainsi par l'échange que les hommes se fournissent ce qui leur est mutuellement nécessaire. Smith voit dans cette disposition à l'échange le point de départ de la division du travail. Dans une société primitive, un individu qui se révèle habile dans la production d'arcs et de flèches les troque contre du bétail ou du gibier. Il finit par se rendre compte qu'il obtient ainsi plus de bétail et de gibier que s'il était berger ou chasseur. La recherche de son intérêt le conduit donc à se consacrer exclusivement à la production d'armes qu'il fournit à ses compagnons. Chaque homme est ainsi encouragé à s'adonner à une activité particulière, ce qui lui permet d'utiliser au mieux ses aptitudes, pour échanger le produit de son travail.

Smith admet que la différence initiale dans les aptitudes des individus est généralement réduite. Cette différence dans les talents des individus est plus la résultante de la division du travail qu'elle n'en est la cause. La division du travail est en outre limitée par l'étendue du marché. Si le marché est réduit, personne n'est incité à se cantonner à la production d'un bien, de crainte de ne pouvoir trouver à échanger sa production contre celle des autres.

La division du travail rend aussi nécessaire l'utilisation de la monnaie. Dès l'instant où un homme ne produit lui-même qu'une part infime des biens qu'il consomme, il lui faut pouvoir obtenir facilement des autres hommes ce qui lui manque. Or le troc est un procédé incommode. Chaque homme n'a pas nécessairement besoin de ce qu'un autre a produit au moment où cet autre a lui-même besoin de ce qui est offert en échange. La monnaie s'est donc révélée indispensable pour le développement des échanges.

• Valeur et prix

La valeur et sa mesure

Une fois reconnus la nécessité et l'existence de l'échange, il reste à déterminer sur quelles bases s'effectue cet échange. C'est la question de la détermination de « la *valeur relative* ou *échangeable* » (*La Richesse des nations,* livre 1, chapitre 4) des marchandises. Smith rappelle que la valeur peut correspondre à l'utilité d'un objet, ce qu'il désigne comme la *« valeur en usage »*. Elle peut aussi renvoyer à la faculté que donne l'objet d'acquérir d'autres marchandises, ce qui constitue la *« valeur en échange »*. L'une n'implique pas nécessairement l'autre. Rien n'est plus utile que l'eau mais sa valeur en échange est extrêmement faible. Inversement, un diamant n'a qu'un usage limité en dépit d'une valeur en échange élevée. Smith est ainsi amené à rechercher « quelle est la véritable mesure de cette *valeur échangeable,* c'est-à-dire en quoi consiste le *prix réel* des marchandises ».

La richesse d'un homme est fonction de sa capacité à acquérir « les choses nécessaires, commodes ou agréables à la vie » (*La Richesse des nations,* livre 1, chapitre 5). C'est du travail d'autrui qu'il attend ces choses. Sa richesse dépend ainsi de la quantité de travail qu'il pourra « commander », c'est-à-dire acquérir auprès des autres. La valeur d'un bien est donc égale à la quantité de travail que ce bien permet de commander, ce qui permet à Smith d'affirmer que le travail est la mesure réelle de la valeur échangeable d'une marchandise.

En pratique, il est cependant difficile de déterminer un rapport d'échange fondé sur le travail. Un même temps de travail peut correspondre à des degrés de fatigue ou d'habileté différents. Le prix de marché n'est donc qu'un reflet approximatif d'une quantité de travail. Même si le travail est la mesure réelle de la valeur échangeable, ce n'est pas en quantité de travail que la valeur des biens est communément estimée. Un bien est plutôt comparé avec d'autres biens qu'avec du travail. Et surtout, lorsque la société a atteint un certain niveau de développement, les estimations sont faites en monnaie. On en vient donc à déterminer la valeur échangeable d'une marchandise par une quantité de monnaie plutôt que par une quantité de travail ou de toute autre marchandise.

L'or et l'argent présentent néanmoins l'inconvénient de voir leur propre valeur fluctuer. La quantité de travail que ces métaux permettent d'acquérir varie, ce qui n'en fait pas des instruments pleinement satisfaisants pour déterminer la valeur des autres marchandises. L'or et l'argent permettent donc seulement de donner un prix nominal tandis que le travail permet d'estimer un prix réel. Le travail est la seule mesure universelle, « le seul étalon avec lequel nous pouvons comparer les valeurs des différentes marchandises en tout temps et en tout lieu ». Si le travail représente la meilleure référence pour exprimer le prix réel d'une marchandise, il reste à déterminer sur quoi repose ce prix réel.

De quoi est constitué le prix des marchandises ?

Smith raisonne tout d'abord sur une société primitive dans laquelle il n'y a pas encore d'accumulation des capitaux et d'appropriation de la terre. Dans une telle société, l'obtention d'un bien ne passe que par le travail. Soit l'individu produit lui-même le bien, soit il l'acquiert auprès d'un autre en cédant en contrepartie le produit de son propre travail. Le rapport d'échange est donc fondé sur le temps de travail nécessaire pour produire chacun des deux biens. « Si, parmi une nation de chasseurs par exemple, il coûte habituellement deux fois plus de travail pour tuer un castor que pour tuer un cerf, un castor devrait naturellement s'échanger contre deux cerfs ou en valoir deux. Il est naturel que ce qui est habituellement le produit de deux jours ou de deux heures de travail vaille deux fois plus que ce qui est habituellement le produit d'un jour ou d'une heure de travail. » (*La Richesse des nations,* livre 1, chapitre 6.)

Smith admet toutefois qu'une heure de travail dans une activité donnée puisse être plus dure ou nécessiter plus d'habileté qu'une heure de travail dans une autre activité. Le rapport d'échange doit donc intégrer ces différences qui ne remettent pas fondamentalement en cause le raisonnement. La valeur supérieure attribuée à un produit dont la production exige des talents particuliers ne fait que compenser le temps et le travail qui ont été nécessaires pour acquérir ces talents. En définitive, dans cette société où « tout le produit du travail appartient au travailleur », la quantité de travail incorporée dans un bien est le seul déterminant du rapport d'échange.

Il en va différemment d'une société plus avancée dans laquelle des particuliers détiennent les capitaux engagés dans la production et dans laquelle la terre appartient à des propriétaires fonciers. L'existence des détenteurs de capitaux peut être compatible avec la préservation d'une théorie de la valeur fondée sur le travail incorporé dans les produits si leur profit est analysé comme une ponction sur le revenu du travail. Smith semble évoquer cette voie en considérant que « tout le produit du travail n'appartient pas toujours au travailleur », lequel doit, dans la plupart des cas, « le partager avec le propriétaire du capital qui l'emploie ». Dès lors, « la valeur que les travailleurs ajoutent aux matériaux se résout donc dans ce cas en deux parties, dont l'une paie leurs salaires et l'autre les profits réalisés par leur employeur ».

Smith ne s'engage pas plus loin dans cette voie qui fait apparaître le profit comme une confiscation partielle du salaire. Les particuliers qui risquent leurs capitaux pour mettre à l'ouvrage des personnes auxquelles ils fournissent matériaux et subsistances peuvent prétendre à un profit. Sans celui-ci, rien ne les inciterait à avancer leurs capitaux. « Dans le prix des marchandises, par conséquent, les profits du capital constituent une partie composante tout à fait différente des salaires du travail et sont réglés par des principes tout à fait différents. » Dans les sociétés avancées, la valeur ne peut plus être déterminée à partir d'une quantité de travail incorporée. Du fait du profit, la quantité de travail qu'un bien permet de « commander » devient supérieure à la quantité de travail incorporée dans ce bien.

Un bien dont la production a nécessité une heure de travail permet d'acquérir plus d'une heure de travail. La théorie de la valeur travail n'est donc plus applicable aux sociétés avancées. Smith peut seulement dire que « le prix ou la valeur échangeable de chaque marchandise » se résout en ses parties constituantes : le salaire et le profit.

Salaire et profit ne sont d'ailleurs pas les seules composantes du prix dans les sociétés avancées où la terre est aux mains de propriétaires particuliers. L'utilisation de la terre donne lieu à un paiement aux propriétaires : la rente. Celle-ci représente une troisième composante du prix. Le prix de toute marchandise se décompose donc en salaire, profit et rente dans des proportions différentes en fonction des caractéristiques de sa production. Le prix de la marchandise est ainsi expliqué par les revenus occasionnés par sa production. Smith distingue à ce sujet le profit, revenu qu'une personne tire des capitaux qu'elle gère ou emploie, de l'intérêt, revenu qu'elle tire des capitaux quelle n'emploie pas elle-même. Le profit est donc constitué de l'intérêt et d'un revenu additionnel qui rémunère la peine de l'employeur et le risque qu'il prend.

Prix naturel et prix de marché

Dans toute société, il y a un « taux ordinaire ou moyen » (*La Richesse des nations,* livre 1, chapitre 7) du salaire, du profit et de la rente que Smith appelle le « taux naturel ». Quand le prix d'une marchandise est exactement égal à ce qui doit être payé, à ce taux naturel, en salaire, profit et rente nécessaires pour la produire, cette marchandise est elle-même à « son prix naturel ». À ce prix, « la marchandise se vend précisément pour ce qu'elle vaut, c'est-à-dire pour ce qu'elle coûte à la personne qui la met sur le marché ». Or, le prix auquel la marchandise se vend sur le marché, son « prix de marché », peut être différent de son prix naturel. Ce prix de marché est déterminé par la confrontation entre l'offre disponible et la demande qui se manifeste au prix naturel, que Smith qualifie de « demande effective ». Il peut être au-dessus ou au-dessous du prix naturel. Quand la quantité disponible sur le marché est inférieure à la demande effective, tous les demandeurs n'ont pas la possibilité de se procurer la marchandise et certains consentent à payer un prix supérieur. Le prix de marché s'élève alors au-dessus du prix naturel. Inversement, quand la quantité offerte excède la demande effective, elle ne peut être entièrement vendue qu'à un prix susceptible d'engendrer de nouvelles demandes. Le prix de marché tombe alors au-dessous du prix naturel.

Dans son *Essai sur la nature du commerce en général* publié en 1755 après sa mort, Richard Cantillon (1697-1734) expliquait que le prix de marché d'une marchandise ne s'écartait pas beaucoup de sa valeur intrinsèque. C'est ce que Smith s'emploie à démontrer en expliquant pourquoi le prix de marché ne peut durablement s'éloigner du prix naturel. Si le prix de marché d'une marchandise est inférieur au prix naturel, cela signifie qu'une des composantes de ce prix, à savoir le salaire, le profit ou la rente, est rémunérée à un taux inférieur au taux naturel. Les travailleurs, les employeurs ou les propriétaires sont donc incités à se retirer de l'activité concernée. La quantité de la marchandise mise sur le marché se réduit et son prix s'élève jusqu'au prix naturel. Si au contraire le prix de marché est supérieur au prix naturel, le salaire, le profit ou la rente sont au-dessus de leur taux naturel. Travailleurs, employeurs et propriétaires sont alors attirés par cette production dont la quantité s'accroît jusqu'au moment où elle devient suffisante pour satisfaire toute la demande effective. Le prix de marché retombe au prix naturel. « Le prix naturel est donc, pour ainsi dire, le prix central vers lequel les prix de toutes les marchandises gravitent continuellement. » Bien que des circonstances accidentelles empêchent le prix de marché de se confondre en permanence avec le prix naturel, il tend néanmoins constamment vers lui.

La gravitation du prix de marché autour du prix naturel peut être contrariée. L'attribution d'un monopole à un producteur conduit à la fixation d'un « prix de monopole » nettement supérieur au prix naturel. Le producteur fixe en effet « le prix le plus élevé qui puisse être tiré des acheteurs » au lieu de s'en tenir au prix le plus bas compatible avec la poursuite de son activité. « Les privilèges exclusifs des corporations, les statuts d'apprentissage et toutes ces lois qui limitent, dans des emplois particuliers, la concurrence » ont des effets comparables au monopole en permettant au prix de marché de rester durablement supérieur au prix naturel. Le cas de figure inverse est en revanche moins probable. Le prix de marché ne peut rester durablement en dessous du prix naturel car les personnes concernées par la production n'accepteront pas longtemps d'être payées à un taux inférieur au taux naturel.

Le prix naturel varie donc avec le taux naturel de chacune de ses composantes : salaire, profit et rente, aussi Smith est-il conduit à étudier les déterminants de chacun de ces revenus.

III. Revenus et accumulation du capital

Smith consacre les derniers chapitres du livre 1 de *La Richesse des nations* aux trois revenus qui composent le prix des marchandises, si l'on exclut une longue digression sur les variations de la valeur de l'argent. Dans le livre 2, il s'applique à étudier l'accumulation du capital qui, en favorisant la division du travail, conduit à l'accroissement de la richesse des nations.

• La détermination des revenus

Les salaires

Alors que dans la société primitive le travailleur « n'a ni propriétaire ni maître avec qui partager » (*La Richesse des nations,* livre 1, chapitre 8) le fruit de son travail, les ouvriers des sociétés avancées doivent compter avec les propriétaires et les employeurs. Ces derniers leur fournissent de quoi travailler et leur avancent de quoi pourvoir à leur subsistance pendant le processus de production. Ceci explique que les ouvriers partagent le produit de leur travail. Les intérêts des ouvriers et des « maîtres » sont antagonistes. « Les ouvriers désirent obtenir autant que possible, les maîtres donner le moins possible. Les premiers sont disposés à se coaliser afin d'augmenter le salaire du travail, les seconds afin de le diminuer. »

Smith est pleinement conscient du caractère inégal de cette confrontation. « Les maîtres, étant moins nombreux, peuvent se coaliser beaucoup plus facilement. En outre, la loi autorise, ou tout au moins n'interdit pas, leurs coalitions, tandis qu'elle interdit celle des ouvriers. » Non seulement le nombre et la législation jouent en faveur des maîtres, mais en cas de conflit ouvert, ils sont en mesure de tenir beaucoup plus longtemps face à des ouvriers qui sont conduits à céder pour retrouver de quoi gagner leur subsistance. Pour ces raisons, le pouvoir des maîtres est déterminant dans la fixation du salaire.

Les maîtres ne peuvent cependant pas abaisser le salaire en deçà de ce qui est nécessaire à la subsistance de l'ouvrier. Il faut que le salaire permette à l'ouvrier non seulement de survivre, mais aussi d'élever une famille, sinon « sa lignée ne pourrait pas se maintenir au-delà de la première génération ». Smith reprend ici l'analyse de Cantillon pour qui les travailleurs les moins bien payés doivent gagner le double de leur propre subsistance afin d'avoir les moyens d'élever au moins deux enfants. Compte tenu de la mortalité élevée, il faut élever quatre enfants pour que deux aient la chance de parvenir à l'âge adulte. Comme la dépense occasionnée par quatre enfants est égale à celle d'un homme, et que l'épouse pourvoit par son travail à ses propres besoins, le salaire versé à un homme ne doit donc pas descendre en deçà du double de sa subsistance.

Le salaire est toutefois appelé à croître si la demande de travail augmente. Dans ce cas, « les maîtres qui ont besoin de plus d'ouvriers font des surenchères pour les obtenir », ce qui permet aux ouvriers d'accroître le prix de leur travail. Cette augmentation de la demande de travail est rendue possible par l'amélioration des revenus des employeurs potentiels. Un propriétaire foncier peut ainsi affecter son supplément de revenus à l'entretien de nouveaux domestiques tandis qu'un artisan sera plutôt incité à l'utiliser pour embaucher un ou deux journaliers. La demande de travail augmente donc consécutivement à celle des revenus et des capitaux d'un pays, ce qui correspond à l'augmentation de la richesse de la nation. Plus la nation s'enrichit, plus la demande de travail peut augmenter et plus les salaires sont poussés à la hausse.

Smith insiste sur le fait que ce n'est pas le montant de la richesse nationale qui favorise la hausse des salaires, mais sa progression. Par conséquent, les salaires ne sont pas les plus élevés dans les pays les plus riches, mais dans les plus prospères, c'est-à-dire « dans ceux qui s'enrichissent le plus vite ». La prospérité d'un pays est repérable par l'accroissement de sa population. Smith en voit l'illustration dans les colonies américaines où la rémunération élevée du travail fait du nombre d'enfants dans la famille non pas une charge mais une source d'opulence pour les parents. « Une rémunération généreuse du travail, par conséquent, qui est l'effet d'une richesse croissante, est aussi la cause d'une population croissante. » Le mariage est encouragé, les parents, mieux à même de subvenir aux besoins de leurs enfants, en élèvent un plus grand nombre, ce qui permet de répondre à la demande de travail « continuellement croissante par une population continuellement croissante ». Smith ne peut que se réjouir de l'amélioration du sort de ceux qui composent la plus grande partie de la population d'un pays prospère. Il brosse un portrait particulièrement sombre de la Chine qui « paraît être depuis très longtemps dans un état stationnaire » et où le peuple est réduit à se nourrir de charognes, à abandonner ses enfants, voire à les noyer comme des chiots.

La hausse de la rémunération du travail, en plus de son effet positif sur la démographie, « augmente aussi l'activité des petites gens ». L'espoir d'améliorer leur condition rend « les ouvriers plus actifs, plus assidus, plus prompts là où le salaire est élevé que là où il est bas ». Smith ne va toutefois pas jusqu'à affirmer explicitement que l'argument devrait inciter les employeurs à accroître des salaires qui, en pratique, ne sont pas fixés uniformément. Il admet « qu'on ne peut nulle part déterminer très exactement le prix du travail, des prix différents étant souvent payés au même endroit et pour le même genre de travail, non seulement selon le degré de compétence des ouvriers, mais selon la libéralité ou la dureté des maîtres ».

L'amélioration des salaires augmente le prix de beaucoup de marchandises en augmentant la partie de leur prix correspondant aux salaires, ce qui tend à en réduire la consommation. Mais comme la source de la hausse des salaires, à savoir l'accroissement du capital, tend à augmenter la puissance productive du travail, par le renforcement de la division du travail et une plus grande utilisation des machines, la production d'une marchandise nécessite une moindre quantité de travail. « Il y a donc beaucoup de marchandises qui, en conséquence de ces progrès, sont produites avec tellement moins de travail qu'auparavant que l'augmentation du prix de ce travail est plus que compensée par la diminution de sa quantité. »

Les profits

L'accroissement ou la réduction de la richesse des nations, cause de l'évolution des salaires, est aussi la cause de l'évolution des profits. Toutefois, alors que l'augmentation des capitaux amène la hausse des salaires, elle tend à abaisser les profits. Cette liaison appelle une réflexion sur la détermination du profit.

Comme le taux de salaire, le taux de profit en vigueur à un moment donné est difficile à déterminer. « Le profit est tellement variable que celui qui exerce un commerce donné ne peut pas toujours vous dire lui-même quel est son profit annuel moyen. » (*La Richesse des nations,* livre 1, chapitre 9.)

Puisque le profit rémunère l'avance d'un capital, dont la rémunération constitue l'intérêt, ainsi que la peine et le risque de l'employeur, on peut se faire une idée de l'évolution du taux de profit en observant celle du taux d'intérêt. Là où les perspectives de profit sont élevées, on est prêt à donner beaucoup pour les fonds engagés dans une activité productive, et inversement si ces perspectives sont faibles. L'observation tend à montrer que la baisse du taux d'intérêt s'est accompagnée d'une hausse des salaires, ce qui tend à indiquer que taux de salaire et taux de profit varient en sens opposé.

Deux raisons permettent d'expliquer pourquoi l'augmentation des capitaux amène une baisse du taux de profit. Tout d'abord, quand les capitaux d'un pays ont plusieurs affectations possibles, « on les destine seulement aux branches qui offrent le profit le plus élevé ». Les nouveaux capitaux devront alors s'orienter vers des opérations moins rentables. Ensuite, la mise en œuvre de ces nouveaux capitaux nécessite le recours à une main-d'œuvre additionnelle, ce qui contribue à accroître les salaires et par là même à réduire les profits.

Les différences de salaires et de profits

Les taux de profit, comme les taux de salaire, tendent à s'égaliser. « Si, dans le même voisinage, il y avait un emploi qui fût de toute évidence soit plus soit moins avantageux que les autres, tant de gens s'y précipiteraient dans un cas, et tant le déserteraient dans l'autre, que ses avantages reviendraient bientôt au niveau des autres emplois. » (*La Richesse des nations,* livre 1, chapitre 10.) En pratique, dans tous les pays européens, salaires et profits sont cependant très différents suivant les divers emplois du travail et des capitaux.

Smith voit un première explication de ces différences dans la nature même des activités dans lesquelles travail et capitaux sont employés. Celles-ci procurent plus ou moins de désagréments, nécessitent des connaissances plus ou moins longues à acquérir, procurent une occupation permanente ou épisodique, nécessitent divers degrés de confiance, offrent des chances variables de réussite. Toutes ces caractéristiques expliquent les différences de salaires. Seules la première et la dernière influent sur les profits du capital. Puisque les facteurs expliquant les écarts de profits sont moins nombreux que ceux qui sont à l'origine des écarts de salaires, il s'ensuit que la tendance à l'égalisation des taux de profit sera plus forte que celle des taux de salaire.

Ces inégalités résultent aussi, selon Smith, de la réglementation. Celle-ci intervient de trois manières. Tout d'abord, elle restreint « la concurrence dans certains emplois à un nombre inférieur à celui des candidats éventuels ». Les privilèges exclusifs octroyés aux corporations pour l'exercice de tel ou tel corps de métier en sont le meilleur moyen. Smith a beau jeu de dénoncer l'absurdité de certains règlements qui obligent par exemple un fabricant de carrosses à acheter les roues à un charron alors que rien n'interdit au charron de fabriquer des carrosses qu'il n'a pourtant pas vocation à produire. C'est surtout pour leur atteinte à la liberté que les lois sur les corporations sont condamnables. « La propriété qu'a tout homme de son propre travail, de même qu'elle est le premier fondement de toute autre propriété, est aussi la plus sacrée et la plus inviolable. Le patrimoine d'un pauvre homme se trouve dans la force et la dextérité de ses mains, et l'empêcher d'employer cette force et cette dextérité comme bon lui semble sans faire de tort à son voisin est une violation patente de cette propriété très sacrée. C'est un empiétement manifeste sur la juste liberté aussi bien de l'ouvrier que de ceux qui pourraient être disposés à l'employer. Cela empêche à la fois l'un de travailler à ce qui lui semble bon et les autres d'employer qui bon leur semble. »

Pour Smith, la faculté accordée à un employeur d'embaucher qui bon lui semble garantit mieux un ouvrage de qualité qu'un long apprentissage. Un apprenti qu'on oblige à travailler pendant longtemps sans qu'il puisse en retirer une rémunération appropriée ne peut pas avoir d'intérêt pour son travail, alors qu'il serait incité à travailler avec zèle si on l'autorisait à exercer une activité pleinement rémunérée. Smith voit surtout dans les lois sur les corporations un moyen pour certains de se réserver des salaires ou des profits élevés. Celles-ci, en prétendant éviter l'encombrement du marché, ne font qu'y maintenir l'insuffisance. En restreignant la concurrence dans certaines activités, elles contribuent aux inégalités de salaires et de profits.

La deuxième manière par laquelle la réglementation engendre de telles inégalités est au contraire l'augmentation, dans d'autres domaines d'activité, du nombre de personnes au-delà de ce qu'il serait naturellement. Smith ne cache pas ses regrets de voir que les ecclésiastiques ou les hommes peu fortunés que sont les gens de lettres, formés aux frais du public, sont si grand nombre « qu'il réduit communément le prix de leur travail à une très piètre rémunération ». Le professeur Smith déplore que le métier soit « envahi d'indigents qui ont été éduqués aux frais du public pour l'exercer ».

La troisième voie conduisant la réglementation à favoriser les inégalités de salaires et de profits est l'entrave à la libre circulation des hommes et des capitaux. Les statuts d'apprentissage et les privilèges exclusifs des corporations empêchent cette circulation et conduisent à une coexistence entre des travailleurs qui perçoivent des salaires élevés avec d'autres qui doivent « se contenter d'une simple subsistance ». Les lois sur les pauvres, en imposant à chaque paroisse d'assurer la subsistance de ses pauvres, a ainsi considérablement freiné la mobilité géographique des travailleurs, chaque paroisse répugnant à accueillir un étranger qui pourrait devenir à charge. Avec de tels obstacles, « la rareté de la main-d'œuvre dans une paroisse ne peut pas toujours être soulagée par sa surabondance dans une autre », ce qui explique de nettes différences de salaires entre des lieux peu éloignés.

La rente

La rente, « prix payé pour l'usage de la terre » (*La Richesse des nations,* livre 1, chapitre 11), a un statut différent du salaire ou du profit. Les taux de salaire et de profit s'égalisent dans l'ensemble de l'économie si le travail et les capitaux sont parfaitement mobiles. Une activité productive peut laisser, après paiement des salaires et des profits aux taux en vigueur, un excédent qui constitue la rente du propriétaire. « Il faut donc observer que la rente entre dans la composition du prix des marchandises d'une manière différente de celle du salaire et du profit. Le niveau élevé ou bas du salaire et du profit est la cause du niveau élevé ou bas du prix ; le niveau élevé ou bas de la rente en est l'effet. » C'est parce qu'il faut payer des salaires et des profits élevés que le prix d'une marchandise sur le marché est élevé, tandis que c'est parce que le prix d'une marchandise est élevé qu'une fois payés les salaires et les profits elle peut fournir une rente élevée. La rente n'est que le surplus disponible après rémunération du travail et du capital. Alors que Smith explique le prix d'une marchandise par les revenus occasionnés par sa production, il en vient, en cherchant le déterminant de la rente, à expliquer un revenu par le prix de la marchandise.

Si une terre n'est pas suffisamment fertile pour permettre la rémunération du travail et du capital au taux en vigueur, elle ne sera pas cultivée. Inversement, si elle est très fertile, elle permettra une production abondante qui, après déduction des salaires et des profits au taux en vigueur, rapportera une forte rente. La rente dépend donc de la fertilité de la terre mais aussi de sa situation, la proximité d'une ville réduisant notamment la dépense occasionnée pour amener les produits de la terre sur le marché.

L'enrichissement de la nation, qui amène une hausse des salaires et une diminution du taux de profit, est favorable à la rente. La bonification des terres accroît la part de la production qui revient au propriétaire foncier, ce qui constitue une augmentation de sa rente. En outre, l'augmentation de la demande de produits alimentaires, consécutive à la hausse des salaires et à l'accroissement de la population, favorise une hausse de leur prix. S'il ne faut pas plus de dépenses en travail pour obtenir les produits alimentaires qu'avant la hausse de leur prix, cette hausse accroît la rente du propriétaire. Enfin, comme les gains de productivité font baisser le prix réel des produits manufacturés, l'échange des produits agricoles contre des produits manufacturés se fait de plus en plus en faveur des propriétaires fonciers. L'enrichissement de la nation, de même qu'il est favorable aux ouvriers, l'est aussi aux propriétaires fonciers. L'intérêt des ouvriers et des propriétaires est étroitement lié à l'intérêt général de la société, tandis que celui des employeurs va à son encontre puisque le taux de profit se réduit avec l'enrichissement général. Cette constatation explique le jugement particulièrement sévère de Smith envers « cette catégorie d'hommes, dont l'intérêt n'est jamais exactement le même que celui du public, qui a généralement intérêt à tromper et même à opprimer le public et qui, par conséquent, l'a en maintes occasions trompé et opprimé ». Une telle affirmation, ajoutée au regard sans complaisance qu'il porte sur les conditions dans lesquelles les maîtres imposent les salaires à leurs ouvriers, permet de rejeter l'idée selon laquelle Smith serait le défenseur bienveillant des employeurs.

• Accumulation du capital et accroissement de la richesse des nations

L'enrichissement de la nation trouve sa source dans une division du travail rendue possible par l'accumulation de capitaux. En quoi consistent ces capitaux et le travail qu'ils mettent en œuvre ?

Les formes prises par le capital et le travail
L'avoir d'un individu est utilisé partiellement pour sa consommation et le reste, que Smith désigne comme étant le capital, permet d'obtenir un revenu. Ce capital peut lui-même connaître deux affectations. Il peut tout d'abord prendre la forme de « capitaux circulants » (*La Richesse des nations,* livre 2, chapitre premier) s'il est utilisé dans une activité productive sous forme de biens qui, une fois transformés et vendus, donneront un profit. Le mot « circulant » renvoie au fait que ces capitaux changent d'aspect au cours du processus de production et procurent un revenu seulement à partir du moment où ils sont vendus. Le capital prend aussi la forme de « capitaux fixes », des machines par exemples, qui ne changent pas de forme pendant le processus de production et procurent un revenu sans qu'il soit nécessaire de les vendre.

Quant au travail, il fait lui aussi l'objet d'une subdivision en deux catégories. Smith distingue le « travail productif », qui ajoute de la valeur à l'objet auquel il s'applique, et le « travail improductif », qui ne produit pas de valeur (*La Richesse des nations,* livre 2, chapitre 3). Il oppose le travail d'un ouvrier fabricant, qui accroît la valeur des matières qu'il façonne, au travail d'un domestique, qui n'ajoute pas de valeur. Le premier ne coûte rien à son employeur, puisque après avoir avancé le salaire, il est remboursé, avec un profit en plus, au moment de la vente de l'objet auquel l'ouvrier a ajouté de la valeur. À l'inverse, l'employeur ne retrouve pas par une vente les salaires avancés au domestique. « Un homme s'enrichit en employant une multitude d'ouvriers fabricants ; il s'appauvrit en entretenant une multitude de domestiques. » Smith va plus loin en reliant le travail productif à la production de biens et le travail improductif à celle de services. « Le travail de l'ouvrier fabricant se fixe et réalise dans quelque objet particulier ou marchandise vendable qui dure au moins quelque temps après que le travail a cessé », ce qui permet à Smith d'assimiler cette marchandise à « une certaine quantité de travail stockée et mise en réserve pour être employée, si nécessaire, en quelque autre occasion ». Par opposition, le travail du domestique « ne se fixe et réalise dans aucun objet particulier ou marchandise vendable. Ses services périssent généralement à l'instant même de leur accomplissement et laissent rarement après eux quelque trace ou valeur » qui pourrait ensuite servir à acquérir d'autres services. En assimilant le travail improductif aux services, Smith ne semble pas voir qu'un individu, en vendant les services des personnes qu'il emploie, peut récupérer, avec un profit en plus, les salaires qu'il avance. Considérer que la production immatérielle est nécessairement improductive devient quelque peu contradictoire avec les caractéristiques prêtées au travail improductif.

L'accroissement de la richesse des nations

L'accumulation du capital est fondamentale car elle permet ce que nous appelons aujourd'hui la croissance économique. « Ainsi, toute augmentation ou diminution du capital tend naturellement à augmenter ou à diminuer la véritable activité, l'abondance de la main-d'œuvre productive, et par conséquent la valeur échangeable du produit annuel de la terre et du travail du pays, la richesse et le revenu réels de tous ses habitants. »

Comment ce capital est-il accumulé ? La rente de la terre et les profits des capitaux permettent à leurs bénéficiaires d'effectuer des dépenses de consommation, de rémunérer des travailleurs improductifs ou de constituer une épargne. Cette dernière possibilité est essentielle puisque l'épargne, utilisée pour mettre en œuvre le travail productif, conduit à l'accroissement de la richesse de la nation. Il est dès lors impératif que les individus, dans l'utilisation des fonds dont ils disposent, privilégient l'épargne. « Les capitaux sont accrus par la parcimonie et diminués par la prodigalité et la mauvaise conduite. » L'épargne est ainsi une vertu indispensable à la mise en œuvre d'un processus de croissance. « La parcimonie, en augmentant le fonds destiné à l'entretien de la main-d'œuvre productive, tend à augmenter l'abondance de cette main-d'œuvre dont le travail ajoute de la valeur à l'objet auquel il s'applique. Elle tend donc à augmenter la valeur échangeable du produit annuel de la terre et du travail du pays. Elle met en mouvement une activité supplémentaire qui donne une valeur supplémentaire au produit annuel. »

Le rôle essentiel de l'épargne dans la croissance amène Smith à opposer longuement les deux choix offerts aux détenteurs de fonds. Alors qu'une partie est dépensée et perçue « par des hôtes oisifs et des domestiques qui ne laissent rien derrière eux en retour de leur consommation », l'autre partie va aux « travailleurs, ouvriers fabricants et artisans qui reproduisent avec un profit la valeur de leur consommation annuelle ». Contrairement au prodigue qui tend, par sa conduite, à appauvrir le pays, l'épargnant contribue à son enrichissement. « Un homme économe, par son épargne annuelle, assure non seulement l'entretien d'une main-d'œuvre supplémentaire pour cette année ou la suivante, mais, comme le fondateur d'un atelier public, il établit en quelque sorte un fonds perpétuel pour l'entretien à perpétuité d'une main-d'œuvre équivalente. »

L'éventuel appauvrissement de la nation risque plus de provenir de la prodigalité publique que de celle des particuliers. Un État peut être tenté d'entretenir une cour, un clergé ou une armée rassemblant un nombre excessif de personnes. Celles-ci, en consommant une large part du produit annuel, n'en laissent plus suffisamment pour assurer la subsistance des ouvriers productifs qui auraient dû assurer le renouvellement de ce produit l'année suivante. Le produit annuel est donc appelé à se réduire d'année en année si les improductifs continuent à représenter une part trop importante de la population.

Si les choix opérés par les détenteurs de fonds ou par l'État ont une incidence directe sur la croissance, c'est aussi le cas des choix opérés par les emprunteurs dans l'affectation de la monnaie qu'on leur prête. Smith intègre la monnaie dans le capital circulant. Ceci tient au fait que, comme les autres composantes du capital circulant, elle est cédée et donne lieu à un retour équivalent auquel s'ajoute un complément, en l'occurrence l'intérêt. L'emprunteur peut se servir des fonds obtenus comme d'un capital ou les affecter à la consommation. Dans le premier cas, « il les emploie à l'entretien de travailleurs productifs qui en reproduisent la valeur avec un profit » (*La Richesse des nations,* livre 2, chapitre 4), ce qui garantit le remboursement du prêteur et le paiement de l'intérêt sans ponctionner ses revenus. Dans le second cas, « il se comporte en prodigue et dissipe dans l'entretien des oisifs ce qui était destiné au soutien des actifs ».

IV. Le système libéral

• La critique des systèmes d'économie politique

Smith consacre les huit premiers chapitres du livre 4 de *La Richesse des nations* à l'analyse du « système mercantile » et réserve le dernier chapitre au « système de l'agriculture ». Le mercantilisme, sur lequel il concentre ses critiques, est à rejeter à plusieurs titres.

Ce système repose sur un principe que Smith dénonce et prône des mesures, à savoir les entraves aux importations et les encouragements aux exportations, qui, contrairement au but recherché, nuisent à l'intérêt des nations.

La dénonciation de la confusion entre monnaie et richesse
Smith reproche aux mercantilistes de tenir le même raisonnement pour l'enrichissement de la nation que pour l'enrichissement d'un individu. Un homme devient riche en accumulant de la monnaie. « Un pays riche, tout comme un homme riche, est censé être celui qui abonde en monnaie, et le meilleur moyen d'enrichir un pays est d'y amasser de l'or et de l'argent. » (*La Richesse des nations*, livre 4, chapitre premier.) Smith reproche ainsi à Locke de considérer que l'objet de l'économie politique est de permettre à un pays d'accumuler du métal. D'autres justifient cette accumulation de métal en temps de paix par la possibilité de soutenir ultérieurement une guerre. D'autres enfin, comme Mun, en viennent à accepter les importations, et donc les sorties de métal auxquelles elles donnent lieu, si elles permettent des exportations ultérieures qui se traduiront par des rentrées d'or ou d'argent encore plus importantes.

Smith admet qu'un pays qui n'a pas de mines cherche à obtenir son or et son argent de l'étranger, mais c'est tout aussi vrai d'un pays qui n'a pas de vignes et qui doit importer son vin. L'État n'a pas plus à se préoccuper de la première importation que de la seconde. De même que la liberté du commerce permet d'assurer l'approvisionnement en vin, elle doit assurer l'approvisionnement en métal. Un pays trouve toujours une contrepartie à offrir pour acquérir ce métal. Et même s'il devait à un moment donné manquer de métal, ce manque serait moins dommageable que celui de n'importe quel autre bien puisque la réalisation des échanges pourrait être envisagée sans or ou argent. Dès lors, « l'attention du gouvernement n'a jamais été aussi inutilement employée que lorsqu'elle a été tournée vers la surveillance de la conservation ou de l'accroissement de la quantité de monnaie dans un pays ».

L'obstination d'un État à accumuler les métaux précieux résulte de la confusion mercantiliste entre monnaie et richesse que dénonce Smith. L'erreur des mercantilistes est d'assimiler la monnaie à la richesse au lieu de la considérer comme un moyen de faire circuler cette richesse. La quantité de métal nécessaire dans un pays est limitée à l'usage qu'on en a, en l'occurrence faire circuler des marchandises. Une quantité de métal excédant les besoins de la circulation est inutile. Smith peut ainsi affirmer « que tenter d'accroître la richesse d'un pays en y introduisant ou en y retenant une quantité inutile d'or et d'argent est aussi absurde que de tenter d'accroître la bonne chère des simples familles en les obligeant à garder un nombre inutile d'ustensiles de cuisine ».

Le rejet des entraves aux importations : de la main invisible aux bienfaits de l'échange international

Le premier des deux chapitres que Smith consacre à la dénonciation des entraves aux importations a donné lieu à deux de ses apports les plus célèbres : le concept de « main invisible » et l'idée, popularisée ultérieurement sous le nom de théorie de l'avantage absolu, selon laquelle le commerce entre deux pays est susceptible de bénéficier à chacun d'entre eux.

Lorsqu'un pays importe des marchandises pouvant être produites par l'industrie nationale, l'État risque d'être tenté de chercher à la protéger en freinant les importations. Cela revient à conférer un monopole à certaines industries nationales, ce qui ne bénéficie pas nécessairement à la nation. En effet, l'activité se trouve orientée vers ces industries protégées « et il n'est pas du tout certain que cette direction artificielle puisse être plus avantageuse à la société que celle que l'activité aurait prise d'elle-même » (*La Richesse des nations,* livre 4, chapitre 2). Il est préférable de laisser chaque individu s'adonner librement à telle ou telle activité car, en recherchant son propre intérêt, il concourt à celui de la nation. « Il n'a généralement même pas l'intention de servir l'intérêt public et il ne sait pas non plus jusqu'à quel point il le sert. En préférant soutenir l'activité domestique à l'activité étrangère, il ne vise que sa propre sécurité ; en dirigeant cette activité de façon à ce que son produit ait la plus grande valeur, il ne vise que son propre gain et il est, dans ce cas comme dans bien d'autres, conduit par une main invisible pour contribuer à une fin qui n'entrait pas dans son intention. Et ce n'est pas toujours le pire pour la société qu'elle n'y entrât pas. En poursuivant son propre intérêt, il sert souvent celui de la société plus efficacement que s'il cherchait réellement à le servir. » Smith rejoint ainsi Bernard de Mandeville qui, au début du siècle, expliquait dans sa *Fable des abeilles* que l'égoïsme des particuliers devenait une vertu publique.

Smith utilise déjà cette image de la main invisible dans la *Théorie des sentiments moraux.* Il montre alors que les riches, en recherchant leur propre satisfaction, défendent l'intérêt des pauvres en les employant. « Une main invisible semble les forcer à concourir à la même distribution des choses nécessaires à la vie qui aurait eu lieu si la terre eût été donnée en égale portion à chacun de ses habitants ; et ainsi, sans en avoir l'intention, sans même le savoir, le riche sert l'intérêt social et la multiplication de l'espèce humaine. » (*Théorie des sentiments moraux,* quatrième partie, chapitre 1.) Un ordre spontané et garant de l'intérêt général s'établit ainsi par la recherche d'intérêts individuels.

La réglementation étatique risque au contraire d'aller à l'encontre de l'intérêt général. L'octroi d'un monopole à l'industrie nationale, en orientant les particuliers vers une activité qu'ils n'auraient pas choisie, se révèle presque toujours inutile ou nuisible. Si l'industrie nationale est capable de mettre un produit sur le marché à de meilleures conditions que l'industrie étrangère, le monopole est inutile. Si elle ne peut pas mettre le produit sur le marché à de meilleures conditions, le monopole est nuisible. « C'est la maxime de tout chef de famille prudent que de ne jamais chercher à faire chez lui ce qui lui coûtera plus cher à faire qu'à acheter. » (*La Richesse des nations,* livre 4, chapitre 2.) Son intérêt le conduit à se consacrer intégralement à l'activité dans laquelle il détient un avantage sur ses voisins et à utiliser le produit de cette activité pour acheter à d'autres ce dont il a besoin. « Ce qui est prudence dans la conduite de toute famille en particulier ne peut guère être folie dans celle d'un grand royaume. Si un pays étranger peut nous fournir une marchandise à meilleur marché que nous ne pouvons la faire nous-mêmes, mieux vaut la lui acheter avec une partie du produit de notre propre activité employée dans une voie dans laquelle nous avons quelque avantage. » Si l'étranger est à même de fabriquer un bien à meilleur compte que les producteurs nationaux, il est préférable de renoncer à le produire sur place. Un pays a intérêt à produire les biens pour lesquels il est le plus performant. Il peut alors, contre une partie de cette production, obtenir de l'étranger le bien qu'il a renoncé à produire. Cette solution permet d'utiliser au mieux les ressources disponibles et d'obtenir une quantité de biens supérieure à celle qui serait obtenue en cas d'absence d'échange. L'Écosse peut certes produire du vin, mais si la dépense pour obtenir un vin de qualité y est trente fois supérieure à ce qu'elle est en France, il vaut mieux importer ce vin de France contre des produits écossais. En consacrant ses ressources à la production d'autres biens pour lesquels elle dispose d'un avantage sur la France, l'Écosse obtient du vin à un coût bien moindre que si elle en avait assuré la production.

Smith retient deux cas dans lesquels il peut être justifié de défendre l'activité intérieure au détriment de celle de l'étranger. Le premier concerne l'activité nécessaire à la défense du pays. Le second renvoie aux situations dans lesquelles l'activité intérieure est soumise à une imposition, laquelle doit être étendue aux importations pour que les producteurs nationaux ne soient pas pénalisés. Il y a aussi deux autres cas où la possibilité de restrictions aux échanges mérite discussion. On peut tout d'abord envisager qu'un pays prenne des mesures de rétorsion à l'encontre des pays qui limitent leurs importations en provenance de chez lui. La décision est certes dangereuse puisqu'elle conduit à des situations conflictuelles entre des pays qui peuvent en venir à cesser toute relation commerciale entre eux. Elle présente néanmoins l'avantage d'inciter un pays à ouvrir de nouveau son marché. En cas de réussite d'une telle politique, l'inconvénient passager du renchérissement du prix de certaines marchandises est plus que compensé par le réouverture d'un marché étranger. On peut aussi discuter de la possibilité de restrictions aux échanges lorsque les importations ont longtemps été interrompues. Le retour à la liberté du commerce risque de bouleverser brutalement la production nationale. Il est dans ce cas préférable de ne rétablir cette liberté que progressivement pour que les producteurs nationaux aient le temps de s'adapter.

Après avoir dénoncé les entraves aux importations de marchandises susceptibles d'être produites sur place, Smith s'en prend aux entraves aux importations en provenance de pays avec lesquels la balance commerciale est déficitaire. En effet, un déficit commercial avec un pays n'empêche pas que l'échange soit favorable à chacun des partenaires. L'Angleterre peut connaître un déficit dans ses relations commerciales avec la France. Cependant, si les vins ou les étoffes en provenance de France se révèlent moins chers que ceux de tout autre pays, l'Angleterre a intérêt à les acheter. Même si ces achats accentuent le déficit commercial de l'Angleterre dans ses relations avec la France, elle en tire un gain puisqu'elle peut s'approvisionner en contrepartie d'une moindre quantité de produits nationaux.

L'aggravation du déficit commercial avec la France correspond en fait à une amélioration de la balance commerciale avec l'ensemble des partenaires.

En conséquence, « rien ne peut être plus absurde » (*La Richesse des nations,* livre 4, chapitre 3) que la doctrine commerciale prônée par les mercantilistes. « Lorsque deux places commercent l'une avec l'autre, cette doctrine suppose que, si la balance est équilibrée, ni l'une ni l'autre ne perd ni ne gagne, mais que si elle penche d'un degré quelconque d'un côté, l'une d'elles perd et l'autre gagne en proportion de son écart par rapport à l'équilibre exact. Ces deux suppositions sont fausses. » Elle reviennent en effet à considérer l'échange international comme un jeu à somme nulle alors que l'analyse de Smith montre qu'il s'agit d'un jeu à somme positive conduisant chaque partenaire à retirer un gain de l'échange. En s'adonnant aux productions pour lesquels il détient des avantages naturels ou acquis, un pays bénéficie pleinement de l'échange international, d'où le rejet par Smith des entraves aux importations comme des aides à l'exportation.

Le rejet des aides à l'exportation

Les aides à l'exportation prennent des formes diverses, notamment la forme de primes comme celles qui portent sur les grains. Ces primes sont censées encourager la culture des grains en ouvrant l'accès à de nouveaux marchés et en assurant au fermier un meilleur prix. Cet encouragement doit conduire à un accroissement de la production permettant une baisse du prix du blé sur le marché intérieur.

Smith conteste les vertus prêtées à une telle mesure. Chaque boisseau de blé que la prime permet d'exporter serait selon lui resté sur le marché intérieur où il aurait permis un accroissement de la consommation et une baisse du prix. La mise en place d'une prime à l'exportation revient à faire supporter un double impôt à la population : celui qui contribue à payer la prime et celui qui résulte du renchérissement du prix sur le marché intérieur. La population et l'activité intérieure souffrent ainsi d'une double pénalisation, résultat malheureux de la prime à l'exportation.

De la même façon, quand un pays permet les importations en provenance d'un autre pays sans étendre cette faveur aux pays tiers, il avantage les producteurs du pays dont les produits sont désormais acceptés mais pénalise ses propres habitants. La mesure revient à accorder un monopole à un pays étranger, ce qui conduit à acquérir les produits à un prix supérieur à ce qu'il aurait été en cas de concurrence entre les pays. Smith dénonce notamment le traité de commerce conclu en 1703 entre l'Angleterre et le Portugal par lequel ce dernier s'engage à laisser entrer les draps anglais contre la possibilité pour lui de vendre son vin en Angleterre. En acceptant le vin portugais à des conditions plus avantageuses que celui en provenance d'autres pays, l'Angleterre pénalise sa population. Justifié habituellement par la volonté d'améliorer la balance commerciale de l'Angleterre avec le Portugal, et de permettre ainsi, en bonne logique mercantiliste, d'accroître les rentrées d'or et d'argent, le traité est dénoncé par Smith.

La politique mercantiliste n'encourage pas toujours les exportations. Elle cherche en effet à favoriser l'activité nationale en dissuadant les exportations de produits bruts et en favorisant au contraire leurs importations. Smith décrit ainsi les sanctions impitoyables prévues par la loi de 1566 à l'encontre des exportateurs de moutons qui, passibles de la confiscation de toutes leurs marchandises et d'un an de prison, voient leur main coupée et clouée en ville un jour de marché et sont condamnés à mort en cas de récidive. Indépendamment de son aspect barbare, une telle loi est condamnable puisqu'elle revient à léser les intérêts de certaines catégories de citoyens au profit d'autres catégories. Plus généralement, le mercantilisme doit être combattu car il sacrifie constamment l'intérêt du consommateur à celui du producteur. « La consommation est la seule fin, le seul but de toute production et on ne devrait s'occuper de l'intérêt du producteur que dans la mesure où il peut être nécessaire pour favoriser celui du consommateur. » (*La Richesse des nations,* livre 4, chapitre 8.) La réglementation des échanges internationaux inspirée par la doctrine mercantiliste fait la part belle aux producteurs et sacrifie l'intérêt des consommateurs. Le verdict de Smith, particulièrement dur à l'encontre des mercantilistes, est moins sévère pour les physiocrates.

Le jugement sur la physiocratie

Contrairement aux thèses mercantilistes, les idées physiocrates n'ont pas donné lieu à des applications concrètes et sont circonscrites à un groupe de penseurs français, aussi Smith ne juge-t-il pas nécessaire « d'examiner longuement les erreurs d'un système qui n'a jamais fait et ne fera probablement jamais de mal nulle part au monde » (*La Richesse des nations,* livre 4, chapitre 9). La principale erreur des physiocrates tient à leur assimilation des artisans, fabricants et marchands à une classe stérile et improductive. Smith s'appuie sur cinq arguments pour rejeter cette assimilation. Tout d'abord, le fait que cette classe reproduise annuellement la valeur de sa propre consommation n'autorise pas à la qualifier de stérile, pas plus qu'un couple donnant naissance à un fils et à une fille permettant simplement de remplacer le père et la mère ne saurait être considéré comme stérile. Ensuite, les membres de cette classe exercent une activité qui répond à la définition que donne Smith du travail productif. En troisième lieu, même si l'on admet que la valeur produite par cette classe est égale à la valeur de ce qu'elle consomme, elle n'en contribue pas moins à l'accroissement du revenu de la société. Quatrièmement, si les artisans, fabricants et marchands sont en mesure d'épargner, ils rassemblent un capital permettant la mise en œuvre d'une quantité de travail qui augmente le produit annuel. Enfin, grâce à la fabrication et au commerce, un pays peut importer une plus grande quantité de subsistances que ce que ses propres terres peuvent lui fournir.

En dépit de toutes ces limites, le système présenté par les physiocrates mérite l'attention car il est « le plus proche de la vérité de tout ce qui a jamais été publié sur le sujet de l'économie politique ». Smith ne cache pas son respect pour François Quesnay à qui il pensait dédicacer *La Richesse des nations.* Il reconnaît aux physiocrates le mérite d'avoir distingué la monnaie des richesses, lesquelles sont constituées de biens consommables obtenus par un travail qui peut être favorisé par le recours à plus de liberté.

• Le rôle de l'État

Avec le système libéral, désigné par Smith par l'appellation « système de liberté naturelle », le souverain n'a que trois devoirs à remplir : la défense, la justice et l'entretien de certains ouvrages et institutions publics qui ne peut être assuré par l'initiative privée. Ces devoirs impliquent des dépenses et des ressources pour l'État.

Les dépenses à la charge de l'État

Outre les dépenses exigées par la défense nationale et la justice, l'État doit aussi pourvoir aux dépenses qu'exigent les ouvrages et institutions publics. Smith s'attarde longuement sur cette dernière catégorie de dépenses. Elle regroupe les dépenses propres à faciliter l'activité économique et les dépenses d'éducation.

Parmi les dépenses propres à faciliter l'activité économique, certaines ont un caractère d'intérêt général. C'est le cas de la construction d'une route ou d'un pont. Leur financement doit être assuré par la perception d'un droit payé par les utilisateurs. Un prélèvement de ce type présente l'avantage d'être équitable et de ne permettre la construction d'ouvrages publics que là où ils sont nécessaires, en l'occurrence là où l'on est prêt à payer pour leur utilisation. D'autres dépenses sont destinées à favoriser certaines activités particulières. C'est le cas des diverses formes de protection des intérêts des commerçants nationaux à l'étranger. Là aussi, Smith trouve raisonnable que le financement soit assuré par les branches au profit desquelles les dépenses sont engagées. Il dénonce les pratiques qui ont conduit à confier à des compagnies privilégiées la défense des intérêts commerciaux nationaux à l'étranger. Comme les corporations, ces compagnies se sont trouvées en situation de monopole et ont eu pour effet de pénaliser l'activité économique.

Les dépenses d'éducation, quant à elles, concernent tout d'abord la jeunesse. Comme les précédentes, elles pourraient s'autofinancer si les élèves payaient au maître l'enseignement qu'il leur dispense. C'est l'occasion pour Smith de dénoncer les professeurs d'Université qui, recevant un traitement fixe garanti, négligent l'enseignement. Ils ne sont pas incités à donner le meilleur d'eux-mêmes pour intéresser un public captif dont l'appréciation sur la qualité de l'enseignement suivi est sans incidence sur la rémunération du professeur. C'est ainsi qu'à Oxford « la plus grande partie des professeurs publics ont, depuis de nombreuses années, abandonné totalement jusqu'à l'apparence même d'enseigner » (*La Richesse des nations,* livre 5, chapitre premier). Est-ce à dire que l'État doit renoncer à intervenir en matière d'éducation ? Smith ne le pense aucunement. Il est parfaitement conscient des effets abêtissants de la division du travail sur l'ouvrier qui « n'a pas l'occasion de déployer son intelligence ou d'exercer son esprit inventif ». Les gens du peuple n'ont guère le temps et les moyens de pourvoir à leur éducation. Comme le métier est généralement « si simple et si uniforme qu'il donne peu d'exercice à l'intelligence », il est indispensable qu'ils puissent bénéficier d'un enseignement avant d'occuper un emploi qui ne leur permettra pas d'étendre leurs connaissances. Dès lors, l'État doit imposer cet enseignement et participer à la prise en charge des frais qu'il occasionne. Il est d'ailleurs de son devoir d'agir dans ce sens. « Même si l'État ne tirait aucun avantage de l'instruction des catégories inférieures du peuple, il serait digne de son attention qu'elles ne soient pas totalement privées d'instruction. » Les longs développements que Smith consacre à l'éducation l'amènent aussi à réfléchir sur la nature de l'instruction religieuse et sur les effets de son financement. Puisque le revenu perçu par l'Église n'est plus disponible pour les dépenses de l'État, Smith en conclut que « plus l'Église est riche, plus le souverain ou le peuple doivent nécessairement être pauvres ».

La question du financement des dépenses publiques est en définitive relativement simple à régler. Lorsque, comme pour la défense ou le soutien de la dignité du souverain, ces dépenses profitent à tous les membres de la société, il est juste que ceux-ci contribuent tous « le plus précisément possible, en proportion de leurs capacités respectives ». Dans les autres cas, le financement doit être assuré par les personnes les plus directement concernées par les dépenses engagées.

Les ressources de l'État

En tant que propriétaire, l'État peut, comme tout autre détenteur d'un capital, percevoir des profits ou des intérêts. Smith connaît bien l'histoire des États qui se sont lancés dans des opérations commerciales, mais il est sceptique sur la capacité d'un État à s'assurer ainsi durablement des ressources. « Il ne semble pas y avoir deux caractères plus incompatibles que celui du commerçant et celui du souverain. » (*La Richesse des nations,* livre 5, chapitre 2.) De la même façon, la couronne peut tirer des revenus de ses domaines fonciers, mais cette solution n'est guère plus satisfaisante que la précédente. L'intérêt public exige plutôt que les terres soient cédées aux particuliers. Il reste donc à l'État à compter sur l'impôt pour se procurer des ressources.

La fiscalité doit reposer selon Smith sur quatre principes. Chacun doit tout d'abord contribuer selon ses capacités, en l'occurrence en fonction de son revenu. L'impôt à payer doit ensuite être tenu pour certain, de façon à exclure l'arbitraire. Il doit en outre être perçu au moment et selon les modalités qui sont susceptibles de gêner le moins possible le contribuable. Sa perception doit enfin être effectuée avec le moins de déperdition possible. On trouve donc chez Smith les principes d'un impôt équitable, neutre et opérationnel.

Smith étudie longuement les diverses formes d'impôts et en dégage plusieurs enseignements. Un impôt sur les profits, et plus précisément sur la partie des profits qui constitue l'intérêt, est plus dommageable qu'un impôt sur les rentes car, d'une part, il porte sur des revenus plus facilement dissimulables et, d'autre part, il risque d'entraîner des fuites de capitaux qui seront néfastes au pays. En effet, « la terre est une chose qui ne peut pas être déplacée tandis que le capital peut l'être facilement ». Quant à l'impôt sur les salaires, il présente l'inconvénient d'augmenter le prix des marchandises puisque l'ouvrier, pour que son revenu disponible lui permette d'assurer sa subsistance, doit nécessairement obtenir une augmentation de salaire qui élève le coût de production. Un tel impôt pénalise en outre l'activité en réduisant la demande de travail. Un impôt indirect sur les biens de consommation courante a d'ailleurs les mêmes effets : en augmentant le prix des subsistances, et par là même le salaire, il renchérit le prix des marchandises et réduit la demande de travail. L'impact est différent s'il porte sur les biens de luxe car l'augmentation du prix des biens imposés n'a pas de répercussion sur les salaires.

Smith met enfin l'État en garde contre la tentation d'une fiscalité excessive. « Des impôts élevés, parfois en diminuant la consommation des marchandises imposées, parfois en encourageant la contrebande, procurent souvent un plus faible revenu au gouvernement que celui qu'il aurait retiré d'impôts plus modérés ». Smith indique ainsi clairement les effets pervers de l'excès d'imposition sur le montant des recettes fiscales, raisonnement qui sera développé en 1844 par Jules Dupuit et popularisé dans la période contemporaine par Arthur Laffer à travers la fameuse courbe qui porte son nom.

Les dettes publiques

Smith consacre le dernier chapitre du livre 5 de *La Richesse des nations* aux dettes publiques. Il dénonce les effets de ces dettes sur l'activité et les artifices mis en œuvre pour les réduire. Historiquement, les États ont en effet eu recours aux mutations monétaires pour se désendetter. En modifiant la définition de la monnaie, ils pouvaient, tout en rendant la même somme que celle qui avait été empruntée en valeur nominale, rembourser intégralement à l'aide d'une moindre quantité de métal. D'une manière générale, Smith considère que si l'État ne trouve pas les revenus permettant de réduire les dettes, il doit restreindre ses dépenses. À propos de la Grande-Bretagne, il vise tout particulièrement le coûts engendrés par les colonies américaines.

V. Postérité et influence

Le succès immédiat et jamais démenti de *La Richesse des nations* est révélateur de l'importance de la pensée économique de Smith. Celui-ci est devenu une référence incontournable pour les principaux auteurs qui, depuis deux siècles, ont marqué de leur empreinte la théorie économique.

• Le succès de *La Richesse des nations*

Smith a eu la chance d'assister au succès de *La Richesse des nations* puisque, de son vivant, cinq éditions en langue anglaise sont publiées. En dépit de ses nouvelles activités à Édimbourg, il a continué à travailler sur l'ouvrage qui comporte des compléments dans les éditions de 1778, 1784, 1786 et 1789. Les autres éditions qui se sont succédé jusqu'à la période contemporaine témoignent d'un intérêt toujours reconfirmé pour l'auteur écossais.

La renommée de Smith ne se limite pas à la Grande-Bretagne. Le philosophe n'avait pas tardé à se faire connaître en France. Les idées de l'économiste y sont aussi très rapidement diffusées. L'année même de la première parution du texte en anglais, Morellet en entreprend la traduction en français. Le manuscrit, aujourd'hui conservé à la Bibliothèque municipale de Lyon, n'a toutefois jamais été publié. Un *Fragment* paraît en 1778 à Lausanne et à Bâle. Une traduction complète est éditée à La Haye en quatre volumes en 1778-1779, traduction rééditée en 1789. Une version de Blavet est publiée en feuilleton en 1779-1780 puis est éditée à plusieurs reprises dans les années qui suivent. Une autre traduction de Roucher est publiée en 1790-1791 et est rééditée quatre fois de 1791 à 1794. En 1802, Germain Garnier publie à son tour une traduction qui, après les corrections apportées dans les éditions suivantes, constitue la traduction française de référence au XIXe et sur la quasi-totalité du XXe siècle. Cette volonté de traduire et de publier *La Richesse des nations,* qui ne se limite d'ailleurs pas aux francophones, montre l'engouement pour l'œuvre de Smith.

• Adam Smith : une référence incontournable

L'analyse de Smith a donné lieu à des applications pratiques. Le premier ministre britannique William Pitt, converti à ses idées, réduit notamment la protection douanière et signe en 1786 un traité de commerce avec la France, donnant ainsi corps aux principes de liberté du commerce et de division du travail entre les nations. Smith a plus généralement inspiré les politiques libérales, bien que Jacob Viner ait montré que les partisans contemporains du laissez-faire puissent difficilement se réclamer de *La Richesse des nations.*

Mais surtout, l'ouvrage de Smith constitue une base de départ pour les économistes qui, dans la première moitié du XIXe siècle, asseoient la domination du courant classique. L'analyse de la valeur ou la mise en évidence des avantages de la division internationale du travail ouvrent la voie aux théories de David Ricardo. Plus tard, Karl Marx lui prête des « intuitions géniales » et lui attribue la reconnaissance de l'existence de la plus-value. La filiation se poursuit avec les théoriciens néoclassiques et les économistes contemporains. Smith a indiscutablement marqué, sous une forme ou sous une autre, les principaux auteurs qui, depuis plus de deux siècles, ont participé à l'enrichissement de la science économique.

• Éléments de bibliographie

Œuvres d'Adam Smith

L'œuvre de Smith, rassemblée au sein de *The Glagow Edition of the Works and Correspondence of Adam Smith,* a été publiée en 1976 par Oxford University Press, avec des corrections mineures apportées en 1979, et reproduite en 1981, pour les six premiers titres, par Liberty Press / Liberty Classics (Indianapolis). Elle comprend :

1. *The Theory of Moral Sentiments.*
2. *An Inquiry into the Nature and Causes of the Wealth of Nations.*
3. *Essays on Philosophical Subjects.*
4. *Lectures on Rhetoric and Belles Lettres.*

5. *Lectures on Jurisprudence.*
6. *Correspondence of Adam Smith.*

Le troisième de ces livres rassemble des textes que Smith n'avait pas détruits et qui furent publiés après sa mort. Les deux suivants contiennent les cours donnés à Édimbourg et à Glasgow à partir, pour le second, des notes prises par l'un de ses étudiants. Cette édition comprend en outre deux volumes associés :

Essais on Adam Smith, par A. S. Skinner et T. Wilson.

Life of Adam Smith, par I. S. Ross.

Le lecteur francophone pourra aborder *La Richesse des nations* à travers l'une des trois traductions récemment éditées. La première, qui correspond à la traduction effectuée par Germain Garnier au XIXe siècle, a été publiée en deux volumes chez Flammarion en 1991 avec une présentation de Dianel Diatkine. La deuxième, réalisée par Paulette Taïeb, publiée en 1995 aux PUF, comprend quatre volumes dont un volume complet de tables, lexiques et index. La troisième, assurée sous la direction de Jean-Michel Servet par un groupe d'économistes et d'anglicistes au sein du Centre Walras de l'université Lyon 2, est en cours de parution chez Economica.

Ouvrages sur Adam Smith

Parmi les autres ouvrages en français, on pourra se reporter à :

Delatour Albert, *Adam Smith. Sa vie, ses travaux, ses doctrines,* Guillaumin, 1886.

Mathiot Jean, *Adam Smith. Philosophie et économie,* PUF, 1990.

Cahiers d'économie politique, n° 19, 1991, volume intégralement consacré à Smith.

Parmi les nombreux ouvrages en anglais, on trouvera une analyse critique de l'apport de Smith dans :

Rashid Salim, *The Myth of Adam Smith,* Edward Elgar, 1998.

Thomas Robert MALTHUS

I. L'homme dans son temps

• Thomas Robert Malthus, un prêtre qui devient économiste

Thomas Robert Malthus naît le 14 février 1766 à Rockery, dans le comté anglais de Surrey. C'est le deuxième fils de Daniel Malthus, un grand propriétaire foncier. Étant le cadet de la famille, il ne peut pas prétendre à hériter de la fortune familiale et est donc préparé à une autre voie, en l'occurrence à la carrière ecclésiastique. Il est ordonné prêtre en 1788, à 22 ans, et il restera pendant plusieurs années en charge d'une paroisse dans un bourg de la campagne anglaise.

Rien donc ne prédestine Malthus à devenir économiste, si ce n'est l'influence de son père et de son entourage. Daniel Malthus est en effet un intellectuel, il entretient une correspondance avec Voltaire, il est l'ami de Rousseau, de Condorcet et de Godwin. Tous ont en commun de développer des idées progressistes et optimistes : ils croient dans la perfectibilité de la société et des hommes. Par exemple, Condorcet annonce que, grâce aux progrès de la nourriture, de l'habitation et de la médecine, les sociétés peuvent connaître des progrès infinis. Godwin, dans un ouvrage de 1793 intitulé *Recherches sur la justice politique,* explique que les sociétés humaines peuvent vivre dans l'abondance grâce à la progression au même rythme de la population et des moyens de subsistance. En 1797, dans l'*Essai sur l'avarice et la prodigalité,* pour favoriser la marche vers le progrès des sociétés humaines, il réclame le développement des aides accordées aux pauvres. Cet optimisme des amis de son père, Malthus le retrouve aussi dans les travaux des premiers économistes, des physiocrates ou d'Adam Smith, qui expliquent que la liberté économique assure la richesse des nations et le bien-être de leurs habitants.

Malthus ne partage jamais ces visions du monde. C'est même pour y répondre qu'il écrit, d'abord sous le couvert de l'anonymat, un pamphlet en 1798 intitulé : *Essai sur le principe de population en tant qu'il influe sur le progrès futur de la société avec les remarques sur les théories de M. Godwin, de M. Condorcet et d'autres auteurs.* La deuxième édition, signée de son nom cette fois-ci, et publiée en 1803, est écrite sous un ton très différent. Il supprime des passages polémiques, ajoute des références statistiques, historiques, ethnographiques et modifie quelque peu le titre qui devient : *Essai sur le principe de population ; ou exposé des effets passés et présents de l'action de cette cause sur le bonheur du genre humain ; suivi de quelques recherches relatives à l'espérance de guérir ou d'adoucir les maux qu'elle entraîne.* D'autres éditions, corrigées et améliorées, suivent en 1806, 1807, 1817 et 1826.

Son *Essai* a immédiatement un grand retentissement, ce qui permet à Malthus de quitter sa fonction ecclésiastique. Il est ainsi nommé en 1807 professeur d'histoire et d'économie politique au Collège de la Compagnie des Indes orientales à Hailebury, fonction qu'il occupera jusqu'à sa mort, le 9 décembre 1834. Durant ces années, il travaille sur de nombreux phénomènes économiques dont la hausse des prix, les lois sur les blés, le commerce extérieur, la rente, l'épargne, la demande effective. Son deuxième grand livre d'économie, *Principes d'économie politique,* dont la première édition date de 1820, porte d'ailleurs sur ces questions.

• Malthus, un économiste « pessimiste »

Le fameux « pessimisme » de Malthus s'explique en grande partie par le contexte dans lequel il vit. L'Angleterre connaît alors, certes, une forte croissance avec les débuts de la Révolution agricole et de la Révolution industrielle, mais aussi une forte montée de la misère.

Dans les campagnes, cette conjonction d'une augmentation de la production et de la pauvreté trouve son origine dans le mouvement des *enclosures.* C'est l'obligation de clôturer les champs que seuls les riches ont les moyens de satisfaire. Les petits paysans doivent, eux, céder leurs terres. Sur le plan économique, des progrès importants sont alors enregistrés, les *enclosures* permettent d'augmenter la taille des exploitations, de spécialiser les cultures, donc d'augmenter la productivité et la production. Mais elles font aussi des plus pauvres des paysans sans terre, contraints de travailler comme ouvriers chez les grands propriétaires terriens ou de migrer vers les villes pour tenter de trouver du travail.

Les premières villes industrielles qui se développent alors présentent le même contraste que les campagnes. D'une part, la Révolution industrielle s'y traduit par des progrès rapides, les innovations font augmenter la production dans de grandes proportions après des siècles de relative stagnation économique et scientifique. Mais elle s'accompagne de la naissance d'un prolétariat qui vit misérablement et qui subit des conditions de travail d'une extrême pénibilité. Par exemple, des enfants de six ou sept ans travaillent dans les mines pour pousser les wagonnets de charbon.

De sa paroisse, Malthus est donc témoin d'une misère grandissante mais aussi d'autres phénomènes qui contribuent à sa prise de conscience : d'abord le chômage, ensuite la hausse des prix et enfin la forte croissance démographique.

L'Angleterre de Malthus connaît en effet un chômage important qui s'explique par deux raisons. Les innovations ont bouleversé les conditions de l'emploi. Ainsi dans le textile, le métier inventé par Crompton en 1775 fait à lui seul le travail de 250 fileuses ; le métier à vapeur inventé à la même époque par Cartwright permet de faire le travail de 40 tisserands. Et la production suit un rythme très irrégulier avec une alternance de phases d'expansion et de crises de surproduction. Avec la création des nouvelles fabriques, la production a beaucoup augmenté et se révèle souvent supérieure à la demande. Dans les phases de surproduction, les faillites sont nombreuses ainsi que les licenciements, le chômage augmente et entraîne la baisse des salaires qui touche alors l'ensemble de la population ouvrière.

Celle-ci doit aussi subir une forte hausse des prix suite aux mauvaises récoltes qui se succèdent entre 1782 et 1814 et qui font s'envoler le prix du blé. Le prix moyen du *quarter* est de 30 à 40 shillings dans les années 1760, de 54 shillings entre 1775 et 1795, de 65 shillings entre 1795 et 1799 et de 103 shillings en 1825. Quant à l'indice moyen des prix des biens de consommation, il suit la même évolution : il est de 113 entre 1775 et 1779, de 151 entre 1795 et 1799 et de 220 entre 1810 et 1814 (indice 100 en 1701).

Dernière grande transformation dont Malthus est le contemporain, le nombre d'habitants de l'Angleterre passe de 5,5 millions en 1700 à 9 millions en 1800, soit une hausse de 64 % en 100 ans. Ce contexte n'est pas étranger à son intuition d'un lien entre la prolificité des hommes et la misère. C'est l'idée principale de son premier ouvrage.

II. L'*Essai sur le principe de population*

Dès le chapitre 1 du Livre 1 de son *Essai,* Malthus note que la richesse globale d'une nation peut augmenter sans que la situation de chaque habitant s'améliore. C'est effectivement la situation de l'Angleterre dans laquelle il vit. C'est pourquoi il se pose la question de savoir quelles sont « les causes qui ont arrêté jusqu'ici les progrès des hommes, ou l'accroissement de leur bonheur ».

La cause essentielle qu'il retient est la « tendance constante qui se manifeste chez tous les êtres vivants à accroître leur espèce plus que ne le permet la quantité de nourriture qui est à leur portée ». La misère est donc le résultat d'une hausse plus rapide du nombre des habitants par rapport à la quantité des biens produits pour la satisfaction de leurs besoins. C'est ce différentiel de croissance entre la population et les subsistances, les conséquences qui en résultent et les solutions qu'il rend nécessaire de trouver qui constituent la problématique de l'*Essai sur le principe de population.*

• La population croît plus vite que les ressources alimentaires

La croissance de la population est « consubstantielle » à la nature humaine, elle obéit à une loi que Malthus qualifie de naturelle, « la passion réciproque entre les sexes », qui pousse les individus à engendrer un grand nombre d'enfants. Il peut alors affirmer que « nous pouvons tenir pour certain que lorsque la population n'est arrêtée par aucun obstacle, elle double tous les vingt-cinq ans et croît de période en période selon une progression géométrique ». Notons que c'était à son époque une hypothèse plausible puisqu'elle supposait que les familles aient en moyenne six enfants dont deux mouraient avant d'être en âge de se marier.

Or, Malthus ajoute qu'il est exclu que les ressources progressent de façon durable à ce même rythme : « les moyens de subsistance, dans les circonstances les plus favorables à l'industrie, ne peuvent jamais augmenter plus rapidement que selon une progression arithmétique ». Même s'il était possible qu'au cours d'une première période la production double effectivement au bout de vingt-cinq ans, ce rythme de croissance ne pourrait jamais être maintenu sur une longue période : « dans les vingt-cinq ans qui suivront, il est absolument impossible que le produit suive la même loi et qu'au bout de cette seconde période le produit actuel soit quadruplé. Ce serait heurter toutes les notions que nous avons acquises sur la fécondité du sol ». En effet, quand la population est encore peu importante, les bonnes terres suffisent à la nourrir. Puis l'augmentation de la population oblige à mettre en culture de nouvelles terres, moins fertiles. Donc la production agricole a tendance à augmenter, mais à un taux faible et décroissant. Le pouvoir multiplicateur des moyens de subsistance est donc infiniment plus petit que celui de la population. Pour l'illustrer, Malthus indique que si la population tend à doubler tous les vingt-cinq ans, autrement dit si elle croît comme les nombres : 1, 2, 4, 8, 16, 32, 64, 128, 256..., les subsistances tendent, elles, à croître au maximum comme les nombres : 1, 2, 3, 4, 5, 6, 7, 8, 9.... La première progression est une suite géométrique de premier terme 1 et de raison 2 et la deuxième est une suite arithmétique de premier terme 1 et de raison 1. Les premiers temps du développement économique et de la croissance démographique ne produisent donc pas de déséquilibre car la progression de la population et des ressources se fait d'abord au même rythme. Puis, après cette première phase, la population se met à excéder la nourriture disponible et l'écart entre les deux ne fait que croître. Ainsi, après huit doublements, soit au bout de deux siècles, « la population serait aux moyens de subsistance comme 256 est à 9 ; au bout de trois siècles comme 4 096 est à 13, et après deux mille ans, la différence serait incalculable ». Il faut noter que, dans l'histoire de la pensée économique, Malthus n'a pas été le premier à exprimer cette idée : dès 1589, Giovanni Botero, un économiste italien, énonçait que le libre jeu de la fécondité conduisait toujours la population à dépasser la production agricole.

• Cette tendance de la population à toujours augmenter crée des exclus au « banquet de la nature »

Quand il ne peut y avoir assez de nourriture pour tous, la famine tue. Pour l'illustrer, Malthus utilise, dans son édition de 1803, la métaphore du banquet de la nature. « Un homme qui naît dans un monde déjà occupé, si sa famille ne peut le nourrir, ou si la société ne peut utiliser son travail, n'a pas le moindre droit à réclamer une portion quelconque de nourriture ; il est réellement de trop sur la terre. Au grand banquet de la nature, il n'y a pas de couvert pour lui. La nature lui commande de s'en aller et elle ne tarde pas à mettre elle-même cet ordre à exécution... La famine semble être la dernière et la plus terrible ressource de la nature. La capacité de la population est tellement supérieure à celle de la terre à fournir de la subsistance... que la mort prématurée doit, sous une forme ou sous une autre, visiter la race humaine ».

• L'accroissement de la population est donc nécessairement limité par les moyens de subsistance

Le principe de population énonce qu'en l'absence de contrôle ou de freins, la population aura tendance à doubler tous les 25 ans. Or, une population ne peut effectivement augmenter que si les moyens de subsistance sont suffisants pour la nourrir. Comme Malthus explique qu'ils ne peuvent augmenter qu'à un rythme inférieur à celui du nombre d'habitants, la population ne peut suivre sa loi naturelle et n'augmente en fait qu'à un rythme plus lent que son rythme « biologique ». La population est donc toujours régulée, c'est-à-dire limitée par les moyens de subsistance. Autrement dit, il existe des mécanismes qui « maintiennent le nombre des individus au niveau de leurs moyens de subsistance », ce qui fait qu'aucun pays ne peut connaître une totale liberté du pouvoir multiplicateur de sa population. Ces mécanismes, Malthus les appelle des freins. Les freins auxquels se heurte l'expansion de la population sont de deux types. Les premiers sont des obstacles « préventifs » ou « privatifs » : c'est la crainte des difficultés à entretenir sa famille, de tomber dans l'échelle sociale, de devoir demander une assistance ; c'est aussi le désir de maintenir son rang, de procurer à sa famille le même niveau de vie que celui que l'on avait avant le mariage, la nécessité de donner une éducation aux enfants. Ce type de frein est une spécificité de l'homme : « l'obstacle privatif, en tant qu'il est volontaire, est propre à l'espèce humaine, et résulte d'une faculté qui la distingue des animaux ; à savoir de la capacité de prévoir et d'apprécier des conséquences éloignées. » Les seconds sont des obstacles « destructifs » : « ils renferment toutes les causes qui tendent de quelque manière à abréger la durée naturelle de la vie humaine par le vice ou le malheur ». Sont ainsi rangés dans cette catégorie les travaux très pénibles, l'inclémence des saisons, l'extrême pauvreté, la mauvaise nourriture des enfants, les famine, les épidémies, les guerres...

Malthus observe que les freins préventifs ne sont, à son époque, que très rarement utilisés (ce qu'il regrette) et que ce sont les freins destructifs qui contribuent le plus souvent à ramener la population au niveau permis par les subsistances.

« Supposons un pays où les moyens de subsistance soient précisément suffisants à sa population. L'effort constant, qui tend à accroître celle-ci, et qui, même dans les sociétés les plus vicieuses, ne cesse point d'avoir son effet, ne manque pas d'augmenter le nombre des hommes plus vite que ne peuvent croître les subsistances. La nourriture qui suffisait à onze millions d'hommes par exemple, devra maintenant se répartir entre onze millions et demi. Aussitôt le pauvre vivra plus difficilement, et plusieurs seront réduits aux plus dures extrémités. Le nombre des ouvriers étant d'ailleurs accru dans une proportion plus forte que la quantité d'ouvrage à faire, le prix du travail ne peut manquer de tomber ; et le prix des subsistances haussant en même temps, il arrivera nécessairement que, pour vivre comme il vivait auparavant, l'ouvrier sera contraint de travailler davantage. Pendant cette période de détresse, les mariages sont tellement découragés, et les embarras que cause une famille sont tellement accrus, que la population s'arrête et devient stationnaire. En même temps le bas prix du travail, l'abondance des ouvriers, et l'obligation où ils sont d'augmenter l'activité, encouragent les cultivateurs à employer sur la terre une quantité de travail plus grande qu'auparavant ; à défricher les terres incultes ; à fumer et améliorer avec plus de soin celles qui sont en culture ; jusqu'à ce qu'enfin les moyens de subsistance arrivent au point où ils étaient à l'époque qui nous a servi de point de départ » (*Essai sur le principe de population,* livre 1, chapitre 2).

Malthus explique ici que, si la population en vient à augmenter plus vite que les ressources, son accroissement fait baisser le prix du travail et augmenter le prix des produits alimentaires. La misère s'étend alors et il devient de plus en plus difficile d'entretenir une famille. Lorsque les raisons de ne pas se marier deviennent grandes, la population stagne. Mais, dans le même temps, le bas prix du travail et l'abondance des travailleurs incitent les agriculteurs à employer davantage de main-d'œuvre sur leurs terres et d'entreprendre de nouveaux défrichements. Un retour à l'équilibre se fait donc par la stagnation de la population et l'augmentation de la production agricole. Mais cette situation ne sera pas stable car les entraves à l'accroissement de la population s'étant relâchées, il s'ensuit inévitablement une nouvelle hausse du nombre d'habitants qui fera baisser le prix du travail et augmenter le prix des produits alimentaires... De la même façon, quand les salaires augmentent plus vite ou baissent moins vite que les prix agricoles, le « gain moyen » ou le pouvoir d'achat des familles des classes laborieuses s'améliore ; elles y trouvent un encouragement au mariage et à la procréation ; la population augmentera alors jusqu'à ce qu'elle soit diminuée par la misère ou les épidémies. La croissance de la population ne suit donc pas un rythme linéaire, mais une évolution cyclique.

Après cette démonstration de son idée de la population toujours limitée par les moyens de subsistance, Malthus consacre plusieurs centaines de pages de son *Essai* à décrire la situation de différentes sociétés dans lesquelles ce phénomène a joué ou joue : d'abord les « sociétés peu développées » comme les Indiens d'Amérique ou les Tahitiens ; ensuite, les « anciennes sociétés du Nord de l'Europe » : l'Empire romain, la Gaule, l'Espagne, l'Italie ; enfin, les sociétés de son époque : la Sibérie, l'Angleterre, la France, l'Écosse, l'Irlande, la Russie, la Turquie, la Perse...

Au total, son raisonnement théorique et les observations qu'il rassemble lui permettent d'exprimer trois grands résultats :
– les obstacles qui s'opposent à la hausse de la population sont principalement l'insuffisance des moyens de subsistance. Le taux de croissance démographique est donc largement contraint par la production effective du pays ;
– la population croît avec les moyens de subsistance. En effet, elle augmente rapidement dès que la nourriture vient à augmenter. Et tous les pays dans lesquels la place et la nourriture ne manquent pas voient leur population augmenter rapidement. À cet égard, il cite un exemple de l'Antiquité : les Israélites sur le sol égyptien dont le nombre aurait doublé tous les quinze ans. Il cite aussi l'exemple des États-Unis d'Amérique de son époque dont, selon lui, la population doublait tous les vingt-cinq ans ;
– les progrès de la population sont le plus souvent arrêtés par des obstacles destructifs : des périodes de famine, de surmortalité et d'épidémies, voire dans certaines sociétés (il donne alors l'exemple de Tahiti) par l'infanticide.

• Vouloir lutter contre la misère en aidant les pauvres aggrave leur situation

Malthus a une vision instrumentale de l'économie : elle doit servir à apporter des solutions aux problèmes rencontrés. C'est pourquoi, dans son premier ouvrage, il recherche les moyens qui permettraient d'améliorer le sort et le bonheur des « classes inférieures de la société ».

Il accorde alors une grande importance aux « lois sur les pauvres ». Pourquoi ? Pour le comprendre, précisons de quoi il s'agit. L'aide aux pauvres apparaît dès 1531 et devient obligatoire à partir de 1572 pour lutter contre la misère née de l'accroissement de la population et des irrégularités de la production agricole. Une loi de 1601, dite *Elizabetan Poor Law,* définit la paroisse comme la principale unité administrative. Les paroisses reçoivent alors le droit de lever une taxe foncière ou « taxe des pauvres » pour financer la distribution de ressources. Puis, les paroisses ont pu créer des *workhouses* ou maisons de travail pour recueillir et faire travailler les sans-emploi. Cette aide aux pauvres a rapidement posé des problèmes. Ainsi, pour éviter que la générosité de certaines paroisses n'incite les miséreux dépendant d'autres paroisses à émigrer vers elles, le *Poor Law Settlement Act* de 1662 a prévu que seuls les pauvres nés et habitant dans la commune pouvaient bénéficier de l'aide de leur paroisse. Certains commentateurs ont critiqué ses effets pervers : l'incitation des employeurs à baisser les salaires, la démotivation des ouvriers au travail. D'autres ont réclamé qu'elle soit étendue aux paysans pauvres pour qu'ils puissent compléter leurs ressources. Ainsi, en 1796, on décide que la paroisse devait compléter tout salaire inférieur à un minimum, déterminé en fonction du prix du pain et de la situation familiale des personnes. C'est le « système de Speenhamland », du nom du district qui avait initié cette politique.

Malthus, en tant que prêtre, est bien placé pour connaître et étudier les effets de ces dispositions. Il ne conteste pas le souci d'entraide et de bienveillance qui est à leur origine, mais leur efficacité. Pour lui, ces secours n'atteignent pas leur but et conduisent à des effets pervers.

L'aide aux pauvres n'agit pas sur la cause profonde de la pauvreté, à savoir l'insuffisance de la production par rapport aux ressources. En effet, un transfert de fonds d'un individu à un autre n'augmente en rien la quantité de nourriture dont peut disposer un pays et donc ne diminue pas le déséquilibre population-ressources. Et Malthus fait remarquer que si l'aide aux pauvres, en augmentant la demande, parvenait à faire augmenter la production, elle ne réglerait pas pour autant le problème car la hausse des ressources disponibles agirait alors comme une incitation à augmenter la population, ce qui ferait revenir au déséquilibre population-subsistances initial.

Les lois sur les pauvres peuvent même contribuer à l'extension de la misère. En effet, ceux qui sont situés dans l'échelle sociale juste au-dessus des plus pauvres n'ont pas droit à percevoir l'aide et se trouvent ainsi relativement appauvris. En outre, elles provoquent une concurrence entre acheteurs de produits alimentaires, puisque ceux qui ne disposaient pas de suffisamment de ressources pour vivre vont désormais disposer de plus d'argent et vont vouloir consommer une masse de biens qui, elle, n'a pas augmenté. Elles font donc augmenter les prix des produits alimentaires, ce qui à nouveau appauvrit l'ensemble de la population. Enfin, en constituant une incitation à l'augmentation de la population, l'aide aux pauvres pousse à une baisse des salaires qui, elle aussi, touche l'ensemble de la population. Au total, elle appauvrit donc tous ceux qui ne peuvent vivre que de la vente de leur travail et risque de faire naître des tensions sociales entre les plus pauvres et le reste de la population.

Dernier effet pervers décrit par Malthus, l'aide aux pauvres provoque une baisse de la volonté de travailler et d'épargner et donc, à terme, elle ralentit la croissance économique.

Donc, les lois sur les pauvres, loin de régler le problème de la pauvreté, créent des pauvres supplémentaires. En croyant y remédier par la redistribution, elles l'aggravent.

• Les hommes doivent pratiquer le « *moral restraint* »

Malthus condamne, pour son inefficacité, la distribution de secours aux pauvres. Mais il n'en conclut pas que la lutte contre la pauvreté soit impossible.

Déjà, une inégalité entre les individus peut permettre d'améliorer le sort des plus pauvres car elle ne permet pas à ceux qui n'en ont pas les moyens de se marier et d'avoir des enfants. Elle crée donc la nécessité de limiter l'accroissement de la population. Malthus explique ainsi que la pauvreté « semble absolument nécessaire pour promouvoir le bonheur de la grande masse de l'humanité ; et toute tentative générale pour affaiblir ce stimulant, si bienveillante qu'en soit l'intention apparente, ira toujours contre sa propre fin ». Il se défend pourtant d'être l'allié des riches : « si la pauvreté pouvait être bannie, même au prix du sacrifice des trois quarts de la fortune des riches, je serais le dernier à dire un seul mot pour m'opposer à ce projet ».

Ensuite, une politique est capable de faire disparaître la misère : c'est le maintien de la croissance démographique au niveau permis par les subsistances. Une faible croissance de la population entraînerait une hausse du salaire plus rapide que le prix des produits agricoles, donc une hausse de la consommation et de l'épargne et donc le recul de la pauvreté.

Mais comment inciter chacun à proportionner la taille de sa famille aux subsistances disponibles ? Malthus juge impossible de réglementer l'âge au mariage ; il se prononce aussi contre le contrôle des naissances, déjà pour une raison morale : il s'agit pour lui d'une pratique contraire aux commandements de la nature et à la religion. Ensuite, il s'oppose à une limitation générale des naissances pour une raison économique : un grand nombre d'enfants est un moyen de stimuler l'activité économique des couples mariés. Le contrôle des naissances, au contraire, libère l'individu de la nécessité de fournir un maximum de travail, ce qui limite la croissance de la production et donc le bien-être futur de la population. Contrairement à ce que pensait Adam Smith pour lequel l'individu est spontanément poussé à développer son activité pour améliorer sa propre situation, Malthus considère que la volonté humaine est très faible et doit être en permanence motivée par la nécessité de devoir satisfaire ses besoins, voire par la menace de ne pas y parvenir.

La seule possibilité qu'il retient pour contrôler l'augmentation de la population au-delà des ressources disponibles est alors le *« moral restraint »*, soit la renonciation volontaire au mariage et à la procréation de la part des individus qui n'ont pas les moyens financiers de se marier et d'avoir des enfants. Ceux-ci doivent reculer leur âge au mariage et / ou adopter une conduite chaste jusqu'au moment où ils auront la capacité de pouvoir entretenir tous les enfants qui naîtront de leur union.

Mais, pour que cette solution soit applicable, Malthus note que trois conditions doivent être remplies. D'une part, la société doit être inégalitaire. Si tous les individus sont égaux, rien ne pourrait justifier que certains renoncent au mariage et / ou à la procréation. Dans une société inégalitaire, seuls ceux qui auront les moyens d'entretenir, de nourrir une famille se marieront. Les autres renonceront ou attendront d'avoir les moyens suffisants. D'autre part, pour que les hommes pratiquent d'eux mêmes le « *moral restraint* », il faut que les individus soient convaincus de sa nécessité. Pour cela, une éducation est nécessaire. Il se prononce ainsi pour un enseignement de l'économie qui fasse connaître le principe de la population et explique aux classes les plus pauvres que leur comportement démographique est responsable de leur malheur : « Une foule, qui est généralement le résultat d'une population abondante, gonflée du ressentiment dû à ses souffrances réelles, mais totalement ignorante de leur origine, est de tous les monstres le plus fatal à la liberté ». Enfin, pour que l'incitation par l'instruction soit efficace, il faut abolir les aides aux pauvres.

III. Les *Principes d'économie politique* ou pourquoi Malthus n'est pas un auteur classique comme les autres

Du fait de la notoriété de l'*Essai sur le principe de population,* on oublie souvent que Malthus a aussi laissé une œuvre économique importante et novatrice sur d'autres thèmes. Il a ainsi publié un autre ouvrage en 1820 (donc après les *Principes de l'économie politique et de l'impôt* de David Ricardo qui, eux, datent de 1817), les *Principes d'économie politique.* Il y apparaît, au même titre que Jean-Baptiste Say, David Ricardo ou John Stuart Mill, comme un auteur classique, et ce, sur de nombreux points : il étudie la question de la nature et des causes de la richesse, de la répartition, du progrès économique ; il croit en des lois naturelles ; sa philosophie est individualiste ; il élabore une théorie de la rente... Mais Malthus est le seul de tous les économistes classiques à refuser la loi de Say et à avoir posé le problème des débouchés nécessaires à la croissance. Minoritaire à son époque sur cette question, il s'est avéré être, en fait, un précurseur. John Maynard Keynes le considère ainsi comme l'un de ses prédécesseurs.

Malthus en est venu à poser, le premier, le problème de la demande effective par son analyse de la richesse et de ses origines.

- **Qu'est-ce que la richesse et quelles sont ses sources ?**

Rappelons que la préoccupation majeure de Malthus est de rechercher les causes qui s'opposent aux progrès de la richesse des nations. Sa méthode, dans les *Principes d'économie politique,* pour répondre à cette question, consiste à définir la richesse puis à se demander quels en sont les facteurs.

La richesse d'une nation est composée de l'ensemble des « objets matériels nécessaires, utiles ou agréables à l'homme et qui sont volontairement appropriés » par lui pour satisfaire ses besoins. Un peuple est donc riche ou pauvre selon l'abondance ou la rareté des objets matériels par rapport à l'importance de la population. Malthus reprend ici la thèse des physiocrates et d'Adam Smith selon laquelle n'est richesse que ce qui est matériel : « Tout en admettant que les travaux du moraliste et du manufacturier, du législateur et du fabricant de dentelles, du cultivateur et du chanteur, ont tous pour objet de satisfaire un besoin ou un désir de l'homme, il nous semble que la classification la plus naturelle, la plus utile et la plus correcte que l'on puisse établir à cet égard, est celle qui comprend d'abord, sous le nom de richesse, tout ce qui satisfait les besoins de l'homme au moyen d'objets matériels, et ensuite d'appeler productive toute espèce de travail qui produit directement des richesses, c'est-à-dire, d'une manière tellement directe, qu'on puisse estimer la valeur des objets produits » (*Principes d'économie politique,* livre premier, chapitre premier, section 1).

Les facteurs de la richesse d'une nation sont de deux types : elle réclame des « facultés productives » et des « facultés distributives ». Les facultés productives sont les conditions indispensables pour accroître l'offre, c'est-à-dire, d'une part, les facteurs politiques et moraux qui rendent la population industrieuse (la garantie de la propriété, la stabilité politique, l'instruction morale et religieuse), et d'autre part, des facteurs immédiats et directs de la production (la hausse de la population, la terre, le capital et le travail productif). Ces éléments sont tous nécessaires à la croissance, mais non suffisants car elle exige aussi des facultés distributives, c'est-à-dire une demande suffisante pour que les entreprises puissent effectivement augmenter leur production. Malthus observe d'ailleurs que des pays richement dotés en moyens de production peuvent être plus pauvres que d'autres moins bien dotés.

L'originalité de Malthus par rapport aux autres économistes classiques consiste ainsi dans le rôle qu'il accorde à la demande. Elle intervient déjà dans la détermination de la valeur des objets. Alors que les classiques, comme Ricardo, mesurent la valeur d'un objet par le travail (et donc par les conditions de l'offre) qu'il coûte à produire, Malthus considère que la valeur n'est pas intrinsèque à l'objet, mais relative aux co-échangistes. La valeur d'échange d'un produit résulte toujours de la confrontation de leurs besoins, de leur estimation relative et de leur faculté de donner quelque chose en échange. Par conséquent, si la valeur ne doit pas être mesurée comme le proposait Ricardo par le travail incorporé dans l'objet, la valeur d'un objet peut être mesurée par la quantité de travail contre lequel elle peut s'échanger, autrement dit par le travail que peut acheter ou commander un bien. Malthus oppose ainsi la thèse de la valeur travail commandé à celle de la valeur travail incorporé de Ricardo.

Le prix courant d'un objet est aussi déterminé par l'état de l'offre et de la demande à un moment donné : « On pourra dire avec raison que le prix dépend du rapport entre la demande et l'offre, ou qu'il varie en raison directe de la demande, c'est-à-dire de l'argent prêt à être offert, et en raison inverse de l'offre ».

• Malthus, grâce au concept de demande effective, met en évidence la possibilité de crises de surproduction

Malthus accorde donc une très grande importance au concept de demande. Comment la définit-il ? Là encore, il s'oppose à Ricardo. Pour celui-ci, la demande est un phénomène purement quantitatif : c'est l'importance de la consommation. Pour Malthus, elle n'a pas seulement cette dimension : ainsi, la hausse de la population n'est pas suffisante pour que la demande augmente. Ce qui importe n'est pas le nombre d'habitants ou le nombre de consommateurs, mais leur volonté et les moyens dont ils disposent pour acheter les objets dont ils ont besoin. Par conséquent, la demande effective est la quantité d'une certaine marchandise recherchée par ceux qui veulent et peuvent en payer le prix.

Nous l'avons dit, pour Malthus, le principal frein à la croissance réside dans l'insuffisance de « facultés distributives » ou de la demande effective, et non pas du côté des « facultés productives ».

Il peut alors contester la loi des débouchés de Jean-Baptiste Say, pourtant couramment admise à son époque. Selon celle-ci, il ne peut pas exister de problème de débouché pour une production nouvelle dans la mesure où toute production engendre des revenus et une demande d'un même montant. Une production de 1 000 livres entraîne la distribution de revenus nouveaux d'un total de 1 000 livres et donc permet à la demande d'augmenter de 1 000 livres. L'offre crée ainsi sa propre demande. Malthus considère, lui, que lorsqu'une entreprise augmente sa production, elle distribue certes de nouveaux revenus, mais que ceux-ci ne serviront pas nécessairement de débouchés au supplément de production car seule une fraction de ces revenus nouveaux distribués sera utilisée pour acheter le supplément de production créé par l'entreprise. Malthus dit ainsi qu'un fermier n'augmente pas sa production pour vendre le supplément de produits à la main-d'œuvre supplémentaire qu'il a dû embaucher. Celle-ci ne peut pas en effet servir de débouché aux nouveaux produits, sauf à ce que le fermier distribue des revenus égaux aux prix des produits créés, ce qui l'empêcherait alors de faire un quelconque profit. Malthus a donc eu l'intuition que la consommation pouvait ne pas être suffisante pour racheter toute la production, donc qu'une crise de sous-consommation était possible. Alors que Jean-Baptiste Say plaçait au point de départ de l'économie la production, Malthus privilégie la consommation et montre (Keynes lui rendra hommage sur ce plan) que la hausse de la production exige une hausse préalable de la demande des produits : « la première chose dont on ait besoin..., avant même tout accroissement du capital et de la population, c'est une demande effective de produits, c'est-à-dire une demande faite par ceux qui ont les moyens d'en donner un prix suffisant ». Donc, avant qu'un nouvel emploi de capital et de travail se produise et donc avant qu'une nouvelle hausse de production soit possible, il faut une demande effective plus grande. En effet, elle offre des débouchés et augmente la « valeur échangeable des produits », c'est-à-dire les prix des produits, ce qui incite leurs producteurs à augmenter leur offre.

Cette prise en compte de la demande effective permet à Malthus, dans les *Principes,* d'approfondir le lien entre la population et la croissance économique. Il ne considère pas qu'une hausse de la population est nécessairement négative pour une société. Bien sûr, si la population croît plus vite que les ressources, il s'ensuit un développement de la misère. Mais si la croissance de la production agricole est à l'origine d'une augmentation proportionnée de la population, cette dernière ne constitue plus un obstacle. D'ailleurs, « si population et subsistances avaient augmenté au même rythme, il est vraisemblable que l'homme n'aurait peut être jamais émergé de l'état sauvage ». L'augmentation de la richesse d'une nation permet l'augmentation de la population et à son tour, la croissance démographique peut encourager la croissance économique dans la mesure où elle se traduit par un accroissement de la demande effective.

• L'épargne peut être un facteur de sous-consommation

Malthus se distingue des classiques sur un autre point, celui de l'épargne. Pour Keynes, les classiques se caractérisent dans l'histoire de la pensée économique par leur hypothèse selon laquelle l'épargne est systématiquement investie. Malthus considère, lui, que l'épargne est nécessaire, mais il pressent qu'elle peut être un facteur de sous-consommation et donc de déséquilibre économique. Rappelons-nous que Say justifie sa loi des débouchés par le fait que la production génère des revenus et une demande d'un même montant que la production réalisée. Malthus ne nie pas qu'une production de 1 000 livres donne naissance à une distribution de revenus de 1 000 livres. En revanche, il explique qu'un revenu de 1 000 livres n'engendre pas nécessairement une demande supplémentaire de ce montant. Pourquoi ? Parce que l'épargne vient perturber l'équilibre imaginé par Say.

Une hausse de la production risque de provoquer une insuffisance de la demande effective. En effet, d'une part les travailleurs reçoivent moins qu'ils ne produisent (sinon les capitalistes ne pourraient pas faire de profits) et, d'autre part, les capitalistes doivent épargner une fraction importante de leur revenu (sinon ils ne pourraient pas investir et renouveler leur capital). Les travailleurs et les capitalistes n'ont donc pas un pouvoir d'achat suffisant pour que toute la production additionnelle soit écoulée. Par conséquent, une nation ne peut pas devenir riche à partir d'une épargne et d'une accumulation de capital qui rendrait la consommation insuffisante. Autrement dit, l'épargne n'est favorable à l'économie que dans la mesure où elle se développe parallèlement à – et non au détriment de – la demande de biens.

Notons que l'on pourrait objecter à Malthus que l'épargne serait effectivement une cause de sous-consommation si la production nationale ne se composait que de biens de consommation. Or, elle contient aussi des biens de production. L'épargne pourrait ainsi engendrer un certain niveau d'investissement, donc une demande de biens de production, donc une hausse de la production.

Malthus se demande toujours, dans ses ouvrages, comment remédier aux difficultés qu'il met en évidence. Il observe qu'une grande inégalité des revenus est défavorable à la demande effective car le désir de consommation est toujours insuffisant chez les plus riches pour compenser la faible consommation chez les plus pauvres. En effet, même si ces derniers consomment une part très importante de leur revenu, leurs dépenses ont une faible influence sur la consommation totale de l'économie et donc sur la demande effective. Quant aux classes riches, elles réalisent une part importante de la consommation globale, mais elles ne consomment qu'une faible part de leur revenu. Keynes dirait qu'ils ont une propension à consommer insuffisante.

C'est pourquoi Malthus se prononce pour des mesures de redistribution économique. Il est ainsi favorable à la suppression du droit d'aînesse (outre l'argumentation économique, souvenons-nous que Thomas Robert Malthus est le cadet de sa famille) et à une division des propriétés foncières car la demande des très grands propriétaires fonciers est insuffisante : « trente ou quarante propriétaires ayant des revenus de 1 000 à 5 000 livres sterling feraient naître une demande effective bien plus forte pour du pain et du froment, de la bonne viande et des produits manufacturés, qu'un seul propriétaire ayant 100 000 livres sterling de rente ». Une redistribution des richesses serait ainsi favorable à la demande effective et donc à la croissance économique, ce qui est, notons-le, une idée fort moderne en son temps. Il est aussi favorable à une politique de redistribution des revenus. Il propose en effet de réduire l'accumulation (à la différence de Keynes cette fois-ci) en faveur de la consommation improductive. La redistribution consisterait alors en l'augmentation du nombre et des revenus des travailleurs improductifs (professions libérales, fonctionnaires, domestiques, rentiers...). Ils auraient ainsi des moyens accrus pour consommer. Il s'ensuivrait une augmentation de la demande effective, mais pas une augmentation de la production, leur travail étant improductif. Ce type de redistribution a donc pour effet de donner « une plus grande valeur d'échange aux fruits de l'industrie nationale » et ainsi de constituer une incitation à créer de nouvelles richesses. Une telle action s'avère cependant difficile à mettre en œuvre, note-t-il, car on ne peut pas établir dans quelle proportion doit exister cette classe improductive par rapport à la classe productive. Enfin, Malthus, toujours pour augmenter la demande effective, préconise de développer le commerce intérieur par un bon réseau de transport et le commerce extérieur. Par ailleurs, une politique de travaux publics et de réparation des routes pourrait donner du travail aux ouvriers.

Au total, dans ses œuvres, Malthus est porteur d'une analyse économique pessimiste : alors que Smith écrit sur la *Richesse des nations,* Malthus écrit, lui, pour expliquer pourquoi les nations sont caractérisées par la pauvreté et la misère. Les expressions de son pessimisme sont nombreuses :
– la loi de la population fait que la population s'accroît plus vite que les moyens de subsistance. Elle fait que les pauvres sont les responsables de leur malheur ;
– la loi des rendements décroissants décourage les tentatives d'accélération de la croissance parce que l'effort entrepris devient de moins en moins productif et limite les capacités d'augmentation de la production agricole ;
– l'insuffisance de la demande effective conduit à une sous-consommation et limite les possibilités d'augmentation de la production.

IV. Postérité et influence

L'œuvre de Malthus a été très contestée et les appréciations portées sur elle ont été très contrastées. Son passage à la postérité ne fait aucun doute. Il a donné naissance à un mot (le malthusianisme), à un adjectif (malthusien) et à une politique (le néomalthusianisme). Mais dans le même temps, ses écrits ont donné lieu à des critiques très dures : Karl Marx et Friedrich Engels disent du principe de population qu'il est « une déclaration de guerre ouverte au prolétariat » ; Pierre Joseph Proudhon écrit, non sans humour, que « s'il y a un seul homme de trop sur terre, c'est M. Malthus » ; de son côté, le grand économiste classique du XIXe siècle David Ricardo lui témoigne une grande amitié et entretient avec lui une longue correspondance (167 lettres). Mais c'est surtout à Keynes que l'on doit la plus spectaculaire réhabilitation de Malthus puisqu'il le présente comme l'économiste classique le plus important et le plus grand économiste anglais ayant jamais existé.

Quel regard porte-t-on aujourd'hui sur son œuvre ? Les participants au Congrès international de démographie historique de mai 1980 consacré à « Malthus, hier et aujourd'hui » ont noté qu'elle commence à être analysée avec plus de sérénité. Malthus apparaît moins comme l'ennemi de la croissance, du progrès ou des politiques d'aide aux plus démunis, mais plus souvent comme un théoricien important, précurseur de Darwin et de Keynes, et comme un novateur dans un certain nombre de domaines comme la régulation des populations ou le lien entre la croissance démographique et le niveau de développement.

• Malthus a été un précurseur

C'est à Malthus que l'on doit aussi la première théorie de la rente foncière qui contribuera à la réflexion de Ricardo sur ce même sujet. C'est la question des causes de la hausse du prix du blé qui l'amène à découvrir le principe de la « rente différentielle ». La rente de la terre est la part du produit global qui reste au propriétaire après qu'ont été payées toutes les dépenses nécessaires à l'obtention de la production. Il y a donc rente dans la mesure où les produits agricoles sont vendus à un prix supérieur à leur coût de production. Comme les terres fertiles sont rares, la croissance démographique pousse à la culture de terres moins fertiles. Une terre fertile, par rapport à une autre peu fertile, permet de produire avec moins de travail et donc à un coût moindre. Or, sur le marché, le prix d'un produit agricole, du blé par exemple, est le prix qui doit être payé pour obtenir la quantité qui est demandée. Il doit donc être à peu près égal au coût de production sur la terre de la moins bonne qualité effectivement utilisée, sinon les producteurs qui travaillent sur les moins bonnes terres ne pourraient pas mettre leur production en vente, faute de rentabilité. Nous pouvons ici noter que Malthus, bien avant les néoclassiques, exprime ainsi le principe de la tarification au coût marginal. Malthus en déduit deux conclusions. D'une part, la cause du prix élevé du blé est la hausse de la population qui pousse à développer les cultures. D'autre part, une terre fertile rapporte un surplus qu'il appelle la « rente différentielle ».

Autrement dit, l'inégale fertilité des terres procure des profits inégaux à leurs propriétaires et avantage ceux des terres les plus fertiles en accroissant la marge entre le prix des produits et les frais de culture.

Ensuite, Malthus a été « keynésien » avant Keynes : c'est le premier économiste à réfuter la loi de Say, à montrer la possibilité de crises de surproduction, et bien sûr à introduire le concept de demande effective. Il a donc incontestablement contribué à la « révolution keynésienne ».

Et avant Keynes, Malthus a été à l'origine d'une autre révolution dans l'histoire de la pensée. Jean-Louis Serre dans *Malthus hier et aujourd'hui* explique que son influence a dépassé le cadre de l'analyse économique grâce à son idée d'un mécanisme régulateur dans l'expansion de l'espèce humaine. L'*Essai sur le principe de population* montre que la production de nourriture ne peut jamais suivre le rythme de l'accroissement de la population et qu'il en résulte toujours une « lutte pour l'existence » *(struggle for existence)*, sous la forme « d'une lutte perpétuelle pour l'espace et la nourriture ». Un grand nombre est condamné à mourir et ceux qui échappent à la mort et qui peuvent engendrer les générations suivantes sont ceux qui réussissent à survivre dans cette lutte pour la vie. Cette idée a influencé celle de la sélection naturelle qu'a développée Charles Darwin dans son ouvrage l'*Origine des espèces* en 1859. Celui-ci a d'ailleurs écrit, dans son autobiographie, avoir lu en 1838 l'ouvrage de Malthus et y avoir trouvé l'explication qu'il recherchait au principe de la transformation des espèces. Cette explication, c'est précisément le concept de lutte pour la vie qui fait que, dans la nature, seuls ceux qui sont le mieux adaptés à leur milieu, à leur environnement, survivront et assureront la perpétuation de l'espèce. Darwin reprendra aussi de Malthus l'idée de la progression géométrique puisqu'il explique que la lutte pour la vie résulte de la rapidité de l'augmentation du nombre des êtres vivants des différentes espèces. Bien sûr, il y a des différences entre Malthus et Darwin. Pour le premier, la lutte pour la vie a pour fonction d'égaliser les ressources et la population alors que pour le second, elle n'a pas que ce rôle quantitatif de régulation. Elle contribue aussi à la transformation des espèces : certaines espèces s'adapteront à leur milieu, et celles qui ne le pourront pas disparaîtront. Elle permet donc « la production de nouvelles formes ».

• La contribution de Malthus à l'analyse démographique

Malthus montre que la population augmente tant que les moyens de subsistance le permettent. Ce faisant, il a théorisé ce que les démographes appellent aujourd'hui le régime démographique primitif. Effectivement, jusqu'à une époque très récente dans l'histoire de l'humanité, le problème économique essentiel a été celui de la nourriture de la population. À chaque fois qu'un progrès agricole était enregistré, la mortalité se réduisait et la population augmentait. La poussée démographique rattrapait alors, voire dépassait, les progrès agricoles et lorsque les populations étaient affaiblies par une sous-alimentation, elles devenaient beaucoup plus fragiles et exposées aux risques d'épidémies (typhus, peste, variole, dysenterie...). La lenteur de l'accroissement des populations jusqu'à la Révolution industrielle trouve ainsi son explication dans la surmortalité qu'elles connaissaient.

Pour Hervé Le Bras, démographe à l'Institut National d'Études Démographiques (INED), c'est donc à Malthus que l'on doit l'intérêt porté à la mortalité accidentelle au détriment de la seule mortalité naturelle. Il a été le premier à accorder une très grande attention à cette notion. En effet, il considérait que le nombre des hommes était toujours limité, régulé par les ressources disponibles. Et dans la mesure où les « freins préventifs » agissaient peu, la mortalité accidentelle (les épidémies, les guerres, les famines) était la règle, particulièrement dans les classes les plus pauvres de la société.

L'analyse démographique de Malthus repose aussi sur la rapidité du rythme de doublement de la population qu'il estimait, en l'absence de freins, à vingt-cinq ans. L'histoire montre-t-elle une tendance, avec le desserrement de la contrainte des ressources, à une accélération du rythme de doublement, confirmant l'hypothèse de Malthus ?

Jacques Vallin, autre démographe à l'INED (*La Population mondiale,* La Découverte, collection « Repères », 1989), a calculé que le temps de doublement de la population mondiale s'est considérablement accéléré depuis deux siècles : le temps de doublement de la population de 1800 était de 175 ans, celui de la population de 1850 de 140 ans, celui de la population de 1950 de 85 ans, celui de la population de 1960 de 39 ans, comme celui de la population de 1990. Il a aussi établi qu'il a fallu environ 500 000 ans (depuis l'apparition du premier homo sapiens, l'homme de Neandertal) jusqu'en 1950 pour arriver à 2,5 milliards d'habitants, puis 40 ans pour augmenter à nouveau de 2,5 milliards, puisqu'en 1990, la population mondiale était approximativement de 5 milliards. Autre façon d'illustrer l'accélération du rythme de doublement de la population mondiale : on peut calculer qu'il faut 31 doublements pour passer de 2 habitants à 2,5 milliards d'habitants ; or un doublement vient de se passer au cours des 40 dernières années (entre 1950 et 1990) ; donc les 30 premiers ont mis 500 000 ans, soit 15 000 ans en moyenne entre chaque doublement. Une telle évolution semblerait confirmer les prévisions de Malthus.

Cependant, contrairement à ce qu'il a pu écrire, la cause de cette forte croissance démographique n'a pas été la forte fécondité, mais une baisse de la mortalité plus rapide que celle de la fécondité. Et ce recul de la mortalité s'explique pour l'essentiel par la hausse des moyens de subsistance (au XIXe siècle, la ration quotidienne moyenne d'une personne est passée de 1 400 à 2 200 calories), puis par les progrès de l'hygiène qu'Alfred Sauvy appelait les « techniques antimortelles de masse » (adduction d'eau potable, vaccination, antisepsie, progrès de la médecine et de l'instruction). En France au milieu du XVIIIe siècle, l'espérance de vie était de 25 ans ; à 1 an, 30 % des nouveau-nés étaient décédés ; moins de la moitié des nourrissons arrivait à l'âge adulte et à 60 ans, on comptait seulement 20 survivants pour 100 naissances vivantes. Aujourd'hui, le risque de mourir est très faible avant 20 ans : il ne frappe que 1,5 % des individus ; 82 % des hommes et 92 % des femmes atteignent l'âge de 60 ans.

Malthus a commis une autre erreur dans son analyse de la démographie : il a surestimé la capacité reproductrice de la population et sa thèse de la croissance infinie de la population ne s'est jamais vérifiée. L'expérience des pays développés ne fournit pas le cas d'une population qui ait augmenté sur une longue période au taux « biologique » avancé par Malthus. William Page (l'*Anti Malthus-Une critique de « halte à la croissance »*, Le Seuil, 1974) compare pour la Grande-Bretagne l'évolution effective de la population telle qu'elle a été observée dans les recensements avec les projections malthusiennes, soit un doublement tous les vingt-cinq ans, ou une progression de 32 % tous les dix ans.

Année	Recensement (en millions)	Croissance observée pendant la décennie (en %)	Projection malthusienne (en millions)
1801	10,5	14,3	10,5
1811	12	1,7	13,9
1821	12,2	33,6	18,3
1831	16,3	13,5	24,2
1841	18,5	12,4	31,9
1851	20,8	11,1	42
1861	23,1	13	55
1871	26,1	13,8	73
1881	29,7	11,1	97
1891	33	12,1	128
1901	37	10,3	168

La démographie montre que la croissance de la population ne se fait pas selon une progression géométrique, mais selon un rythme logistique. Elle connaît d'abord une croissance accélérée, puis une croissance ralentie, et elle connaîtra enfin une stabilisation ou une décroissance. Ainsi, d'après une extrapolation de la Banque Mondiale, à l'issue du processus de transition démographique à l'échelle mondiale, soit vers l'année 2150, la population mondiale devrait cesser sa croissance et se stabiliser entre 8 et 12 milliards d'habitants.

• La contribution de Malthus à l'analyse des liens entre la croissance démographique et le développement

Jean-Paul Maréchal, dans la préface de l'édition française de l'*Essai sur le principe de population* (GF-Flammarion, 1992) écrit : « Si l'on estime avec Schumpeter que la grandeur d'une œuvre se mesure indépendamment de notre amour, de notre haine, ou même des erreurs qu'elle contient, à sa vitalité, voire à sa capacité de résurrection, et si l'on pense par ailleurs que la "question de la population"... constitue l'un des défis majeurs de notre temps, alors, impérativement, il nous faut retourner à Malthus ». Force est de constater, en effet, que sur la question des facteurs du sous-développement, la thèse de Malthus est toujours discutée aujourd'hui, deux siècles après avoir été énoncée.

Pourtant, la relation qu'il a établie entre population et développement a été très vite contestée. À commencer par Marx pour qui il n'y a pas de loi naturelle de la population, mais des lois historiques dépendantes du mode de production : la misère du prolétariat n'a pas de cause démographique, mais une cause économique, son exploitation par la bourgeoisie. La surpopulation est ainsi le fait du capitalisme et un autre mode de production permettrait d'assurer une croissance démographique sans misère. À cet égard, notons que les économies socialistes, pourtant largement inspirées par les écrits de Marx, n'ont pas toujours appliqué ses idées sur la population : après l'URSS dans les années 1960, la Chine dans les années 1970 a adopté une politique que d'aucuns qualifient de néomalthusienne avec la volonté de réduire la croissance démographique pour un développement équilibré de l'économie et de la société et pour faire face aux problèmes d'emploi et de conditions de vie.

De même, de nombreux historiens de l'économie ont mis en évidence que l'expérience de la Révolution industrielle a montré que la croissance de la population n'a pas joué alors le rôle que Malthus lui accordait, à savoir celui de frein sur la croissance de l'économie. Le développement économique du XIXe siècle a été concomitant d'une forte croissance démographique et s'expliquerait donc, en partie, par la pression de la population. Par exemple, Esther Boserup, dans son ouvrage *Évolution agraire et pression démographique* (Flammarion, 1970, traduit de l'anglais), explique que l'accroissement de la population est le principal facteur qui peut engendrer les mutations de l'agriculture, qui peut faire évoluer la répartition des terres, faire augmenter les surfaces cultivées et les rendements. Elle renverse donc la problématique malthusienne selon laquelle c'est l'agriculture qui détermine la potentialité de la croissance démographique.

Enfin, la loi de Malthus et ses deux hypothèses de la faiblesse de la productivité agricole et de la croissance géométrique de la population ne semblent pas vérifiées dans les économies aujourd'hui développées. Au contraire même, la productivité agricole y augmente régulièrement et la population, après la transition démographique, connaît une croissance très faible.

En revanche, la question de la validité de la thèse de Malthus se pose en termes différents si l'on étudie la situation contemporaine de certains pays en développement, et plus particulièrement de pays du Sahel. Des analystes font ainsi de la pression démographique l'une des causes de la sécheresse et de la famine. La FAO (Organisation des Nations unies pour l'alimentation et l'agriculture) considère que la pauvreté et la pression démographique sont largement responsables de la déforestation. En effet, sous l'effet de la pression exercée pour accroître les productions vivrières, de nombreuses terres forestières (11,3 millions d'hectares en moyenne chaque année au cours de la période 1990-1995) sont converties en terres agricoles. Il s'ensuit souvent une dégradation des sols, une avancée du désert, et donc une stagnation de la production agricole et une malnutrition. L'ancien président de la Banque mondiale Robert Mac Namara considère que le problème fondamental des pays d'Afrique subsaharienne est le décalage persistant entre la croissance de leur population et celle des ressources agricoles. En moyenne, ces pays connaissent une croissance agricole annuelle de 2 % quand la population augmente, elle, de 3 %. Ce différentiel rend la croissance du revenu par tête quasi nulle, voire négative, et conduit des pays dans un véritable cercle vicieux du non-développement : la faiblesse du revenu par habitant engendrant une épargne trop faible pour financer les investissements, la croissance de l'économie se ralentit et l'écart se creuse entre la progression des ressources et celle de la population. Il préconise alors la mise en place d'une politique de maîtrise de la fécondité pour diminuer le taux d'accroissement de la population et le rendre compatible avec les progrès agricoles. Dans les pays en développement, la croissance démographique est aussi très coûteuse en infrastructures, en équipements collectifs (logements, écoles, moyens de production) et absorbe souvent le surplus de production. Ces faits contribuent à la véritable « dérive économique des continents » que l'on observe avec l'accroissement des écarts de niveau de vie entre les peuples.

• Éléments de bibliographie

Œuvres de Thomas Robert Malthus

Ouvrages :
La Crise (non publié), 1796.
Essai sur le principe de population, 1re édition en 1798, publiée sous le couvert de l'anonymat ; 2e édition en 1803 ; 3e édition en

1806 ; traduction française en 1809 ; édition française contemporaine : GF-Flammarion, 2 vol., 1992.
Principes d'économie politique, 1re édition 1820 ; 2e édition 1836 ; traduction française : Calmann-Levy, 1969.

Articles :
« Étude sur le prix des comestibles », 1800.
« Lettre à Samuel Whitbread sur son projet visant à modifier la loi sur les pauvres », 1807.
« Sur la dépréciation du papier-monnaie », 1811.
« Sur la question des métaux précieux », 1811.
« Lettre à Grenville pour défendre le Collège des Indes », 1813.
« Observations relatives aux lois sur les blés », 1814.
« Fondement d'une opinion sur la politique de restriction à l'importation du blé étranger », 1815.
« Enquête sur la nature et le progrès de la rente », 1815.
« Réponse à *De la population* de Godwin », 1820.
« Sur la mesure de la valeur », 1823.
Article « Population » dans l'*Encyclopædia Britannica,* 1824.
« Sur la fourniture des denrées », 1825.
« Les définitions d'économie politique », 1827.
« Sur la valeur des denrées », 1827.

Ouvrages sur Thomas Robert Malthus
Charbit Yves, « Du malthusianisme au populationnisme. Les économistes français et la population. 1840-1870 », *INED-Travaux et documents,* Cahier n° 90, PUF, 1981.
James Patricia, *Population Malthus, his Life and Times,* Routledge and Keagan Paul, 1979.
Malthus, hier et aujourd'hui, Congrès international de démographie historique de mai 1980, Éditions du CNRS, 1984.
Marx Karl et Engels Friedrich, *Critique de Malthus,* Maspero, 1978.
Petersen William, *Malthus, le premier anti-malthusien,* Dunod, 1980.
Poursin Jean-Marie, Dupuy Gabriel. *Malthus,* Seuil, 1972.
Sauvy Alfred, *Malthus et les deux Marx,* Gonthier, 1966.
Wolff Jacques, *Malthus et les malthusiens,* Economica, 1994.

Jean-Baptiste SAY

I. L'homme dans son temps

• Le glissement progressif vers l'économie politique

Jean-Baptiste Say est issu d'une famille de négociants protestants contraints à l'exil par la révocation de l'édit de Nantes qui, en 1695, met les protestants hors la loi. Son grand-père paternel, qui naît à Genève, tient un commerce de draperie. Commerçant aisé, celui-ci envoie son fils chez un négociant lyonnais pour apprendre le métier. Le jeune homme épouse la fille de son employeur. De leur union naît, le 5 janvier 1767, le futur économiste.

C'est à Lyon, où son père a repris la maison de commerce dans laquelle il était entré comme employé, que Jean-Baptiste Say passe ses premières années. La volonté familiale de veiller à la qualité de son éducation est manifeste. Son père emploie ses moments de loisirs pour l'emmener assister à des leçons de physique expérimentale. À neuf ans, il suit les cours de deux Italiens réformateurs, dont l'un, Giro, deviendra dirigeant de la République de Naples. À treize ans, il barbouille déjà du papier, selon sa propre expression, en rédigeant une nouvelle qui constitue le premier de ses nombreux écrits.

La faillite du père conduit la famille à déménager pour Paris où le jeune Jean-Baptiste doit travailler pendant quelques années comme commis dans une maison de commerce. L'amélioration de la situation matérielle de la famille lui permet toutefois à dix-huit ans de partir compléter son éducation en Angleterre avec son frère Horace. Ce séjour de deux ans l'amène à parfaire sa connaissance de la langue anglaise. Il s'en remémore une anecdote qui mérite d'être citée comme illustration des effets que peut produire l'intervention de l'État dénoncée par la pensée libérale. « Un jour je vis entrer chez moi un couple de maçons avec des briques et du mortier. Je n'apercevais aucune réparation à faire ; mais j'avais deux fenêtres à ma chambre : le Parlement ou plutôt le ministre venait de décréter l'impôt des portes et fenêtres et mon hôte ayant calculé qu'une fenêtre suffisait pour notre travail et notre toilette, il fit murer l'autre. Je réfléchis alors que j'aurais une jouissance de moins et que ma fenêtre murée ne rapporterait rien à la Trésorerie. C'est peut-être la première de mes réflexions sur l'économie politique. »

De retour à Paris, il entre au service du financier genevois et futur ministre des Finances Étienne Clavière, puis devient employé au *Courrier de Provence* de Mirabeau. Cette nouvelle période révèle deux facettes du jeune Say. La première est son goût pour la littérature qui le conduit à écrire plusieurs pièces de théâtre. La seconde est son adhésion aux idées révolutionnaires. Il publie en 1789 une brochure sur la liberté de la presse, fréquente les intellectuels révolutionnaires et s'engage avec eux dans l'armée lors de la campagne de 1792.

À son retour, plusieurs bouleversements marquent la vie de Say. La Terreur bat son plein et son protecteur, Clavière, se suicide pour échapper à la guillotine. Son père est à nouveau ruiné par l'effondrement des assignats. D'autres événements sont plus heureux. Il se marie en mai 1793 et l'année suivante, il participe avec le groupe des idéologues à la fondation d'une revue : *La Décade philosophique, littéraire et politique*. Son rôle au sein du groupe semble au départ réduit et il rédige surtout des articles littéraires et des compte-rendus d'ouvrages divers. Après quelques années, il publie des articles plus importants pour la revue dont il devient le rédacteur en chef jusqu'à l'avènement du Consulat.

Le coup d'État de Bonaparte, soutenu par les rédacteurs de *la Décade,* permet à quatre d'entre eux, parmi lesquels Say, d'entrer au Tribunat. L'adhésion au nouveau régime n'est toutefois pas appelée à durer. Say, comme ses amis idéologues, accepte mal le dirigisme de Bonaparte. Refusant d'appuyer inconditionnellement le chef de l'État, il est écarté du Tribunat en 1804.

Au cours de ces années, Say s'oriente de plus en plus vers l'économie politique. C'est particulièrement visible lorsque, en 1799, il participe à un concours de l'Institut demandant quels sont les moyens et les institutions propres à fonder la morale chez un peuple. Say rédige à cette occasion un essai, publié en 1800, intitulé *Olbie.* Il présente un peuple imaginaire, les Olbiens, dont le premier livre de morale est « un bon *Traité d'économie politique* ». La connaissance de l'économie apparaît comme un préalable indispensable à l'exercice d'une fonction publique. Cette même année 1800, Say entreprend la rédaction de son *Traité d'économie politique.*

• De l'économiste à l'industriel

Le *Traité d'économie politique* paraît en 1803, à un moment où Say entre en disgrâce sur le plan politique. La seconde édition du *Traité* est interdite. La situation matérielle de l'auteur devient difficile. Il refuse un poste administratif qui lui est offert dans l'Allier au moment de son éviction du Tribunat. Il n'est plus autorisé à reprendre une activité de journaliste. Mobilisant alors ses liens avec les milieux protestants genevois, il entame une expérience d'industriel.

C'est dans la filature de coton, activité alors en pleine expansion, que Say décide de se lancer. Avec son fils de dix ans, il étudie comme n'importe quel débutant les procédés de fabrication, montant et démontant les machines détenues au Conservatoire des arts et métiers dans lequel il enseignera par la suite. Après un premier échec, il réussit à créer une filature à Auchy, dans le Pas-de-Calais. L'entreprise se développe et emploie 400 ouvriers en 1810.

Dans le cadre du renforcement du blocus continental, le gouvernement enquête sur l'éventuelle interdiction de l'importation de cotons filés étrangers. La réponse de Say n'est ni celle que l'on pourrait attendre de l'économiste libéral partisan du libre-échange, ni celle de l'industriel soucieux de défendre son intérêt immédiat. Pour ne pas pénaliser les filatures utilisant des fils anglais tout en tenant compte de la volonté protectionniste, il s'oppose à la prohibition des cotons filés étrangers en prévoyant toutefois le maintien de droits de douane.

Un différend avec son associé et les perspectives d'un changement politique amènent Say à se retirer de l'entreprise. Il revient à Paris et la chute de l'empire, en 1814, lui ouvre les portes de la célébrité.

• La consécration

La Restauration permet à Say de publier une deuxième édition du *Traité* et, surtout, il est chargé par le gouvernement, qui souhaite faire bénéficier à la France du progrès technique enregistré outre-Manche, d'une étude sur l'économie anglaise. Ce travail lui fournit l'occasion de passer les quatre derniers mois de l'année 1814 en Angleterre. Il est reçu par David Ricardo, Jeremy Bentham et James Mill. Il est aussi accueilli en Écosse où il a le plaisir, à Glasgow, de voir la salle où enseignait Adam Smith et de s'asseoir dans son fauteuil. De retour en France, il publie en 1815 *De l'Angleterre et des Anglais*. La même année, il fait paraître un *Catéchisme d'économie politique,* ouvrage qui se présente sous la forme de questions et réponses, destiné à mettre à la portée d'un large public « les principales vérités de l'économie politique » (*Catéchisme,* avertissement).

À partir de 1816, Say assure un cours d'économie politique qui rencontre un vif succès à l'Athénée de Paris, un établissement d'enseignement supérieur privé. Trois ans plus tard, il se voit confier la chaire d'économie industrielle qui vient d'être créée pour lui au Conservatoire des arts et métiers. Le contenu de cet enseignement sera publié en six volumes en 1828-1829 dans le *Cours complet d'économie politique pratique.*

Au cours de cette période, Say multiplie les activités et sa célébrité ne cesse de s'étendre. Il entretient une correspondance soutenue avec les économistes britanniques. Les *Lettres à Malthus* font à elles seules l'objet d'une publication en 1820. Cette correspondance ne se limite pas aux économistes, comme en témoignent les échanges avec le prince royal du Danemark ou l'ancien président des États-Unis Thomas Jefferson. Il collabore à des revues comme le *Censeur européen* ou la *Revue encyclopédique* où il commente notamment les travaux de Jeremy Bentham et Jean-Charles Simonde de Sismondi. Il annote la traduction française des *Principes d'économie politique* de David Ricardo. Ses préoccupations sont parfois purement pratiques, ce qui donne lieu à deux publications en 1818 : *De l'importance du port de La Villette* et *Des canaux de navigation dans l'état actuel de la France*. Elles ne se limitent pas non plus au cadre strictement économique, ce que montre le *Petit volume contenant quelques aperçus des hommes et de la société* publié l'année précédente.

Say est en outre au centre d'une intense activité intellectuelle. Le Conservatoire des arts et métiers où il professe devient une tribune pour l'opposition libérale qui conteste la politique menée par le comte de Villèle. Les intellectuels se rencontrent dans les salons de la famille Say. Des personnalités lui rendent visite. Il reçoit une reconnaissance ultime avec la création à son intention d'une chaire d'économie politique au Collège de France en 1831. Il meurt peu après, le 16 novembre 1832.

II. Le discours scientifique

Le premier mérite parfois attribué à Jean-Baptiste Say est d'avoir contribué à populariser les idées d'Adam Smith. Say ne se prive d'ailleurs pas de faire état de la filiation intellectuelle qui le relie à l'auteur écossais. « Je révère *Adam Smith* : il est mon maître. Lorsque je fis les premiers pas dans l'économie politique, et lorsque, chancelant encore [...], je bronchais à chaque pas, il me montra la bonne route. Appuyé sur sa *Richesse des nations,* qui nous découvre en même temps la richesse de son génie, j'appris à marcher seul. » (*Lettres à Malthus,* lettre première.) Say ne se contente toutefois pas de vulgariser *La Richesse des nations.* Il conçoit l'économie politique comme une science appelée à progresser et n'hésite pas à dénoncer certaines erreurs de Smith.

• L'économie politique, une science expérimentale

Dans le discours préliminaire au *Traité d'économie politique,* Say définit l'économie politique comme la science qui enseigne « comment se forment, se distribuent et se consomment les richesses qui satisfont aux besoins des sociétés ». Il faut toutefois déterminer la nature de cette science. Une science est en effet descriptive si, comme la botanique par exemple, elle consiste à nommer et à classer des choses. Elle est expérimentale si elle permet de « connaître les actions réciproques que les choses exercent les unes sur les autres, ou en d'autres termes la liaison des effets avec leurs causes ». L'économie politique entre dans cette seconde catégorie.

Science expérimentale, l'économie politique doit être fondée sur des faits. La démarche des physiocrates qui, au lieu d'observer les faits et d'en déduire des généralités, posaient des axiomes et en déduisaient des règles, est donc à rejeter. « L'économie politique n'est devenue une science qu'en devenant une science d'observation. » La démarche de Say est autrement plus satisfaisante, puisqu'il explique « comment les richesses se forment, se répandent et se détruisent » en observant les faits. Il peut ainsi « reprocher à David Ricardo de raisonner quelquefois sur des principes abstraits auxquels il donne trop de généralité. Une fois placé dans une hypothèse qu'on ne peut attaquer, parce qu'elle est fondée sur des observations non contestées, il pousse ses raisonnements jusqu'à leurs dernières conséquences, sans comparer leurs résultats avec ceux de l'expérience ». Il y a dès lors un danger de voir l'économie politique vidée de sa raison d'être si elle aboutit à des résultats contredits par l'observation. Elle devient une métaphysique sans application et allant à l'encontre du simple bon sens. Il est en outre vain de prétendre faire progresser cette science en recourant aux mathématiques et « l'on s'est égaré en économie politique toutes les fois qu'on a voulu s'en rapporter aux calculs mathématiques ».

L'économie politique, aux yeux de Say, comprend un petit nombre de principes fondamentaux desquels sont tirées de nombreuses déductions. On peut déduire de ces quelques principes découlant de l'observation des conséquences si nombreuses qu'un ouvrage même volumineux ne pourrait pas en rendre compte de façon complète. C'est pourquoi un traité d'économie politique doit se réduire à un petit nombre de principes. *La Richesse des nations,* avec ses concessions à la statistique, science descriptive, ne peut pas prétendre à une telle appellation. « L'ouvrage de Smith n'est qu'un assemblage confus des principes les plus sains de l'économie politique, appuyés d'exemples lumineux et des notions les plus curieuses de la statistique, mêlées de réflexions instructives ; mais ce n'est pas un traité complet ni de l'une ni de l'autre : son livre est un vaste chaos d'idées justes, pêle-mêle avec des connaissances positives. » La construction de l'ouvrage n'est pas seule en cause. Say décèle plusieurs erreurs et insuffisances chez Smith.

• Les erreurs et insuffisances de Smith

Quitte à se montrer injuste envers les mercantilistes et les physiocrates, Say n'hésite pas à affirmer que « lorsqu'on lit Smith comme il mérite d'être lu, on s'aperçoit qu'il n'y avait pas avant lui d'économie politique ». (*Traité d'économie politique,* discours préliminaire.) Smith semble néanmoins s'être trompé sur plusieurs points et a fait l'impasse sur d'autres.

La première divergence porte sur la place privilégiée que Smith accorde au travail humain. « Il attribue au seul travail de l'homme le pouvoir de produire des valeurs. » L'action de la terre ou les services rendus par le capital sont ainsi minimisés tandis que la division du travail se voit reconnaître un rôle exagéré dans la production de richesses. La définition de ces richesses constitue d'ailleurs une deuxième erreur de Smith puisqu'il les limite aux substances matérielles.

La Richesse des nations comporte aussi des lacunes sur l'explication de la manière dont le commerce est productif et sur les opérations qui concourent à la production. Elle est superficielle sur la distribution des richesses et ne développe pas le phénomène de la consommation. Compte tenu de la définition que donne Say de l'économie politique, les insuffisances sur la distribution et la consommation des richesses sont loin de constituer des lacunes négligeables.

Say est d'autre part critique sur la forme de l'ouvrage. « Smith manque de clarté en beaucoup d'endroits, et de méthode presque partout. » La difficulté de lecture qui s'ensuit est d'autant plus regrettable qu'elle « met le livre hors de portée de la plupart des lecteurs ». Say se montre beaucoup plus rigoureux dans son *Traité.* Dans la deuxième édition, il suit notamment un plan en trois parties – production, distribution, consommation – calqué sur la définition qu'il donne de l'économie politique. C'est néanmoins à la production qu'il consacre l'essentiel de l'ouvrage.

III. Production, valeur et utilité

• La production, une création d'utilité

Say consacre le premier chapitre du *Traité* (et de ses *Cours* ou du *Catéchisme*) à la définition de la production. Celle-ci « n'est point une création de matière, mais une création d'utilité ». Say s'éloigne ainsi de Smith en considérant que la fabrication d'un objet ne constitue pas en elle-même une création de richesse. La quantité de matières disponibles dans le monde n'est pas accrue par cette fabrication. Ces matières ont seulement subi une transformation qui les rend propres à tel ou tel usage. Ce qui augmente en revanche, c'est l'utilité qu'avaient ces matières. Et « comme cette utilité leur donne de la valeur, il y a *production de richesses* ».

Si les hommes attachent une certaine valeur à un bien, c'est parce que celui-ci a la propriété de satisfaire un besoin, ce en quoi consiste l'utilité. Cette utilité est mesurée par la valeur du bien. La création d'un objet inutile que personne ne consentirait à acquérir ne saurait être assimilée à une production au sens économique que lui donne Say. « Il n'y a donc véritablement production de richesse que là où il y a création ou augmentation d'utilité. »

Say distingue différentes sortes d'industries, c'est-à-dire d'activités, qui concourent à la production. L'agriculture, qu'il nomme aussi industrie agricole, recueille les produits directement livrés par la nature. L'industrie manufacturière transforme les produits de la nature pour les rendre aptes à satisfaire nos besoins. L'industrie commerciale, ou commerce, met les produits à notre portée. Ces trois sortes d'industries concourent de la même manière à la production. « Toutes donnent une utilité à ce qui n'en avait point, ou accroissent celle qu'une chose avait déjà. » (*Traité d'économie politique,* livre premier, chapitre 2.) Un produit résulte souvent de la combinaison de plusieurs industries. Une table est ainsi le produit de l'industrie agricole qui a fourni le bois et de l'industrie manufacturière qui l'a façonnée. Le café consommé en Europe est le produit de l'industrie agricole qui permet sa culture et de l'industrie commerciale qui le met à la disposition des consommateurs.

L'erreur des physiocrates a consisté à considérer que seule la première activité était productive. Ils n'ont pas vu que des produits constituent une richesse en raison de leur valeur. Comme c'est la valeur d'un produit qui fait la richesse, il n'est pas nécessaire d'obtenir de nouvelles matières de la nature pour créer de nouvelles richesses. La définition de Say revient à affirmer qu'« il suffit de donner une nouvelle valeur aux matières qu'on a déjà », par une activité de transformation par exemple. L'industrie manufacturière concourt donc pleinement à la production en étant créatrice d'utilité.

De la même façon, le commerce participe à la production puisque le transport d'un produit d'un lieu à un autre en accroît la valeur. Say conteste sur ce point l'analyse de Condillac pour qui une marchandise vaudrait moins pour le vendeur que pour l'acheteur, ce qui augmenterait sa valeur au moment où elle passerait de l'un à l'autre. Considérant que la vente revient à un échange de deux marchandises (l'une des deux pouvant être de l'argent), Say indique que le gain de l'acheteur serait compensé par la perte sur la marchandise cédée. Le supplément de valeur ne naît donc pas au moment de l'échange. Il provient de l'activité du commerçant qui, en mettant le produit à la portée du consommateur, lui confère une valeur qu'il n'avait pas. Sur ce point, Say reconnaît aller au-delà de l'analyse de Smith. « Le célèbre Adam Smith lui-même semble n'avoir pas une idée bien nette de la production commerciale. »

Donner de la valeur à un produit en le rapprochant du consommateur n'est pas l'apanage du seul commerce. L'activité minière ne fait que tirer de la terre du charbon ou des métaux qui existaient déjà. Alors que sous terre ils étaient sans valeur, leur mise à la disposition du consommateur leur donne une valeur. C'est en cela que l'industrie du mineur correspond à une production. Il en va de même pour l'activité du pêcheur qui, en apportant le poisson aux personnes restées à terre, lui attribue une valeur dont il était dépourvu tant qu'il était dans l'eau.

L'analyse de Say permet non seulement de montrer les limites du raisonnement physiocrate, mais aussi de montrer l'erreur des mercantilistes, pour lesquels ce qui est gagné par un pays est immanquablement perdu par un autre. La richesse des nations peut s'accroître par le commerce puisque les produits qui sont transportés vers les consommateurs d'un pays prennent de la valeur.

Si l'analyse de la production conduit Say à mettre en avant ce concept de valeur lié à l'utilité, l'analyse de la distribution l'amène à en analyser les fondements.

• Les fondements de la valeur

Comment estimer la valeur ? Celle-ci reste vague tant qu'elle n'est que l'estimation d'une chose possédée faite par le possesseur lui-même. Un particulier qui reçoit un présent d'un être cher peut juger ce présent inestimable. Il n'est pas pour autant immensément riche. Mais dès l'instant où d'autres particuliers sont prêts à lui donner, pour avoir à leur tour ce présent, une autre chose qui a de la valeur, la valeur du présent peut être précisée. Elle est égale à la valeur des choses qui sont données en échange. La valeur courante correspond donc à la quantité d'une chose qu'on peut obtenir en échange de la chose qu'on veut céder. Si ce qui est donné en échange est de la monnaie, c'est en une quantité de monnaie que cette valeur sera estimée.

Il faut toutefois rechercher les lois qui fixent la valeur courante de chaque chose. Les besoins humains nous font désirer les choses capables de les satisfaire. Certaines, comme l'eau ou l'air, sont fournies gratuitement par la nature. Ces richesses naturelles n'ont pas de valeur échangeable. En revanche, les richesses sociales, issues d'une production, ont une valeur qu'on peut déterminer.

La fortune de chacun étant limitée, les consommateurs ne peuvent pas acquérir tous les produits dont ils ont envie. Chaque consommateur est donc amené à faire un classement de ses besoins pour satisfaire en priorité ceux qui sont considérés comme les plus importants. Say amorce ainsi un raisonnement qui sera repris par les marginalistes. Chaque individu affecte ses ressources à l'acquisition de tel produit de préférence à celle de tel autre et lorsque le revenu dont il dispose est épuisé, il cesse de consommer.

Pour chaque produit, il existe donc une quantité demandée, quantité qui varie en fonction du prix auquel le produit est fourni. Plus le coût de production est élevé, plus le produit recule dans le classement qu'en font les consommateurs et plus ceux-ci se tournent vers les produits procurant une meilleure satisfaction pour le même prix. Même si la plupart des produits sont souvent désirables pour tout un chacun, ils ne sont réellement demandés que par ceux qui ont la faculté de les acquérir. Cette conception de la demande, comprise comme une demande solvable, explique que les produits soient de plus en plus demandés au fur et à mesure que leur prix diminue.

Pour ce qui est de la quantité offerte, quantité d'une marchandise que ses possesseurs sont disposés à céder contre une autre, elle représente une quantité proposée à un prix couvrant son coût de production. C'est plus précisément à son coût de production que tend à s'établir le prix d'un produit. À un prix inférieur, l'offre sera inexistante, tandis qu'à un prix supérieur, c'est la demande qui risque de faire défaut. Il reste à connaître ce qui détermine ce coût de production.

Les produits résultant de la combinaison du travail humain, de capitaux et de terre, leur coût de production correspond à la somme de tous les services productifs. « Un produit sera donc plus cher, selon que sa production réclamera non seulement plus de services productifs, mais des services productifs plus fortement rétribués. » (*Traité d'économie politique,* livre second, chapitre premier.) Le prix du produit s'élèvera donc si les consommateurs désirent plus intensément le produit et si ceux qui fournissent les services productifs sont en mesure d'exiger une rémunération plus forte. « Ainsi, lorsque quelques auteurs, comme David Ricardo, ont dit que c'étaient les frais de production qui réglaient la valeur des produits, ils ont eu raison en ce sens que jamais les produits ne sont vendus d'une manière suivie à un prix inférieur à leurs frais de production ; mais quand ils ont dit que la demande qu'on fait des produits n'influait pas sur leur valeur, ils ont eu, ce me semble, tort en ceci, que la demande influe sur la valeur des services productifs, et, en augmentant les frais de production, élève la valeur des produits sans pour cela qu'elle dépasse les frais de production. »

Nous venons de voir que le coût de production représentait la rémunération des services productifs. La perception d'une production résultant d'une combinaison de services productifs est un point essentiel dans l'analyse de Say.

IV. La combinaison des services productifs

• Les différents services productifs

Un homme industrieux peut difficilement créer de la valeur s'il ne possède pas les produits qui permettent d'assurer son entretien et s'il n'a pas à sa disposition les outils et les matières brutes sur lesquelles s'exerce son industrie. La valeur de ces différentes choses constitue un capital productif. Leur contribution à la production représente le service productif des capitaux.

À ce service productif des capitaux s'ajoute le service productif des agents naturels. Say le définit comme un « travail exécuté par le sol, par l'air, par l'eau, par le soleil, auquel l'homme n'a aucune part » (*Traité d'économie politique,* livre premier, chapitre 4). Le travail tel que le conçoit Say ne renvoie donc pas spécifiquement à l'activité humaine. Le travail de l'homme ne permet généralement pas, à lui seul, de produire. C'est ce qui conduit Say à affirmer que « Smith n'a pas en ce point donné une idée complète du phénomène de la production ». Cette production résulte de l'action conjointe de l'industrie, des capitaux et des agents naturels.

La production ne nécessite toutefois pas que ces trois éléments appartiennent à la même personne. L'homme industrieux peut prêter son industrie à celui qui ne possède qu'un capital et un fonds de terre. De même le propriétaire d'un capital ou d'un fonds de terre peut-il le prêter à celui qui en a besoin pour produire. L'usage de ces éléments qui concourent à créer de la valeur a lui aussi une valeur. Le paiement d'une industrie prêtée forme le salaire, celui d'un capital l'intérêt et celui d'un fonds de terre le fermage ou loyer.

• Le rôle de l'entrepreneur

Say décompose l'industrie humaine en trois opérations distinctes. Il faut tout d'abord connaître les lois naturelles relatives au produit que l'on veut obtenir. C'est là le rôle du savant. Il faut aussi exécuter un travail manuel, ce en quoi consiste le rôle de l'ouvrier. Entre les deux existe une activité particulière qui consiste à appliquer les connaissances du savant à un usage utile et à faire exécuter un travail par l'ouvrier. C'est le rôle de l'agriculteur, du manufacturier ou du commerçant, trois catégories qui peuvent être rassemblées sous une dénomination plus large : « l'entrepreneur d'industrie, celui qui entreprend de créer pour son compte, à son profit et à ses risques, un produit quelconque » (*Traité d'économie politique,* livre premier, chapitre 6).

À l'inverse des économistes anglais, Say distingue ainsi nettement l'entrepreneur du capitaliste. Sa propre expérience n'est sans doute pas pour rien dans cette distinction. Il déplore que les Anglais n'aient pas de terme approprié pour désigner l'entrepreneur d'industrie, « ce qui les a peut-être empêchés de distinguer dans les opérations industrielles, le service que rend le capital, du service que rend, par sa capacité et son talent, celui qui emploie le capital ».

Distinguer l'entrepreneur du capitaliste est particulièrement important pour expliquer la distribution des revenus dans la société. Chaque participant à la production reçoit en effet un paiement qui n'est que la contrepartie d'un service productif. « Chaque produit achevé paie, par la valeur qu'il a acquise, la totalité des services qui ont concouru à sa création. » (*Traité d'économie politique,* livre second, chapitre 5.) Les revenus du capital et de la terre, loin d'être des prélèvements sur le produit du travail, sont la juste rémunération d'un service productif. Quant à la rémunération de l'entrepreneur, elle peut être distinguée de celle du capitaliste. « La portion retirée par le capitaliste, par celui qui a fait des avances quelque petites et quelque courtes qu'elles aient été, s'appelle *profit du capital.* Lorsqu'il ne fait pas valoir lui-même son capital, il retire, sous le nom d'intérêt, le profit que ce capital est capable de rendre. » Quant au profit de l'entrepreneur, il représente le revenu que celui-ci obtient de son industrie.

La valeur des produits est ainsi intégralement distribuée à ceux qui ont concouru à la production « par l'intermédiaire des entrepreneurs d'industrie qui, s'étant rendus acquéreurs de tous les services nécessaires pour une opération productive, deviennent propriétaires uniques de tous les produits qui en résultent » (*Catéchisme d'économie politique,* chapitre 19). Ces entrepreneurs font un marché avec les propriétaires fonciers : ils leur paient une somme fixe pour le service rendu par la terre qu'ils exploitent alors pour leur propre compte. Les propriétaires reçoivent le fermage et renoncent au revenu variable qui aurait pu résulter de l'action de leur terre. De la même façon, les entrepreneurs acquièrent les services d'un capital. Ils l'empruntent et paient un intérêt aux capitalistes. Ceux-ci changent « en un revenu fixe le revenu incertain du service de ce capital que l'entrepreneur fait travailler pour son compte ». Enfin, ils obtiennent contre un salaire les services des ouvriers. Après paiement du fermage, de l'intérêt et du salaire, il reste le profit des entrepreneurs.

Si le profit de l'entrepreneur est assimilé à celui des capitalistes par les économistes anglais, du fait notamment que l'entrepreneur est souvent propriétaire d'une partie du capital qu'il utilise, il n'en demeure pas moins que l'analyse doit conduire à les distinguer. Le profit de l'entrepreneur est variable et incertain car il est difficile de connaître par avance l'état des besoins et le prix des produits permettant de les satisfaire. Certains entrepreneurs seront rémunérés par des profits élevés tandis que d'autres finiront par se ruiner. Un profit élevé est en outre justifié par le fait que le service par lequel l'entrepreneur participe à la production est plus rare que le service des autres industrieux. Son revenu tend donc à être supérieur à celui d'un savant ou d'un ouvrier. Cette rareté des services productifs de l'entrepreneur tient à ce que beaucoup de concurrents potentiels sont éliminés par l'impossibilité dans laquelle ils sont d'emprunter le capital. De plus, il leur faut « des qualités qui ne sont pas communes : du jugement, de l'activité, de la constance, et une certaine connaissance des hommes et des choses » (*Catéchisme d'économie politique,* chapitre 21).

• Le travail productif

Say définit le travail comme « l'action suivie à laquelle on se livre pour exécuter une des opérations de l'industrie, ou seulement une partie de ces opérations » (*Traité d'économie politique,* livre premier, chapitre 7). Avec une telle définition, le travail est nécessairement productif puisqu'il participe à la création d'un produit. Le savant qui mène une expérience ou écrit un livre effectue un travail productif. Le travail de l'entrepreneur, bien que différent de celui de l'ouvrier, est lui aussi productif. Le comportement humain explique aussi que le travail soit productif. Le travail est en effet considéré comme une peine et celui qui la subit en attend une compensation. Celle-ci réside dans le revenu du travail.

Comme l'homme force les agents naturels et les produits de son industrie à travailler avec lui, la définition du travail peut être étendue aux services rendus par la nature ou par le capital. Say s'autorise donc à utiliser des expressions comme « le *travail* ou les *services productifs de la nature,* le *travail* ou les *services productifs des capitaux* ». Say se montre surtout novateur en refusant la distinction smithienne entre travail productif et travail improductif. Un médecin qui soigne un malade n'effectue pas un travail productif au sens de Smith car il ne crée pas une richesse susceptible de se conserver. Pour Say, l'industrie de ce médecin ne saurait être improductive. Le diagnostic du médecin a été échangé contre des honoraires et le besoin de ce diagnostic a cessé au moment même où il a été donné. Il y a donc bien eu une production dont le résultat est un *« produit immatériel »* (*Traité d'économie politique,* livre premier, chapitre 13). L'industrie du médecin, comme celle de bon nombre d'autres fournisseurs de services, satisfait un besoin et son travail est indispensable à la société. Le résultat de ce travail est échangé contre des produits matériels. Son caractère immatériel ne doit donc pas inciter à contester qu'il s'agisse d'un produit.

Même si le service rendu n'est pas vital pour celui qui le reçoit, il demeure productif. Une pièce de théâtre peut procurer un plaisir aussi réel qu'une friandise. Comme l'avait déjà relevé Germain Garnier en note de sa traduction de Smith, il n'est pas raisonnable de prétendre que le travail du peintre serait productif alors que celui du musicien ne le serait pas.

Say rend grâce à Smith d'avoir effectué une avancée par rapport aux physiocrates, qui réservaient le qualificatif productif aux agriculteurs, en l'élargissant aux artisans, manufacturiers et marchands. Mais il lui reproche de ne pas être allé suffisamment loin en ne voyant pas que la valeur pouvait ne pas être fixée dans une matière.

V. La loi des débouchés

Dans le *Traité,* le chapitre que Say consacre à la loi des débouchés comporte une dizaine de pages, soit moins de deux pour cent de l'ensemble de l'ouvrage. Ce sont néanmoins ces quelques pages qui ont le plus contribué à sa célébrité. La loi des débouchés finira par être désignée comme étant la loi de Say et donnera lieu à de nombreux débats parmi les économistes.

• Le contenu de la loi et ses implications

Say explique très simplement que l'homme qui s'applique à créer un produit doit pouvoir trouver en face de lui d'autres hommes qui auront les moyens de l'acheter. Ces moyens consistent en d'autres produits résultant de leur industrie. Par conséquent, « c'est la production qui ouvre des débouchés aux produits » (*Traité d'économie politique,* livre premier, chapitre 15). Certes, le vendeur considère que c'est de la monnaie qu'il demande en contrepartie de son produit. Mais si l'acquéreur peut le payer en monnaie, c'est parce qu'il a lui-même vendu des produits. Pour acheter, il faut donc produire, et la monnaie reçue n'est désirée que parce qu'elle permet d'obtenir des produits. « L'argent ne remplit qu'un office passager dans ce double échange ; et, les échanges terminés, il se trouve toujours qu'on a payé des produits avec des produits. »

C'est donc par abus de langage que des entrepreneurs peuvent être amenés à se plaindre en expliquant leur difficulté à vendre par la rareté de la monnaie. Si la vente est lente à se réaliser, ce n'est pas parce que la monnaie est rare, mais parce que d'autres produits le sont puisque « l'achat d'un produit ne peut être fait qu'avec la valeur d'un autre ». L'affirmation n'est pas entièrement nouvelle. Au siècle précédent, G.-F. Le Trosne écrivait déjà que « les productions ne se paient qu'avec des productions ». D'autres auteurs, notamment J. Tucker, ont utilisé une formulation proche. Mais Say en fait une loi dont il tire plusieurs conséquences.

Une première conséquence de l'affirmation de Say est que, dans un pays, « plus les producteurs sont nombreux et les productions multipliées, et plus les débouchés sont faciles, variés et vastes ». L'abondance de la production se traduit en effet automatiquement par de larges débouchés. « Il est bon de remarquer qu'un produit terminé offre, *dès cet instant,* un débouché à d'autres produits pour le montant de sa valeur. En effet, lorsque le dernier producteur a terminé un produit, son plus grand désir est de le vendre, pour que la valeur de ce produit ne chôme pas entre ses mains. Mais il n'est pas moins empressé de se défaire de l'argent que lui procure sa vente, pour que la valeur de l'argent ne chôme pas non plus. Or, on ne peut se défaire de son argent qu'en achetant un produit quelconque. On voit donc que le fait seul de la formation d'un produit ouvre, dès l'instant même, un débouché à d'autres produits. » Pour cette raison, une bonne récolte n'est pas seulement favorable aux cultivateurs. Elle l'est à tous les autres producteurs.

L'idée selon laquelle une production fournit un débouché à d'autres productions pour un montant correspondant à sa valeur peut être présenté comme le résultat d'une simple égalité comptable. Les revenus que l'opération de production conduit à distribuer correspondent en effet à la valeur de cette production. Pour reprendre le vocabulaire contemporain de la comptabilité nationale, le montant des ressources est égal au montant des emplois. Ainsi, pour réaliser une production de 5 000 unités monétaires, on peut supposer qu'il a fallu acquérir des consommations intermédiaires pour 1 500 (revenu pour d'autres producteurs), rémunérer la main-d'œuvre pour 2 000 (revenu pour les ménages), payer des impôts pour 500 (revenu pour l'État), ce qui a permis de dégager un excédent brut d'exploitation de 1 000 (revenu pour l'entrepreneur). Divers agents économiques perçoivent en fin de compte un revenu global correspondant au montant de la production. La dépense de ce revenu permet d'écouler la production comme le montre le schéma suivant :

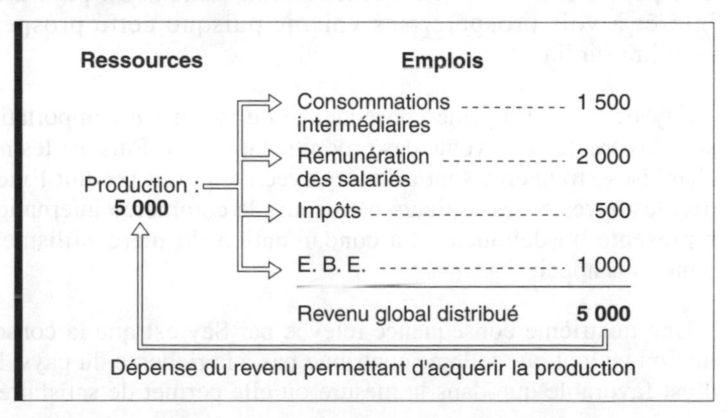

L'ambition de la loi de Say va toutefois bien au-delà de la présentation d'une simple égalité comptable. Elle conduit notamment à poser l'impossibilité d'une crise de surproduction généralisée. Si certains produits trouvent parfois difficilement des acheteurs, c'est parce que d'autres productions ont été insuffisantes. « Certains produits surabondent, parce que d'autres sont venus à manquer. » Autrement dit, si des personnes ont moins acheté, c'est parce qu'elles ont moins gagné, et ce parce qu'elles n'ont pas suffisamment produit. L'argumentation de Say revient à présenter l'accroissement de la production comme un remède à la surproduction. Cette surproduction ne devrait toutefois pas avoir lieu si l'on retient l'égalité comptable présentée plus haut. La mévente ne peut avoir qu'un caractère sectoriel. Si la demande est insuffisante pour écouler certaines productions, c'est qu'elle est excédentaire par rapport à l'offre disponible pour d'autres productions.

Une deuxième conséquence de la loi de Say, « c'est que chacun est intéressé à la prospérité de tous, et que la prospérité d'un genre d'industrie est favorable à la prospérité de tous les autres ». Un homme tire d'autant mieux profit de son industrie et de son talent qu'il est entouré d'autres personnes dans la prospérité. Dans une contrée pauvre, même si un manufacturier ne rencontre guère de concurrents, il est confronté à des ventes limitées car les autres productions sont elles-mêmes limitées. Inversement, une ville entourée de riches campagnes y trouve de nombreux acheteurs tandis que la prospérité de la ville bénéficie aux habitants des campagnes qui peuvent y écouler facilement leurs produits. Ce qui est vrai pour une ville l'est à l'échelle de la nation. Un pays a tout intérêt à voir prospérer ses voisins puisque cette prospérité rejaillira sur lui.

Say tire une troisième conséquence de sa loi : les importations sont favorables à la vente des produits nationaux. Puisque les marchandises étrangères sont achetées avec ce qu'ont produit l'industrie, les terres et les capitaux nationaux, le commerce international représente un débouché. La condamnation du mercantilisme est donc sans appel.

Une quatrième conséquence relevée par Say est que la consommation en tant que telle ne contribue pas à la richesse du pays. Elle n'est favorable que dans la mesure où elle permet de satisfaire un besoin. « Pour encourager l'industrie, il ne suffit pas de la consommation pure et simple ; il faut favoriser le développement des goûts et des besoins qui font naître parmi les populations l'envie de consommer ; de même que, pour favoriser la vente, il faut aider les consommateurs à faire des gains qui les mettent en état d'acheter. » Comme les besoins peuvent se multiplier indéfiniment, les produits destinés à les satisfaire sont eux-mêmes appelés à se multiplier. La production peut donc rester durablement croissante. L'analyse de Say contredit ici celle de Ricardo sur l'état stationnaire. L'évolution des besoins entretient la consommation et la prospérité générale garantit que les nouveaux produits trouveront des débouchés.

• Une vision excessivement optimiste ?

Ricardo défend la loi des débouchés et contribue à l'associer au nom de Say quand James Mill, en 1808, en donne une formulation proche de celle du *Traité*. En revanche, Sismondi, dans les *Nouveaux principes d'économie politique* de 1819, et Malthus, dans les *Principes d'économie politique* de 1820, s'opposent à la loi. L'engorgement des marchés qu'observe Sismondi lui paraît apporter un démenti à une loi qui conduit à chercher de nouveaux débouchés dans l'accroissement de la production. Malthus, quant à lui, voit dans l'épargne la source d'une consommation insuffisante pour écouler une production que l'utilisation de cette épargne permet d'augmenter. Say s'emploie à réfuter ces critiques dans ses deux premières *Lettres à Malthus*.

En 1844, John Stuart Mill montre que la façon d'appréhender la loi de Say dépend du statut conféré à la monnaie. Les économistes ont depuis pris l'habitude de distinguer « l'identité de Say » et « l'égalité de Say ».

L'identité de Say s'applique à une économie dans laquelle la monnaie est sans influence sur le réel. Elle n'est que le voile qui masque la réalité des échanges ou, pour reprendre l'image utilisée par Say lui-même, la voiture qui sert à transporter la valeur des produits. L'économie est assimilée à une économie de troc, ce qu'illustre la formulation de Say pour qui les produits s'échangent contre des produits. Dans une telle économie, la valeur des biens demandés est identiquement égale à celle des biens offerts. Si, dans cette économie, un bien est amené à servir de monnaie, seule une demande excédentaire de ce bien peut conduire à une offre excédentaire pour les autres biens. Or cette demande excédentaire de monnaie n'a pas de sens dans une économie où la monnaie n'est pas demandée en tant que telle, mais seulement pour servir d'intermédiaire des échanges.

L'égalité de Say renvoie, quant à elle, à une économie où la monnaie a une utilité propre. Elle est détenue comme réserve de valeur. Si les agents accroissent leur demande de monnaie, pour une offre inchangée, la demande devient excédentaire sur le marché de la monnaie. L'offre est dès lors globalement excédentaire sur les autres marchés. La loi de Walras nous dit en effet que dans une économie à m marchés, si les m - 1 premiers sont équilibrés, le dernier est aussi équilibré. À un déséquilibre sur ce marché correspond donc un déséquilibre sur les autres marchés. En l'occurrence, une demande excédentaire de monnaie signifie une offre excédentaire de produits.

Les classiques montreront toutefois que des mécanismes permettent d'assurer le retour à l'équilibre sur le marché de la monnaie et sur le marché des biens. Mill écrit notamment que la baisse des prix pousse les individus à accroître leur demande de biens et à réduire ainsi leur demande de monnaie. Plus tard, les auteurs qui, comme Arthur Cecil Pigou ou Don Patinkin, théorisent l'« effet d'encaisses réelles », expliquent que la baisse des prix, en revalorisant le pouvoir d'achat des encaisses monétaires des agents, les conduit à dépenser une partie de ces encaisses pour assurer le maintien de leur niveau en valeur réelle, ce qui enclenche le mécanisme de retour à l'équilibre. L'égalité de Say finit ainsi par être préservée.

VI. Le discours libéral

La présentation de la loi des débouchés conduit Say à affirmer qu'« il est précieux pour l'humanité qu'une nation, entre les autres, se conduise, en chaque circonstance, d'après les principes libéraux » (*Traité d'économie politique,* livre premier, chapitre 15). Il ne manque pas de s'arrêter longuement sur les effets de la réglementation de la production et sur le financement des dépenses publiques.

• Les effets de la réglementation de la production

Un gouvernement peut chercher à influencer la production, soit pour favoriser celle de certains produits, soit pour déterminer la manière de produire. Dans les deux cas, son intervention provoque des effets pervers.

Les règlements destinés à favoriser certains produits

Favoriser l'offre de certains produits revient à orienter une partie des moyens de production vers des productions pour lesquelles le besoin se fait moins sentir que pour celles qui auront à souffrir de cette orientation. Or l'administration n'est pas nécessairement compétente pour dire à un entrepreneur quelle production il doit réaliser. Dans l'agriculture par exemple, le cultivateur sait mieux que l'administration à quelle culture il convient d'affecter sa terre.

La prétention de l'État à s'immiscer dans la production a certes concerné l'agriculture ou l'industrie manufacturière, mais elle s'est surtout manifestée en matière de commerce. Say, qui, comme Smith, s'emploie à réfuter la doctrine mercantiliste, dénonce l'interdiction d'importer certaines marchandises étrangères. Une telle pratique, qui revient à établir un monopole en faveur des producteurs nationaux, pénalise les consommateurs. Elle élève en effet le prix de ces marchandises au-dessus de leur prix naturel, prix le plus bas auquel il est possible de se les procurer. Quand l'élévation du prix résulte d'un droit d'entrée, le producteur ne profite même pas du supplément de prix alors que le consommateur s'appauvrit. C'est là le résultat d'une mesure non appropriée puisqu'« il nous convient toujours de consommer les produits que l'étranger fournit meilleurs ou à meilleur compte que nous » (*Traité d'économie politique,* livre premier, chapitre 17). Renoncer à interdire les importations ouvre la voie à une division du travail judicieuse à l'échelle internationale. « Ce qui nous convient le plus, c'est d'employer nos producteurs, non aux productions où l'étranger réussit mieux que nous, mais à celles où nous réussissons mieux que lui, et avec celles-ci d'acheter les autres. » Si le bon prix des produits importés résulte d'un faible taux d'intérêt à l'étranger, il ne faut pas priver les consommateurs nationaux de cet avantage qui est tout à fait comparable à celui qui résulterait d'un sol plus fécond à l'étranger.

Le pays qui prohibe les importations fait aussi du tort au pays fournisseur puisqu'« on le prive de la faculté de tirer le parti le plus avantageux de ses capitaux et de son industrie ». Mais la mesure finit aussi par se retourner contre celui qui l'a mise en œuvre, même lorsque des représailles ne sont pas appliquées. Ces représailles ne sont d'ailleurs pas opportunes puisque, en limitant un peu plus les échanges, elles pénalisent aussi bien le pays qui les applique que le pays à l'encontre duquel elles s'exercent. L'interdiction des importations a en outre pour effet « de créer un crime de plus : la contrebande ; c'est-à-dire de rendre criminelle par les lois une action qui est innocente en elle-même, et d'avoir à punir des gens qui, dans le fait, travaillent à la prospérité générale ». Il est donc clair que les barrières douanières sont dommageables et, de même que la France a gagné à supprimer celles qui existaient entre ses provinces avant la Révolution, le monde gagnerait à supprimer celles qui subsistent entre les nations.

Les primes destinées à encourager les exportations ne sont pas plus défendables que les obstacles aux importations. C'est vrai de toutes les primes destinées à favoriser une production. « S'il y a quelque bénéfice à retirer d'une industrie, elle n'a pas besoin d'encouragement ; s'il n'y a point de bénéfice à en retirer, elle ne mérite pas d'être encouragée. »

Les règlements destinés à déterminer la manière de produire

Say admet que l'intervention de l'État pour améliorer des procédés utilisés dans l'agriculture a presque toujours eu des effets favorables, même si une règle a priori justifiée peut parfois avoir des conséquences imprévues. Il mentionne à ce sujet l'exemple de la lutte contre les destructions imputables aux hannetons dans le canton de Berne. Chaque propriétaire se voyant contraint de fournir une certaine quantité de hannetons proportionnelle à la superficie détenue pour prouver sa participation à la lutte collective contre ces insectes, les riches propriétaires en sont venus à acheter des hannetons. Des sacs de hannetons ont finis par être transportés en contrebande vers le canton de Berne. Pour anecdotique qu'il soit, l'exemple « prouve combien il est difficile, même aux bons gouvernements, de faire le bien en se mêlant de la production ».

Say se montre beaucoup plus critique sur la réglementation de l'activité manufacturière et reprend l'argumentation de Smith contre les corporations. Toute limitation du nombre de producteurs se fait au détriment des consommateurs. L'argument qui consiste à invoquer la recherche de la fabrication d'un produit de meilleure qualité est fallacieux. La poursuite de son intérêt privé par un producteur est une meilleure garantie. Seule celle-ci conduit à une prospérité que la réglementation entrave. « De même qu'un faubourg prospère à côté d'une ville à corporations, qu'une ville affranchie d'entraves prospère au milieu d'un pays où l'autorité se mêle de tout, une nation où l'industrie serait débarrassée de tous liens prospérerait au milieu d'autres nations réglementées. » L'État doit donc « ne se mêler en rien de la production ». La réglementation est utile lorsqu'elle se borne à prévenir les fraudes et à certifier que la qualité du produit correspond bien à celle qui est indiquée. Même dans ce cas l'intervention a néanmoins un côté néfaste puisqu'elle est coûteuse et conduit au renchérissement du prix.

Say se montre donc particulièrement sceptique sur la capacité d'un gouvernement à agir favorablement sur la production. « Il est presque impossible qu'un gouvernement puisse, je ne dis pas se mêler utilement de l'industrie, mais éviter, quand il s'en mêle, de lui faire du mal. » Il ne reste plus qu'à en tirer les conséquences. « Si l'intervention du gouvernement est un mal, un bon gouvernement la rendra aussi rare qu'il sera possible. »

Conférer à une compagnie privilégiée le droit exclusif d'acheter et vendre certains produits ou de commercer avec certains pays est une mesure qui engendre les inconvénients évoqués précédemment. La concurrence est interdite et le prix des produits concernés s'élève au-dessus de celui qui résulterait d'un commerce libre. En outre, « souvent un privilège exclusif fait fuir et transporte à l'étranger des capitaux et une industrie qui ne demandaient qu'à se fixer dans le pays ». Ce privilège est justifié quand il facilite l'ouverture de relations commerciales avec un pays lointain mais, tout comme un brevet d'invention, il doit être temporaire.

Les règlements relatifs au commerce des grains sont aussi une bonne illustration de la vaine prétention de l'État à agir efficacement, notamment pour lutter contre les pénuries de produits alimentaires. « Quand l'administration veut approvisionner elle-même par ses achats, elle ne réussit jamais à subvenir aux besoins du pays, et elle supprime les approvisionnements qu'aurait procurés le commerce libre. » Les commerçants, bien qu'accusés d'accaparer les grains pour en faire monter les prix, ont une fonction bien plus utile en achetant le blé à bas prix quand il est abondant pour pouvoir approvisionner le marché quand il devient rare. Ce résultat explique le plaidoyer de Say en leur faveur : « donnez toute sécurité aux trafiquants, et laissez-les faire. Ils ne rendront pas copieuse une récolte déficiente, mais ils répartiront toujours ce qui peut être réparti, de la manière la plus favorable aux besoins ».

Peu apte à réglementer avec succès l'activité productive, l'État ne doit pas devenir producteur lui-même. Non seulement la production est assurée à un moindre coût si elle est laissée aux particuliers, mais l'État qui se mêle de produire, du fait des sommes dont il dispose et de sa possibilité de vendre à perte, nuit aux autres producteurs.

• Le financement des dépenses publiques

Si les dépenses publiques ont leur raison d'être, elles ne sont pas pour autant toujours justifiées et leur financement peut avoir des effets dangereux.

Les limites des dépenses publiques

Tout en expliquant pourquoi certaines dépenses publiques sont nécessaires, Say montre que leur excès peut parfois être contestable. La multiplication des gens de lois n'implique par exemple pas nécessairement une meilleure défense des droits des personnes mais peut se traduire par une législation plus difficile à interpréter. « On peut appliquer le même raisonnement aux places superflues instituées dans l'administration publique. Administrer ce qui devrait être abandonné à soi-même, c'est faire du mal aux administrés, et leur faire payer le mal qu'on leur fait comme si c'était du bien. » (*Traité d'économie politique,* livre premier, chapitre 12.)

Say est proche de Malthus dans ses commentaires sur les établissements de bienfaisance. Il admet certes que « c'est une satisfaction et un honneur de venir au secours de l'humanité souffrante » (*Catéchisme d'économie politique,* chapitre 27), mais il cherche à s'en tenir au seul raisonnement économique. « Beaucoup de personnes sont d'avis que le malheur seul donne des droits aux secours de la société. Il semblerait plutôt que pour réclamer ces secours comme un droit, il faudrait que les malheureux prouvassent que leurs infortunes sont une suite nécessaire de l'ordre social établi, et que cet ordre social lui-même ne leur offrait, en même temps, aucune ressource pour échapper à leurs maux. Si leurs maux ne résultent que de l'infirmité de notre nature, on ne voit pas aisément comment les institutions sociales seraient tenues de les réparer. On le voit encore moins, quand ces maux sont le fruit de leur imprudence et de leurs erreurs, et quand ces erreurs mêmes ont été préjudiciables à la société. » (*Traité d'économie politique,* livre troisième, chapitre 7.) Un problème réside notamment dans le fait que la volonté de lutter contre la pauvreté risque d'être génératrice de pauvreté. « Il y a des maux qui se multiplient avec le soulagement qu'on leur apporte. » Les établissements de bienfaisance sont ainsi de nature à augmenter le nombre de pauvres, notamment parce que les indigents, délivrés de l'obligation d'entretenir une partie des leurs, peuvent se multiplier et se contenter de salaires plus bas, ce que l'expérience semble confirmer. « L'Angleterre a subi les fâcheuses conséquences de ses lois sur les pauvres ; elle a vu le nombre des gens ayant besoin de secours s'accroître à mesure qu'on augmentait les secours qu'on leur accordait. »

Impôts et emprunts publics
Say dénonce plusieurs effets de l'impôt sur l'activité économique. La perspective de ne pas bénéficier complètement du résultat de leur industrie n'encourage pas les contribuables à produire. « Les producteurs ne sont jamais plus excités à produire, que par la certitude de jouir sans réserve du fruit de leur effort ; et l'impôt ne les en laisse pas jouir sans réserve. » (*Catéchisme d'économie politique,* chapitre 29.) Say dénonce aussi la translation fiscale par laquelle le producteur imposé répercute le montant de l'impôt sur le prix du produit vendu. C'est alors le consommateur qui paie l'impôt. Que le consommateur paie un produit plus cher ou qu'il soit lui-même directement imposé, il est dans les deux cas amené à réduire sa demande. Le producteur voit donc diminuer ses profits, qu'il ait ou non augmenté le prix de ses produits. L'impôt nuit donc à la production, incite à la fraude et oblige le fisc à prendre des mesures qui accroissent le coût de la perception et réduisent ainsi l'efficacité de l'impôt.

L'idée selon laquelle les sommes prélevées sont rendues au public est contestée par Say. « Lorsque le gouvernement ou ses agents font des achats avec l'argent qui provient des contributions, il ne font pas au public un don de cet argent. Ils obtiennent des marchands une valeur égale à celle qu'ils donnent. Ce n'est donc point une restitution qu'ils opèrent. » De même qu'un propriétaire foncier ne rend pas le fermage s'il l'utilise tout entier à acheter les produits du fermier, l'État ne rend pas à la nation les sommes qu'il a prélevées.

Say ne manque donc pas d'arguments pour faire valoir que « si l'impôt produit souvent un bien quant à son emploi, il est toujours un mal quant à sa levée » (*Traité d'économie politique,* livre troisième, chapitre 9). Son seul impact favorable est d'obliger les producteurs confrontés à un accroissement de leur coût de production à rechercher des procédés de production plus performants.

Dès lors que l'impôt est inévitable, il convient de faire en sorte qu'il soit le moins mauvais possible. L'impôt doit être modéré, entraîner peu de frais de recouvrements et être équitable. Sur ce point, Say n'hésite pas à affirmer que « l'impôt progressif est le seul équitable ». Il doit enfin nuire le moins possible à la reproduction des capitaux productifs et ne pas être contraire à la morale.

Quant à l'emprunt, il ne modifie pas en lui-même la richesse de la société. Mais comme les fonds prêtés au gouvernement servent à sa consommation, ils ne donneront plus le profit qu'ils auraient pu rapporter en tant que capital productif. L'emprunt réduit donc le revenu de la nation en transférant des capitaux d'un usage productif à la consommation. Il présente en outre l'inconvénient de pousser le taux d'intérêt à la hausse. Un gouvernement doit donc éviter de recourir à « la lèpre des emprunts » en modérant ses dépenses. « Il n'y a, pour un ministre des Finances, aucun talent qui vaille celui de dépenser peu. »

VII. Postérité et influence

Say rencontre le succès de son vivant, comme en témoigne la diffusion de ses écrits. Il tend par la suite à être surtout considéré comme un vulgarisateur de Smith, mais sa loi des débouchés en fait l'un des économistes les plus reconnus.

• La diffusion des écrits de Say

Alors que Say, opposé à Napoléon, est en disgrâce en France où il se voit interdire la deuxième édition de son *Traité,* celui-ci est traduit en Espagne et en Allemagne. Sa réhabilitation et ses nouvelles publications sont suivies d'une plus large diffusion de son œuvre à l'étranger. En 1816, le *Catéchisme d'économie politique* est publié en Allemagne, en Espagne et en Angleterre tandis que *De l'Angleterre et des Anglais* paraît aussi dans ce dernier pays. Dans les années qui suivent, le *Traité* paraît à plusieurs reprises aux États-Unis, en Italie, en Angleterre, en Suède et au Danemark. Les *Lettres à Malthus* et le *Cours complet d'économie politique pratique* font eux aussi l'objet de publications à l'étranger du vivant de Say.

Ce succès n'explique pas à lui seul que l'œuvre de Say ait pu passer à la postérité. L'auteur du *Cours complet* admet lui-même, dans son discours préliminaire, que bien des écrits sont appelés à tomber dans l'oubli. En outre, la diffusion des idées de Say paraissait quelque peu compromise : en Angleterre, les traductions du vivant de l'auteur se limitent à celles de 1816 et 1821 (*Traité* et *Lettres à Malthus* pour cette dernière date). Certes, les lecteurs britanniques peuvent se reporter aux traductions parues aux États-Unis, voire aux textes français qui sont disponibles à Londres puisqu'à cette époque la diffusion des connaissances s'effectue en français. Mais ce vide trahit aussi la difficulté de Say à s'imposer à côté des auteurs anglais comme Ricardo ou Malthus.

• La place de Say dans l'économie politique

Say a contribué à introduire l'enseignement de l'économie politique en France : les deux chaires qu'il a occupées au Conservatoire des arts et métiers puis au Collège de France ont été créées pour lui. Il s'est aussi largement employé à faire connaître les idées de Smith, ce qui a parfois conduit à le considérer comme un auteur sans apport original. Or non seulement Say ne se limite pas à une paraphrase de Smith, mais il se démarque des économistes anglais. Il défend une économie politique pratique susceptible de construire un savoir utilisable par le plus grand nombre. Il donne une place entière à l'entrepreneur dans la production comme dans la répartition. Il défend une théorie de la valeur qui s'oppose à la théorie de la valeur travail que tentent d'imposer les classiques anglais, ce pour quoi Marx lui témoignera un profond mépris.

C'est néanmoins la loi des débouchés qui vaudra à Say de figurer parmi les grands économistes. John Maynard Keynes fait de l'adhésion à cette loi le critère d'appartenance à l'économie classique. C'est ce même Keynes qui portera les coups les plus rudes à la loi des débouchés : avec le concept de préférence pour la liquidité, il montrera que les bénéficiaires d'un revenu ne sont pas nécessairement amenés à le dépenser, et donc que la production qui permet de distribuer ce revenu n'engendre pas automatiquement la dépense nécessaire pour l'écouler.

• Éléments de bibliographie

Si on laisse de côté les textes littéraires, les multiples articles parus notamment dans *La Décade philosophique, littéraire et politique,* ainsi que les notes sur certains ouvrages, l'œuvre de Say peut être retrouvée dans les ouvrages suivants.

Olbie, ou essai sur les moyens de réformer les mœurs d'une nation, 1800.
Traité d'économie politique, 1803.
De l'Angleterre et des Anglais, 1815.
Catéchisme d'économie politique, 1815.
Petit volume contenant quelques aperçus des hommes et de la société, 1817.
Des canaux de navigation dans l'état actuel de la France, 1818.
De l'importance du port de La Villette, 1818.
Lettres à Malthus, 1820.
Cours complet d'économie politique pratique, 1828-1829.

La plupart de ces ouvrages ont été réédités. Les *Cours d'économie politiques et autres essais,* publiés en 1996 chez Flammarion sous la direction de Philippe Steiner, rassemblent quatre essais : *De l'Angleterre et des Anglais, Cours à l'Athénée, Lettres à Malthus* et *Catéchisme d'économie politique.* En outre, le Centre Walras de l'université Lumière Lyon 2 a entrepris la publication chez Economica des œuvres complètes de Jean-Baptiste Say.

David RICARDO

I. L'homme dans son temps

• De la finance à l'économie politique

David Ricardo naît à Londres le 18 avril 1772. Troisième enfant d'une famille de dix-sept, il baigne dès son plus jeune âge dans le monde de la finance. Son grand-père paternel, un israélite d'origine portugaise, est *stockbroker* (agent de change) à Amsterdam, activité que reprend son fils Abraham Israël, le père de l'économiste, qui émigre ensuite à Londres où il obtient l'un des douze postes d'agents de change réservés aux juifs de la City. Sa mère, Abigail Delvalle, est elle aussi issue d'une famille juive bien implantée dans le monde des affaires. Le jeune David se trouve donc tout naturellement destiné à suivre la tradition familiale.

En 1783, son père l'envoie pour deux ans à Amsterdam où, hébergé chez un oncle lui aussi agent de change, il poursuit son éducation. Il n'a que quatorze ans quand son père commence à l'employer à la Bourse de Londres où il lui confie rapidement d'importantes responsabilités. La confiance qui lui est accordée transparaît dans le fait qu'à seize ans, il est chargé d'emmener deux de ses jeunes frères en Hollande. Son mariage en 1793 avec la fille d'un quaker marque toutefois une rupture avec sa famille et la communauté juive. Opposé à cette union avec une chrétienne, son père l'oblige à quitter la maison familiale et lui retire la part qu'il détenait dans ses affaires. Le jeune marié ne se trouve pas longtemps privé de ressources. Aidé par ses relations à la Bourse de Londres, il devient lui aussi agent de change et, en quelques années, son sens des affaires lui permet d'amasser une fortune supérieure à celle de son père. Deux ans après son mariage, il vit déjà dans l'aisance et ses opérations boursières le conduisent au fil des ans à accumuler une richesse considérable. Il réalise l'opération la plus spectaculaire en 1815 lorsque, quatre jours avant la bataille de Waterloo, il acquiert massivement des emprunts d'État dépréciés par les incertitudes de la guerre. L'annonce de la victoire britannique provoque une envolée du cours des titres qui assoit définitivement sa fortune et lui permet de se retirer des affaires.

Entré très jeune dans la vie active, David Ricardo montre cependant un goût pour l'abstraction et le raisonnement, et il étudie sérieusement les sujets qui retiennent son intérêt. Son attention est tournée vers le domaine scientifique, en particulier les mathématiques, la chimie, la géologie et la minéralogie. Il prend notamment une part active à l'administration de la Société de géologie de Londres. Quant à l'économie politique, il ne la découvre que relativement tardivement. En visite à la ville thermale de Bath où il accompagne son épouse qui vient soigner sa santé en 1799, il tombe par hasard sur *La Richesse des nations* d'Adam Smith dans une bibliothèque ambulante. Après en avoir feuilleté une ou deux pages, il se fait envoyer l'ouvrage chez lui. L'économie politique s'ajoute alors à ses centres d'intérêt, même si ce n'est que des années plus tard qu'elle devient pour lui une occupation essentielle.

• Une entrée progressive dans l'économie politique

À trente-sept ans, Ricardo n'a encore rien publié et ne se doute pas que l'économie politique le rendra célèbre. Il reconnaîtra lui-même que l'ouvrage de Smith ou les premiers articles d'économie politique parus dans l'*Edinburgh Review* procuraient « un agréable sujet de bavardage pour une demi-heure, lorsque les affaires ne nous occupaient pas » (lettre à Hutches Trower du 26 janvier 1818). L'économiste n'a pas encore pris le dessus sur l'homme d'affaires.

Les importantes transactions que ses affaires l'amènent à réaliser avec la Banque d'Angleterre l'incitent à réfléchir sur les questions monétaires, et plus particulièrement sur les raisons de la différence entre la valeur des pièces et celle des billets, les seconds se dépréciant par rapport aux premières sous le régime d'inconvertibilité en vigueur depuis 1797. Cette question mobilise son attention et devient un thème de conversation fréquent avec son entourage. Il met ses pensées par écrit et l'un de ses amis à qui il montre le manuscrit, propriétaire du *Morning Chronicle,* lui demande l'autorisation de le publier dans son journal, ce à quoi Ricardo semble n'avoir consenti qu'avec réticence. C'est ainsi que le 29 août 1809 paraît son premier article, non signé, sur « le cours de l'or » dans lequel il met en cause l'excès d'émission de la Banque d'Angleterre rendu possible par l'inconvertibilité. Cet article ayant entraîné des réactions, notamment sous forme d'articles de l'agent de change Trower, Ricardo publie deux réponses en septembre et en novembre dans le même journal.

Ricardo développe ses idées sur ce point dans un pamphlet, signé cette fois-ci, qui paraît en janvier 1810 : *Le cours élevé du lingot, preuve de la dépréciation des billets de banque.* C'est le début de la notoriété de l'économiste. Dans les semaines qui suivent, la Chambre des communes nomme une commission, le *bullion commitee*, chargée de rédiger un rapport sur « la cause du prix élevé des lingots d'or ». C'est le fameux *Bullion Report,* dont la discussion opposera les anti-bullionistes, qui ne croient pas à l'impact de l'inconvertibilité sur la hausse des prix, aux bullionistes, dont les vues rejoignent celles de Ricardo.

Cette controverse a pour effet d'engager encore plus dans l'étude des questions monétaires l'économiste qui commence à se révéler. Il participe aux débats qui suivent la rédaction du *Bullion Report* en publiant, en septembre 1810, trois lettres dans le *Morning Chronicle.* À la fin de l'année, Charles Bosanquet, sous-gouverneur de la Banque d'Angleterre, fait paraître un écrit qui non seulement critique le *Bullion Report,* mais s'en prend aux idées de Ricardo dont il considère que les premières publications ont été à l'origine de l'enquête diligentée par la Chambre des communes et ont même servi de base au rapport. Ricardo réplique en publiant en janvier 1811 une *Réponse aux observations pratiques de M. Bosanquet sur le rapport du bullion committee.* Un mois plus tard, Thomas Robert Malthus signe le compte-rendu de l'*Edinburgh Review* sur le *Bullion Report*. Ricardo, qui avait renoncé à rédiger ce compte-rendu après avoir été contacté pour le faire, transcrit ses remarques dans une annexe à la quatrième édition du *Cours élevé du lingot* qui paraît en avril 1811, cette annexe faisant aussi l'objet d'une publication séparée la même année.

Un autre effet de la controverse dans laquelle s'est engagé Ricardo est de l'introduire auprès des intellectuels qui s'intéressent aux questions économiques. Il se lie d'amitié avec James Mill qui exercera une grande influence sur lui. Dès décembre 1810, Mill lui transmet la traduction française d'un inédit de Jeremy Bentham *Sur les prix* en lui demandant de l'annoter. C'est aussi Mill qui organisera à Londres en décembre 1814 sa première entrevue avec Jean-Baptiste Say. En juin 1811, Malthus, alors professeur d'histoire et d'économie politique réputé depuis son *Essai sur la population* qui connaît sa déjà quatrième édition, prend l'initiative de rencontrer Ricardo. Le second article qu'il publie deux mois plus tard sur le *Bullion Report* dans l'*Edinburgh Review* ne contient plus de critiques à son encontre. La controverse entre Malthus et Ricardo sur la monnaie ne dépassera plus le cadre de leurs discussions privées ou de leur correspondance.

• Le succès de l'économiste

À partir de 1813, les préoccupations de Ricardo ne se limitent plus au domaine monétaire. Il discute avec Malthus de la relation entre l'accroissement du capital et le taux de profit et commence à mettre ses réflexions par écrit. Lorsqu'en février 1815 la question des lois sur le commerce des blés en vient à être débattue à la Chambre des communes, il peut en quelques jours écrire un *Essai sur l'influence du bas prix du blé sur les profits du capital* (la traduction française deviendra l'*Essai sur les profits*). Il y présente sa théorie du profit, intègre la théorie de la rente de Malthus qui a donné lieu à une publication trois semaines plus tôt, et réfute les arguments protectionnistes mis en avant dans un autre essai de Malthus. Une deuxième édition paraît la même année.

La capacité de Ricardo à analyser l'actualité et à proposer rapidement des solutions pour les faire adopter par le Parlement est mise à contribution quelques mois plus tard. L'un de ses amis vient de demander à la Chambre des communes de limiter les profits que la Banque d'Angleterre réalise dans ses opérations avec le gouvernement et compte renouveler la demande à la prochaine session. Il invite Ricardo à rédiger un pamphlet sur ce sujet. Le 6 février 1816, une semaine avant le débat à la Chambre, les *Propositions pour une monnaie économique et sûre* sont publiées. Une deuxième édition sort dès le 23. Les *Propositions* reviennent sur le devant de la scène en 1819 avec une troisième édition qui précède de deux mois la loi du 24 mai organisant la reprise des paiements en monnaie métallique par la Banque d'Angleterre. La loi reprend largement ce qui est devenu le « plan de Ricardo ».

Dès 1815, Mill, convaincu que Ricardo peut grandement contribuer au développement de l'économie politique, le pousse à rédiger une version plus développée de son *Essai.* Celui-ci se déclare réticent du fait de son « manque de talent pour la rédaction » et « craint que l'entreprise ne soit au-dessus de [ses] forces » (lettre à Say du 18 août 1815). Mill est toutefois déterminé à ne lui laisser aucun répit tant qu'il ne sera pas « complètement plongé dans l'économie politique » (lettre de Mill du 23 août 1815). Ricardo finit par s'investir pleinement dans celle-ci, en étudiant plus particulièrement « les principes de la rente, du profit et du salaire » sur lesquels ses « opinions diffèrent de la grande autorité d'Adam

Smith, Malthus » et autres auteurs (lettre à Trower du 29 octobre 1815). Après plusieurs mois de travail, il en vient à reconnaître la nécessité d'une analyse de la valeur. En octobre 1816, il peut envoyer à Mill le manuscrit des sept premiers chapitres, qui contiennent les principaux apports qui lui vaudront de passer à la postérité, avant d'aborder la question de l'impôt qui donne lieu à un nouvel envoi un mois plus tard. Il effectue alors une relecture de Smith, Malthus et Say qui donne lieu à des chapitres supplémentaires. L'œuvre maîtresse de Ricardo, qui est loin de se limiter à une version développée de l'*Essai*, est achevée. L'ouvrage, *Des principes de l'économie politique et de l'impôt,* paraît en avril 1817. Réédité en 1819, il est remanié pour une troisième édition en 1821.

Reconnu comme économiste, il ne manque plus à Ricardo qu'un succès politique. Poussé par Mill et d'autres membres de son entourage, il entre à la Chambre des communes en 1819. C'est là que l'activité de l'homme politique rejoint celle de l'économiste puisque, dans les jours qui suivent son entrée à la Chambre, il intervient avec succès sur la question de l'abandon de l'inconvertibilité des billets de la Banque d'Angleterre.

Les derniers travaux de Ricardo restent tournés vers l'analyse des problèmes économiques auxquels il s'efforce d'apporter des solutions. La question de la dette publique l'amène à écrire, une nouvelle fois sous l'impulsion de Mill, un article sur « le système de consolidation » publié en 1820 comme supplément à l'*Encyclopædia Britannica.* En 1822, quelques jours avant que le Parlement n'entame un débat sur les difficultés de l'agriculture, il publie un pamphlet *Sur la protection de l'agriculture* dans lequel il se prononce pour l'autorisation d'une importation illimitée de blé. En 1823, en prolongement de son travail de 1815 sur la monnaie, il rédige un *Plan pour l'établissement d'une banque nationale* dans lequel il s'oppose au renouvellement de la charte de la Banque d'Angleterre. Le texte est publié en février 1824, six mois après le décès soudain de Ricardo survenu le 11 septembre 1823.

II. La valeur

Ricardo consacre le premier chapitre des *Principes* à la valeur. Après avoir expliqué que la valeur d'une marchandise dépend de la quantité de travail nécessaire à sa production, il reconnaît que ce principe est partiellement remis en cause par la prise en compte du capital dans la production.

• La théorie de la valeur travail

Ricardo reprend la distinction de Smith entre valeur en usage d'un objet, qui correspond à son utilité, et valeur en échange, c'est-à-dire le pouvoir d'acheter d'autres biens. Cette valeur en échange ne peut pas être mesurée par l'utilité puisque des biens qui ont une grande utilité, comme l'eau ou l'air, n'ont pas de valeur d'échange tandis que d'autres qui n'ont que peu d'utilité s'échangent contre une grande quantité d'autres biens. L'utilité est certes nécessaire, puisqu'une marchandise qui ne procurerait aucune satisfaction serait dépourvue de valeur d'échange, mais cette marchandise utile tire sa valeur de deux sources : sa rareté et la quantité de travail nécessaire pour l'obtenir. Pour certaines marchandises, seule la rareté procure la valeur. C'est le cas des peintures, objets d'art ou vins exceptionnels. Mais il ne s'agit là que d'un nombre infime de marchandises au regard de l'ensemble de celles qui sont échangées. La plupart des marchandises produites peuvent être multipliées par le travail. Cette constatation permet à Ricardo de circonscrire le champ auquel s'applique la théorie de la valeur travail. « En parlant donc des marchandises, de leur valeur échangeable, et des lois qui règlent leurs prix relatifs, nous entendons toujours ces seules marchandises dont la quantité peut être accrue par l'industrie de l'homme, et dont la production est soumise à une concurrence sans entrave. » (*Principes,* chapitre 1, section 1.)

En ne retenant que les marchandises reproductibles, Ricardo écarte donc l'une des sources de la valeur, la rareté, pour ne retenir que la quantité de travail. C'est ce qui lui permet d'affirmer que « la valeur d'une marchandise, c'est-à-dire la quantité de toute autre marchandise contre laquelle elle s'échange, dépend de la quantité relative de travail nécessaire pour sa production ».

Pour comprendre pleinement la théorie de la valeur travail de Ricardo, il convient d'éviter deux écueils. Le premier est le risque de confusion avec l'approche de Smith. Pour les sociétés primitives, Ricardo est en accord avec Smith. « Dans l'enfance des sociétés, la valeur échangeable de ces marchandises, c'est-à-dire la règle qui détermine quelle quantité d'une marchandise doit être donnée en échange d'une autre, dépend presque exclusivement [dans les deux premières éditions des *Principes,* Ricardo écrit « dépend seulement »] de la quantité comparative de travail consacrée à la production de chacune. » Mais Smith avait renoncé à ce principe pour les sociétés développées. Cherchant le meilleur étalon de mesure de la valeur, il croyait l'avoir trouvé dans la quantité de travail qu'une marchandise pouvait commander. Ricardo rejette cette approche, arguant que la valeur du travail, influencée par l'évolution de l'offre et de la demande, est variable. Si, entre deux périodes, la production d'un bien nécessite toujours la même quantité de travail alors que la rémunération du travailleur a doublé, le raisonnement de Smith conduit à conclure que la valeur du bien s'est accrue. Or pour Ricardo il n'en est rien puisque le bien est toujours produit avec la même quantité de travail et qu'il continue à être échangé dans le même rapport avec les biens dont la production nécessite toujours la même quantité de travail. La valeur dépend bien de la quantité de travail nécessaire à la production, « et non de la plus ou moins grande rétribution versée pour ce travail ».

Le second écueil à éviter pour comprendre la théorie de Ricardo serait d'oublier qu'il raisonne sur des valeurs relatives. Lui-même précise d'ailleurs : « je n'ai pas dit que parce que le travail consacré à une marchandise coûtait 1 000 livres, et celui consacré à une autre 2 000 livres, la valeur de l'une serait par conséquent de 1 000 livres et celle de l'autre de 2 000 livres, mais j'ai dit que leur valeur serait dans le rapport de 1 à 2, et que c'est dans cette proportion qu'elles s'échangeraient. Il est sans importance pour la validité de cette doctrine que l'une de ces marchandises se vende 1 100 livres et l'autre 2 200 livres, ou l'une 1 500 livres et l'autre 3 000 livres » (*Principes,* chapitre 1, section 6). Si l'on applique un taux de profit identique aux deux marchandises, leur valeur diffère de celle du travail incorporé, mais le rapport d'échange n'est pas modifié.

Ricardo n'ignore pas les différences de qualité du travail et admet qu'une journée de travail nécessitant beaucoup de savoir-faire a une valeur supérieure à une journée de travail ordinaire. Ce n'est toutefois pas là un problème. La valeur de chaque type de travail peut trouver sa place sur une échelle des valeurs. Comme cette échelle subit peu de variations, l'existence de différences de qualité du travail n'est pas de nature à affecter de façon significative la valeur relative des marchandises. Tout autre est le problème posé par l'utilisation du capital dans la production.

• Le problème posé par l'incorporation du capital

Même dans une société primitive, la production n'exige pas seulement du travail mais aussi du capital. Le chasseur a ainsi besoin d'une arme. La valeur du produit de la chasse dépend donc, en plus du temps passé à chasser, du temps nécessaire pour obtenir l'arme. Dès lors, pour reprendre l'exemple donné par Smith, il ne suffit pas de dire qu'un castor vaut deux cerfs sous prétexte que le temps de chasse nécessaire pour tuer un castor est deux fois plus important que pour tuer un cerf. Si la fabrication de l'arme destinée à la chasse au castor demande plus de travail que celle destinée à la chasse au cerf, un castor vaudra plus que deux cerfs. Il faut en outre prendre en compte la durée de vie de ces armes. Plus elle s'élève, plus la part de leur valeur qui est incorporée dans celle du gibier se réduit.

Le raisonnement s'applique aussi à une société développée. Dans celle-ci, la valeur d'une marchandise reste « proportionnelle au travail employé à leur production ; non seulement à leur production immédiate, mais à celle de tous les instruments ou machines nécessaires pour mettre en action le travail particulier auquel ils sont appliqués » (*Principes,* chapitre 1, section 3). La production est réalisée à l'aide de bâtiments, de machines, d'outils et de matières diverses. Ceux-ci forment le capital dont la disparition plus ou moins rapide au cours de l'opération de production conduit à la distinction entre capital circulant et capital fixe.

La prise en compte de ce capital « modifie considérablement le principe selon lequel la quantité de travail consacrée à la production des marchandises règle leur valeur relative » (*Principes,* chapitre 1, section 4). Deux productions demandant la même quantité de travail immédiat peuvent ne pas nécessiter la même quantité de capital. Et si la quantité de capital est la même, la répartition entre capital fixe et circulant peut différer d'une production à l'autre, d'où une différence dans la durée de vie du capital affecté à l'une ou l'autre production. C'est cette observation qui explique la remise en question effectuée par Ricardo lui-même. En effet, un changement dans la répartition entre les salaires et les profits, ceux-ci constituant la rémunération du capital, qui prend par exemple la forme d'un accroissement de la part des salaires au détriment de celle des profits, amène une baisse relative de la valeur des marchandises dont la production demande beaucoup de capital fixe. Alors même que la production de deux marchandises n'exige ni plus ni moins de travail, leur valeur relative se trouve modifiée par l'augmentation de la valeur du travail si elles sont produites avec des proportions de capital fixe différentes.

Reprenons, en le simplifiant, l'exemple donné par Ricardo pour illustrer l'incidence du capital sur la valeur. Au cours d'une année, un manufacturier emploie des personnes pour construire une machine tandis qu'un fermier emploie le même nombre de personnes pour cultiver du blé. La machine obtenue en fin d'année vaut donc autant que le blé, en admettant que le travail effectué dans l'une ou l'autre activité soit de qualité comparable. L'année suivante, le manufacturier utilise la machine et le même personnel pour produire du drap alors que le fermier réemploie les mêmes personnes pour la culture du blé. Si, au cours de la seconde année, la quantité de travail affectée à chaque activité est la même, la valeur de la production de drap représentera non seulement au moins autant que celle du blé, mais un peu plus du fait qu'un taux de profit s'applique au capital que constitue la machine. En supposant que le travail annuel effectué dans chaque activité soit payé 5 000 livres et que le taux de profit soit de 10 %, la machine et le blé obtenus au bout d'un an vaudront l'un et l'autre 5 500 livres. La seconde année, la production de blé vaudra toujours 5 500 livres tandis que le drap obtenu dans le même temps vaudra ce montant de 5 500 livres auquel s'ajoute le taux de profit de 10 % sur les 5 500 livres que vaut la machine, en l'occurrence 550 livres, ce qui porte la valeur du drap à 6 050 livres. « Voilà donc des capitalistes employant précisément la même quantité de travail annuellement dans la production de leurs marchandises, et cependant la valeur des biens qu'ils produisent diffère en raison des différentes quantités de capital fixe, ou travail accumulé, employés respectivement par chacun. » (*Principes,* chapitre 1, section 4.)

Cet exemple, qui montre l'impact de l'utilisation du capital sur la valeur, peut être développé pour montrer qu'un changement dans la répartition remet en cause la théorie de la valeur travail. Une augmentation des salaires peut faire tomber le taux de profit de 10 % à 9 %. Le blé vaut toujours 5 500 livres, au sein desquels les salaires représentent désormais une part plus importante tandis que celle des profits s'est réduite. Quant au drap, il vaut maintenant 5 500 livres auxquels il convient d'ajouter le nouveau taux de profit de 9 % sur les 5 500 livres de capital constitué par la machine, soit 495 livres, ce qui donne une valeur de 5 995 livres. Le drap a donc perdu de la valeur par rapport au blé alors que sa production a demandé la même quantité de travail. L'affirmation selon laquelle la valeur d'une marchandise dépend de la quantité de travail nécessaire à sa production est remise en question puisque « sans variation dans la quantité de travail, la hausse de sa valeur suffit à provoquer une baisse de la valeur échangeable des biens dont la production nécessite l'emploi de capital fixe ; plus la quantité de capital fixe sera importante, plus la baisse sera forte ».

Ce résultat a le double effet de conforter Ricardo dans sa critique de la théorie de Smith et de fragiliser sa propre théorie. Smith et ses successeurs soutenaient en effet que la hausse du prix du travail élevait systématiquement le prix de toutes les marchandises. La démonstration de Ricardo prouve que ce n'est pas le cas puisque les marchandises dont la production exige beaucoup de capital fixe voient leur prix baisser. Mais sa propre théorie de la valeur travail se trouve prise en défaut. L'auteur des *Principes* minimise la portée de ce résultat que Friedrich von Hayek appellera par la suite « l'effet Ricardo ». Cette cause de la variation de la valeur des marchandises a des effets limités. Ricardo considère en effet que la hausse des salaires ne peut pas entraîner une variation des prix relatifs de plus de 6 ou 7 % car les profits ne pourraient pas supporter une détérioration au-delà de ce montant. C'est pourquoi il s'autorise à considérer que toutes les « grandes variations » qui interviennent dans la valeur relative des marchandises sont dues à la plus ou moins grande quantité de travail que requiert leur production. Cette approximation permettra plus tard à George Stigler d'ironiser sur « Ricardo et la théorie de la valeur travail à 93 % » (*American economic review*, juin 1958).

L'analyse de Ricardo fait apparaître des prix constitués de salaires et de profits ainsi qu'un même taux de profit pour le capital engagé dans diverses activités. Il convient de s'arrêter sur la répartition de ces revenus que sont la rente, le salaire et le profit et dont Ricardo annonçait en 1815 vouloir étudier pleinement les principes.

III. La répartition

Dès les premières lignes des *Principes,* Ricardo met l'accent sur l'importance de la répartition. La production est répartie en trois classes : les propriétaires fonciers, les détenteurs du capital et les travailleurs. Avec l'évolution des sociétés, on assiste à une variation de la part de la production allouée à chacune de ces classes respectivement sous le nom de rente, de profit et de salaire. « Déterminer les lois qui règlent cette distribution est le principal problème de l'économie politique » que les prédécesseurs de Ricardo n'ont pas, selon lui, réussi à résoudre (*Principes,* préface). Seuls Malthus et Edward West, dans deux essais de 1815, ont correctement appréhendé la rente, étape préalable pour comprendre la détermination du salaire et du profit.

• La rente

« La rente est cette part du produit de la terre que l'on paie au propriétaire pour l'utilisation des facultés productives originelles et indestructibles du sol » (*Principes,* chapitre 2). Elle ne doit pas être confondue avec l'intérêt ou le profit du capital, même si dans le langage courant le terme tend à désigner tout ce qu'un fermier verse au propriétaire. Souvent, ce versement global comprend certes la rente, mais aussi la rémunération du capital employé à la bonification de la terre ou à la construction des bâtiments. La distinction est importante car rente et profit n'obéissent pas aux mêmes lois et n'évoluent pas dans le même sens.

Quand les hommes s'établissent dans une contrée fertile où les terres abondent, seule une partie est cultivée. Il n'y a alors pas de rente car personne ne paierait pour l'usage de terres à la disposition de quiconque veut bien les cultiver. Mais la terre n'est pas disponible en quantité illimitée, et avec l'accroissement de la population, de nouvelles terres doivent être mises en culture. Au fil du temps, ce sont les terres les moins fertiles ou les moins bien situées qui finissent par être cultivées. Sur celles-ci, l'emploi d'une quantité de travail et de capital égale à celle mise en œuvre sur les terres les plus fertiles donne une production moindre. Autrement dit, l'obtention du même produit, d'une tonne de blé par exemple, nécessite plus de travail et de capital. La valeur de la tonne de blé s'accroît donc puisque sa production exige plus de travail et de capital. Il n'y a en outre qu'une valeur d'échange du blé, celle déterminée par les conditions de production sur les terres les moins fertiles. Toute valeur inférieure ne permettrait d'ailleurs pas de mettre en culture ces terres. On voit ainsi apparaître une rente sur les terres les plus fertiles : au fur et à mesure que de nouvelles terres sont mises en culture, la production obtenue sur les premières terres peut être échangée contre une quantité de plus en plus grande d'autres produits.

Considérons par exemple trois terres, désignées par les numéros 1, 2 et 3, fournissant respectivement, pour un même emploi de travail et de capital, 100, 90 et 80 tonnes de blé. S'il suffit dans le pays de cultiver la terre 1 pour nourrir la population, le cultivateur utilise une partie de la production pour payer les salaires et conserve le reste comme profit. Dès l'instant où l'accroissement de la population rend nécessaire la mise en culture de la terre 2, les 90 tonnes de blé qu'elle fournit rémunèrent elles aussi le cultivateur et les travailleurs qu'il emploie. Comme le montant versé aux travailleurs est le même sur chacune des terres et que l'égalisation des taux de profit conduit à verser la même somme au cultivateur, la production de la terre 1 laisse un excédent de 10 qui ne va ni aux travailleurs ni à leur employeur. C'est la rente que ce dernier verse au propriétaire. Lorsque la troisième terre est mise en culture, 80 tonnes de blé suffisent à rémunérer le travail et le capital. La terre 1 procure une rente de 20 tandis qu'une rente de 10 apparaît sur la terre 2. La rente peut donc être qualifiée de différentielle dans la mesure où elle est déterminée par la différence entre la production obtenue sur chaque terre et celle qui est obtenue sur la moins bonne terre pour la même quantité de travail et de capital. La rente la plus élevée va aux meilleures terres tandis que la dernière terre mise en culture ne procure pas de rente.

Les modalités de détermination de la rente appellent au moins deux remarques. Tout d'abord, c'est bien au propriétaire que vont les avantages des terres les plus fertiles. Puisque sur la terre la moins fertile la production suffit à payer les salaires et le profit, une telle production doit pouvoir rémunérer le même montant de travail et de capital sur les autres terres. Les travailleurs des terres les plus fertiles ne pourront pas espérer obtenir une rémunération supérieure à celle versée sur la dernière terre et le cultivateur qui les emploie devra lui aussi se contenter du même taux de profit que celui de la moins bonne terre. La rente est donc un transfert de richesse en direction du propriétaire. Ensuite, l'accroissement de la production, obtenu par l'utilisation de terres de moins en moins fertiles, s'accompagne d'une augmentation de sa valeur. Il faut en effet de plus en plus de travail pour obtenir la même quantité additionnelle de blé du fait des rendements décroissants. Cette augmentation de valeur tient à la nécessité d'employer plus de travail pour produire la dernière tonne de blé que pour produire la première, et non à la nécessité de payer une rente au propriétaire foncier. « Le blé n'est pas cher parce qu'on paie une rente, mais on paie une rente parce que le blé est cher » (*Principes*, chapitre 2). Contrairement à ce que laissait entendre Smith, la rente n'est pas une composante du prix.

• Le salaire

Le travail a un prix naturel et un prix de marché. « Le prix naturel du travail est celui qui est nécessaire pour permettre globalement aux travailleurs de subsister et de perpétuer leur espèce sans accroissement ni diminution. » (*Principes,* chapitre 5.) Le travailleur doit pouvoir non seulement se nourrir mais aussi se procurer divers biens qu'avec l'habitude on a fini par considérer comme essentiels. Le prix naturel du travail dépend donc du prix de la nourriture et de celui de ces biens. Si leur prix s'élève, le prix naturel du travail s'élève aussi. Comme l'évolution de la société est caractérisée par une production agricole plus difficile, le prix des denrées alimentaires est appelé à s'élever, ce qui explique que le prix naturel du travail ait toujours tendance à augmenter. Les progrès de l'agriculture ou les importations de vivres peuvent toutefois provisoirement contrecarrer cette tendance.

Le prix de marché du travail dépend, quant à lui, de l'offre et de la demande. Il fluctue autour du prix naturel. S'il lui est supérieur, les travailleurs connaissent une aisance qui encourage l'accroissement de la population mais l'augmentation du nombre de travailleurs ramène le salaire à son niveau naturel. S'il lui est inférieur, les privations endurées par les travailleurs finissent par en réduire le nombre, ce qui pousse le salaire jusqu'à ce niveau naturel.

De même que la difficulté croissante à obtenir une quantité additionnelle de nourriture avec la même quantité de travail provoque une augmentation de la rente, cette difficulté augmente aussi le salaire. Il existe cependant une différence essentielle entre l'augmentation de la rente et celle du salaire. L'augmentation de la rente du propriétaire foncier lui permet d'obtenir une plus grande quantité de blé, ce qui lui donne la possibilité d'acquérir une plus grande quantité des autres biens dont la valeur ne s'est pas accrue. Ce n'est pas le cas pour le travailleur. L'augmentation de son salaire lui permet au contraire d'obtenir une moindre quantité de blé. En effet, si le blé représente la moitié de la consommation du travailleur, une hausse de la valeur du blé de 10 % ne doit donner lieu qu'à une hausse de son revenu de 5 %. Exprimé en blé, son salaire s'amoindrit. La hausse du salaire, bien qu'elle maintienne le niveau de vie du travailleur dont la consommation n'est que partiellement constituée de blé, est en fait une diminution si on mesure le salaire par la quantité de blé qu'il permet d'acquérir. Le sort du travailleur est d'autant moins enviable que le simple maintien de son niveau de vie n'est pas garanti. Avec l'évolution de la société, il devient en effet plus difficile de maintenir le taux de marché du salaire au-dessus du taux naturel. Ceci s'explique par le fait que face à une offre de travail qui continue à croître au même rythme, la demande de travail tend à ralentir. La raison est à rechercher dans la baisse du taux de profit.

• Le profit

La mobilité du capital conduit à une égalisation des taux de profit dans les différentes activités où ce capital est engagé. Si une activité procure passagèrement un profit supérieur aux autres, elle attire les capitaux qui deviennent alors plus abondants dans cette activité tandis qu'ils se raréfient dans les autres. Ce mouvement réduit le taux de profit dans l'activité où de nouveaux capitaux sont employés et l'élève dans les activités où ces capitaux sont retirés, jusqu'à l'égalisation entre les diverses activités.

C'est ce taux de profit unique qui autorise Ricardo à affirmer que la valeur d'échange est déterminée par des quantités de travail. Si la production d'un bien A exige deux fois plus de travail que celle d'un bien B, le bien A vaudra deux biens B quel que soit le taux de profit puisque celui-ci est le même dans les deux productions. La valeur d'un bien est constituée de deux composantes : le salaire et le profit. Et comme cette valeur n'est modifiée que par un changement de la quantité de travail nécessaire à la production du bien, une augmentation des salaires est nécessairement compensée par une diminution des profits.

Du fait de l'égalisation des taux de profit, l'observation de l'évolution du taux de profit dans une activité permet de connaître cette évolution pour l'ensemble de l'économie. Or nous avons vu que dans l'agriculture, la mise en culture de terres de moins en moins fertiles élevait la valeur des denrées alimentaires et augmentait le salaire monétaire du travailleur. Ce mouvement réduit le taux de profit. Supposons en effet que le travail d'un homme permette de produire 1 tonne de blé, laquelle vaut 10 livres. Si la consommation assurant l'entretien annuel du travailleur est de 0,5 tonne de blé, son salaire est de 5 livres et le profit du cultivateur de 5 livres, soit 50 % de la valeur. Considérons qu'avec la mise en culture d'une terre moins fertile, le travail d'un homme permette de produire seulement 0,8 tonne de blé. Pour produire 1 tonne de blé, il faut donc augmenter la quantité de travail de 25 % et la valeur de la tonne de blé passe de 10 à 12,5 livres. Le travailleur a toujours besoin de 0,5 tonne de blé pour vivre, ou d'un salaire qui doit désormais atteindre 6,25 livres. Quant au cultivateur, il ne lui reste plus que 0,3 tonne de blé au lieu de 0,5, ce qui correspond à 3,75 livres. La part de la production de blé qui lui revient, ou la valeur de cette part rapportée à celle de la production, passe de 50 % à 37,5 %. Il y a donc une baisse du taux de profit.

Cette baisse du taux de profit affecte l'ensemble des activités. Avec l'évolution de la société, le profit finira par représenter une part insignifiante de la valeur des biens. On aboutira alors à un état stationnaire, caractérisé par l'absence de croissance consécutive à « une fin de l'accumulation ; car aucun capital ne pourra plus rapporter le moindre profit, aucun travail additionnel ne sera demandé et la population aura atteint son niveau le plus élevé » (*Principes,* chapitre 6). Cette évolution, qui se fait en faveur des propriétaires fonciers et au détriment des détenteurs du capital, peut seulement être retardée par l'amélioration des machines, les progrès de l'agriculture ou l'ouverture du commerce extérieur.

IV. Le commerce extérieur

• L'enjeu de l'échange international

Une meilleure répartition du travail entre les pays peut concourir au bonheur de l'humanité. Il faut pour cela que chaque pays produise les marchandises pour lesquelles sa localisation, son climat, ses avantages naturels ou acquis sont bien adaptés. Ces marchandises seront ensuite échangées contre celles que produisent d'autres pays. Cette spécialisation, si elle permet aux travailleurs d'obtenir à un moindre prix la nourriture et les autres biens qu'ils consomment habituellement, rend possible un accroissement des profits.

Comment s'opère cette spécialisation ? Pour Ricardo, les opérations qui s'effectuent à l'intérieur d'un pays ne reposent pas sur les mêmes bases que celles qui sont réalisées entre plusieurs pays. « La règle qui détermine la valeur relative des marchandises à l'intérieur d'un pays ne détermine pas la valeur relative des marchandises échangées entre deux pays ou plus. » (*Principes,* chapitre 7.) L'égalisation des taux de profit existe à l'intérieur d'un même pays mais comme la circulation du capital est plus difficile entre pays différents, le taux de profit diffère d'un pays à l'autre. L'échange de marchandises entre pays n'obéit donc pas aux mêmes règles que celles qui régissent l'échange au sein d'un pays. La quantité d'une marchandise nationale offerte en contrepartie d'une marchandise étrangère n'est pas déterminée par la quantité de travail nécessaire à la production de l'une et l'autre.

Ricardo prend l'exemple devenu célèbre de la production de drap et de vin. On suppose qu'en Angleterre la production d'une unité de drap mobilise le travail annuel de 100 hommes tandis que la production d'une unité de vin exige le travail de 120 hommes. Au Portugal, la production de la même quantité de drap nécessite seulement le travail de 90 hommes et celle de vin est obtenue grâce au travail de 80 hommes. Le Portugal détient donc un avantage sur l'Angleterre aussi bien dans la production de drap que dans la production de vin. Il n'est pas possible de fonder un échange entre ces deux pays sur la théorie de Smith puisque le Portugal a un avantage absolu pour les deux productions.

• La théorie des avantages comparatifs

En formulant ce qui sera popularisé sous le nom de théorie des avantages comparatifs, Ricardo montre que l'échange peut avoir lieu même si la marchandise importée par le Portugal pourrait y être produite avec moins de travail qu'en Angleterre. Chaque pays a en effet intérêt à se spécialiser dans la production pour laquelle il est le plus avantagé ou, s'il ne détient pas d'avantage absolu, le moins désavantagé. Dans l'exemple, le Portugal a un avantage comparatif dans la production de vin : le rapport des coûts, pour le vin, est plus important que pour le drap (120 / 80 contre 100 / 90). Le Portugal se spécialisera donc dans la production de vin et l'Angleterre dans celle de drap. En échangeant ensuite une partie de sa production contre celle de l'autre pays, chaque pays participe à une rationalisation de la production à l'échelle internationale.

Supposons que chaque pays veuille consommer une unité de vin et une unité de drap. En situation d'autarcie, cette production demanderait au Portugal le travail de 80 + 90 = 170 hommes et, en Angleterre, de 120 + 100 = 220 hommes, soit au total le travail de 390 hommes. Si, avec la spécialisation, le Portugal se consacre à la production des deux unités de vin, il les obtient avec le travail de 80 + 80 = 160 hommes tandis que si l'Angleterre produit tout le drap, elle a besoin du travail de 100 + 100 = 200 hommes, ce qui représente un travail global de 360 hommes. On voit qu'en se spécialisant, les deux pays réussissent à obtenir la même production qu'en situation d'autarcie tout en économisant le travail annuel de 30 hommes.

Si, comme l'envisage Ricardo, l'unité de vin est échangée contre l'unité de drap, le Portugal acquiert le produit du travail de 100 hommes contre celui du travail de 80 hommes, et qui lui aurait demandé le travail de 90 hommes s'il avait cherché à l'obtenir lui-même. Il économise le travail de 10 hommes. Quant à l'Angleterre, en obtenant contre le fruit du travail de 100 hommes le vin qui lui aurait demandé le travail de 120 hommes, elle économise le travail de 20 hommes. L'échange bénéficie ainsi aux deux pays.

Ricardo ne nous dit en revanche rien sur les possibilités d'échange lorsque l'unité de vin n'est pas cédée contre exactement une unité de drap. Son exemple nous permet cependant de déterminer les conditions dans lesquelles chaque pays a intérêt à l'échange. Au Portugal, en situation d'autarcie, le vin vaut 80 / 90 = 0,89 unité de drap. Le Portugal a donc intérêt à se spécialiser dès l'instant où, en vendant l'unité de vin à l'Angleterre, il peut obtenir en contrepartie plus de 0,89 unité de drap. Si l'Angleterre produit elle-même son vin, celui-ci vaut 120 / 100 = 1,2 unité de drap. L'Angleterre gagne alors à la spécialisation si, pour obtenir l'unité de vin en provenance du Portugal, elle cède moins de 1,2 unité de drap. Par conséquent, tant que le rapport d'échange entre le vin et le drap sera compris entre 0,89 et 1,2, la spécialisation sera profitable aux deux pays. Si ce rapport est de 0,89, tout le gain procuré par l'échange revient à l'Angleterre. Lorsqu'il s'accroît, une part de plus en plus grande de ce gain va au Portugal. À 1,2 le gain revient intégralement au Portugal. Plus généralement, on peut noter x_1 et y_1 le coût de deux produits x et y dans un pays 1 et x_2 et y_2 le coût des mêmes produits dans un pays 2. La spécialisation bénéficiera aux deux pays si le rapport d'échange des deux produits (P_x / P_y) est tel que $x_1 / x_2 < P_x / P_y < y_1 / y_2$.

La théorie de la valeur ou celle de l'échange international suffiraient à asseoir la célébrité de Ricardo. L'auteur des *Principes* a cependant réussi à être reconnu pour des apports dans des domaines aussi divers que l'impôt, la monnaie ou l'influence des machines.

V. Impôt, monnaie et influence des machines

• L'impôt

Le titre complet de l'ouvrage de 1817 mentionne les principes de l'économie politique *et de l'impôt.* Ricardo attache une importance particulière à ce complément. Lorsque Malthus rédige peu après ses *Principes d'économie politique,* il déplore lui-même que les dimensions du livre ne lui permettent pas d'inclure l'impôt (lettre à Ricardo du 14 octobre 1819). Ricardo regrette d'autant plus cette absence qu'il s'agit pour lui d'un sujet important auquel les économistes prêtent trop peu attention (lettre à Malthus du 9 novembre 1819). « L'économie politique, une fois que ses principes simples sont compris, est seulement utile en tant qu'elle guide le gouvernement vers les bonnes mesures en matière d'impôt. » (Lettre à Trower du 12 novembre 1819.) On comprend dès lors pourquoi, dans son ouvrage, ce ne sont pas moins de onze chapitres qui se succèdent sur la question de l'impôt, auxquels il convient d'ajouter un chapitre sur les impôts payés par le producteur.

L'impôt peut porter sur le capital. Dans ce cas, il a pour effet de réduire la production future du pays. Une telle situation n'est pas viable puisque si la population et l'État maintiennent leurs dépenses tandis que la production est appelée à se réduire d'année en année, elle conduit inexorablement à la misère et à la ruine. L'impôt peut aussi porter sur le revenu. Le capital national n'est alors pas directement entamé et la dépense de l'État est assurée par une augmentation de la production ou une diminution de la consommation de la population. Il ne s'agit pas pour autant d'une panacée car un tel impôt pénalise la consommation et finit par freiner l'accumulation. « Il n'y a pas d'impôt qui ne tende à réduire le pouvoir d'accumuler. » (*Principes,* chapitre 8.) L'impôt est donc un mal dont la source n'est pas à rechercher dans le choix de ce qui est imposé mais dans l'ensemble des effets qu'il produit.

Ces effets résultent de divers cheminements que Ricardo étudie à travers les différentes catégories d'impôts. Ainsi, un impôt sur les produits de consommation courante, comme un impôt sur les salaires, se traduit par une augmentation du salaire puisque le travailleur doit percevoir un supplément de revenu pour pouvoir subsister. Les profits se réduisent, ce qui permet d'affirmer que l'impôt porte en fait sur les profits. Ce n'est pas le moindre des effets de l'impôt que d'avoir souvent des répercussions très différentes de ce qu'envisageait le législateur. Décourager la production est « un mal inséparable de tout impôt » (*Principes,* chapitre 12). Dès lors, « l'impôt, quelle que soit sa forme, n'offre qu'un choix entre plusieurs maux » (*Principes,* chapitre 9). Le législateur doit veiller à ce que la charge en soit équitablement répartie et entrave le moins possible la production, d'où la nécessité de bien connaître les effets de chaque impôt. Quant à l'emprunt, il ne constitue pas un palliatif adapté pour couvrir les dépenses de l'État. La nécessité d'assurer tôt ou tard son remboursement se traduira par une charge pour les contribuables.

• La monnaie

La controverse bullioniste, qui ouvre à Ricardo les portes de l'économie politique, oppose deux approches des effets d'une émission de billets de banque. Lorsqu'à partir de 1797 la convertibilité des billets de la Banque d'Angleterre est suspendue, on assiste à une hausse des prix et le cours du lingot d'or sur le marché s'élève au-dessus de sa valeur légale. Pour les bullionistes, dont Ricardo devient le représentant le plus célèbre, la cause de la hausse des prix et de la dépréciation du papier par rapport au lingot réside dans l'excès d'émission de la Banque d'Angleterre. La régulation de l'émission que permettait la convertibilité n'existe plus et la Banque d'Angleterre peut procéder à une émission sans limite qui déprécie le papier. Cette approche est contestée par les anti-bullionistes. Une banque ne saurait émettre trop de billets, même en situation d'inconvertibilité, dans la mesure où elle ne fait que répondre aux besoins du commerce. Tant que les billets sont mis en circulation lors d'opérations d'escompte d'effets de commerce, leur émission suit le rythme des affaires et ne peut être qualifiée d'excessive. C'est la *real bills doctrine* (doctrine des effets réels).

En prônant que la solution à la hausse des prix, mesurée par la dépréciation des billets, passe par une réduction de la quantité de billets en circulation, Ricardo s'insère dans le courant quantitativiste. La théorie quantitative de la monnaie voit en effet la source de la hausse des prix dans la création monétaire et Ricardo semble adopter ce principe. Si, comme il le demande, la monnaie en excès est retirée de la circulation, le prix de l'or et des marchandises reviendront à leur juste niveau. Le retour à la convertibilité des billets de la Banque d'Angleterre sera alors possible. Dans les *Propositions* de 1816, Ricardo cherche à concilier l'utilisation d'un moyen de paiement peu coûteux avec les garanties contre le risque de dévalorisation en proposant de passer à une convertibilité limitée aux quantités au moins égales à 20 onces d'or.

L'adhésion à la théorie quantitative et le souci de contrôler l'émission de billets se retrouvent dans l'ouvrage de 1817. « Rien n'est plus important dans l'émission de monnaie de papier que d'être parfaitement éclairé sur les effets du principe de limitation de la quantité. » (*Principes,* chapitre 27.) La mise en circulation des billets ne doit pas donner lieu à une augmentation de la quantité de monnaie en circulation. « Une monnaie est dans son état le plus parfait quand elle est entièrement constituée de papier, mais d'un papier d'une valeur égale à celle de l'or qu'il est censé représenter. » Il n'est certes pas nécessaire que ce papier soit convertible pour en garantir la valeur, mais l'expérience a montré qu'un émetteur de papier inconvertible finissait par abuser de son pouvoir. Aussi l'obligation de conversion constitue-t-elle un bon moyen de réguler l'émission. Ricardo, qui dans les *Principes* reprend intégralement plusieurs pages du pamphlet de 1816, se prononce à nouveau en faveur d'une convertibilité limitée aux sommes importantes, ce que permettent d'obtenir des remboursements non pas en pièces mais en lingots uniquement.

La limitation de l'émission sera d'autant plus facilement obtenue qu'elle sera dissociée de la distribution du crédit. En distinguant, dans son *Plan pour l'établissement d'une banque nationale,* les deux opérations de la Banque d'Angleterre que sont l'émission de billets et le prêt aux particuliers et à l'État, Ricardo propose de retirer à l'établissement londonien l'exercice de la première opération. Confiée à des commissaires indépendants du gouvernement et qui se verraient interdire tout prêt à l'État, l'émission serait assurée avec la plus grande sécurité.

• L'influence des machines

Dans la troisième édition des *Principes,* Ricardo ajoute un chapitre sur les machines dans lequel il se propose d'étudier leur influence sur la situation de chaque classe de la société. Il reconnaît que lorsqu'il a commencé à s'intéresser à l'économie politique, il pensait que l'utilisation des machines dans la production bénéficiait à chacune. Cette utilisation permet en effet une baisse du prix des marchandises. Les propriétaires fonciers, tant qu'ils conservent la même rente monétaire, obtiennent une plus grande quantité de marchandises en dépensant cette rente. Le raisonnement s'applique aussi aux capitalistes. Le premier capitaliste qui utilise la machine réalise tout d'abord d'importants profits puis, lorsque sous la pression de la concurrence l'usage de la machine se répand, le prix de la marchandise produite retombe au niveau de son coût de production. Le capitaliste retrouve alors les mêmes profits monétaires qu'auparavant, mais en tant que consommateur, il bénéficie de la baisse du prix des marchandises consécutive à l'utilisation de la machine. Quant aux travailleurs, Ricardo pense dans un premier temps qu'ils tirent eux aussi avantage du recours aux machines puisqu'ils peuvent acquérir plus de marchandises avec le même salaire monétaire. Les salaires ne sont pas appelés à baisser puisque le capitaliste a la possibilité de demander la même quantité de travail qu'avant. Le capital qui employait les travailleurs que la machine remplace existe encore, et comme il est de l'intérêt des capitalistes de l'utiliser de manière productive, ce capital sert à la production d'une autre marchandise. Le travail continue donc à être demandé et les salaires ne baissent pas, ce qui permet aux travailleurs de bénéficier de la baisse des prix engendrée par l'usage des machines.

Si, dans la troisième édition des *Principes,* Ricardo maintient ce point de vue pour les propriétaires fonciers et détenteurs du capital, il est en revanche désormais « convaincu que la substitution des machines au travail humain nuit souvent aux intérêts de la classe des travailleurs » (*Principes,* chapitre 31). Il montre que l'effort consenti par un capitaliste pour l'acquisition d'une machine ne lui permet plus d'employer la même quantité de travail qu'auparavant. « Il y aura nécessairement une diminution de la demande de travail, la population deviendra excédentaire, et les classes laborieuses seront dans une situation de détresse et de pauvreté. » C'est donc au détriment des travailleurs que les capitalistes engagent des dépenses pour les machines si ces dépenses réduisent les fonds destinés à employer la population. Cette constatation permet à Ricardo d'affirmer que « l'opinion de la classe laborieuse selon laquelle l'emploi des machines se fait souvent au détriment de son intérêt n'est pas fondée sur les préjugés et l'erreur, mais est conforme aux principes mêmes de l'économie politique ».

Ricardo n'en conclut pas pour autant que la mécanisation doit être découragée. Si elle n'est pas brutale, elle peut aller de pair avec le maintien des fonds permettant l'emploi des travailleurs. Et la tendance à l'augmentation du prix de la nourriture, due à sa production plus difficile au fil du temps, empêche la baisse des salaires, tout en rendant inéluctable le recours aux machines. « La conséquence d'une hausse du prix de la nourriture sera une hausse des salaires, et chaque hausse des salaires aura tendance à diriger le capital épargné dans une proportion plus grande qu'avant vers l'emploi de machines. Les machines et le travail sont dans une concurrence permanente, et souvent les machines ne peuvent être employées que lorsque le prix du travail s'accroît. »

VI. Postérité et influence

Le succès de Ricardo transparaît dans la mise en œuvre de ses propositions et dans l'influence durable qu'il a exercée comme théoricien de l'économie politique.

• La mise en œuvre des propositions de Ricardo

De ses premiers écrits au plan qu'il rédige quelques mois avant sa mort, Ricardo s'adonne aux questions monétaires d'une manière récurrente. C'est donc dans ce premier domaine que peuvent être recherchées les premières traces de son influence.

Les premiers textes sur les effets de l'émission des billets de banque contribuent certes à la notoriété de Ricardo et les idées développées dans le *Bullion Report* sont proches des siennes. Mais ce rapport, qui explique la dépréciation du papier par une émission excessive, subit un échec sur le plan politique. Après sa présentation à la Chambre des communes en juin 1810, un vif débat oppose les bullionistes favorables au rapport et les anti-bullionistes qui reprochent aux premiers de porter atteinte au crédit britannique dans un contexte de guerre. Le clivage se politise, avec les bullionistes qui rassemblent les whigs et radicaux opposés aux tories qui sont anti-bullionistes et partisans de la guerre. Le gouvernement lui-même combat ce rapport qui recommande le rétablissement de la convertibilité en or des billets de la Banque d'Angleterre, ce que le Blocus continental permet difficilement d'espérer. En mai 1811, le rapport est discuté à la Chambre des communes. Ses conclusions, résumées en seize résolutions, sont repoussées à une très forte majorité.

Cet échec n'est toutefois que provisoire puisque la loi du 24 mai 1819 qui organise le retour à la convertibilité des billets reprend les *Propositions* de Ricardo. Celui-ci connaît en outre un succès posthume vingt-cinq ans plus tard avec le vote en 1844 du célèbre *Act* de Peel, du nom du premier ministre de l'époque Robert Peel. Cette loi marque l'aboutissement d'un long débat entre deux écoles. Avec le retour à la convertibilité, la controverse entre bullionistes et anti-bullionistes rebondit en effet pour se transformer en un affrontement entre la *currency school* (école de la circulation) et la *banking school* (école de la banque). La première, héritière du bullionisme et à laquelle reste associé le nom de Ricardo, prône une stricte égalité entre le montant des billets en circulation et les réserves d'or de l'émetteur. La seconde, animée par Thomas Tooke, conteste l'effet perturbateur d'une émission supérieure à l'encaisse métallique, faisant valoir que l'émission ne fait que s'adapter aux besoins de l'activité économique. La position de Ricardo finit par l'emporter. En 1838, son *Plan pour l'établissement d'une banque nationale* est réédité et sert de base au projet de Peel qui sépare la Banque d'Angleterre en deux départements distincts : le département de l'émission et le département bancaire. Au-delà du montant de 14 millions de livres, correspondant aux créances de la Banque sur l'État, tout billet émis doit être intégralement couvert par une encaisse métallique équivalente. L'adoption du projet en 1844 consacre le triomphe de la *currency school* sur la *banking school*.

Le second domaine dans lequel les vues de Ricardo finissent par l'emporter est celui de l'ouverture des frontières. Là encore, il commence par rencontrer un échec avant de connaître un succès posthume. Alors que l'*Essai* publié le 24 février 1815 défend la libre importation du blé, la nouvelle loi sur les blés renouvelant la protection de l'agriculture est votée le 10 mars. De la même façon, le pamphlet du 18 avril 1822 *Sur la protection de l'agriculture*, dans lequel Ricardo plaide pour une importation illimitée de blé donne lieu à une résolution qui, présentée trois semaines plus tard à la Chambre des communes, ne recueille que 25 voix pour et 218 contre. Comme en matière monétaire, il faut attendre les années 1840 pour que les idées de Ricardo en viennent à s'imposer. Le mouvement contre les *corn laws* (lois sur les blés) finit par faire admettre l'idée que la baisse du prix du blé consécutive à l'ouverture des frontières peut être bénéfique à l'économie, en diminuant le coût du travail, et par là même le prix des produits manufacturés, ce qui en stimule la demande. Les droits de douane commencent à être abaissés en 1841 et les *corn laws* sont abolies en 1846. L'ouverture des frontières est couronnée avec la signature d'un traité de libre-échange avec la France en 1860.

• L'influence du théoricien de l'économie politique

En tant qu'économiste, Ricardo connaît le succès de son vivant, comme en témoignent les rééditions rapprochées de ses publications. Selon la formule de John Maynard Keynes, « Ricardo conquit l'Angleterre aussi complètement que la Sainte Inquisition avait conquis l'Espagne » (*Théorie générale de l'emploi, de l'intérêt et de la monnaie,* livre 1, chapitre 1). Ce succès ne se dément pas après la mort de l'auteur, bien au contraire. Les *Principes* donnent lieu à plusieurs rééditions et sont traduits dans diverses langues. En 1846, John Mac Culloch, un disciple de Ricardo, fait publier une édition des œuvres du maître, *The Works of David Ricardo,* qui servira de référence pendant plus d'un siècle.

Ricardo a tout d'abord le mérite d'avoir inauguré une méthode. Cherchant à dégager des principes, il n'hésite pas à construire un cadre simplifié, à envisager des situations imaginaires, permettant d'obtenir des résultats qui seront ensuite utilisables pour résoudre des problèmes pratiques. C'est ainsi qu'il établit les bienfaits du libre-échange en raisonnant sur une activité économique limitée à deux pays et deux produits. Cette méthode qui consiste à raisonner à partir d'hypothèses simplifiant considérablement la réalité sera perfectionnée par les néoclassiques. Ricardo réussit en outre le tour de force d'être à plusieurs reprises remis à l'honneur, aussi bien par Karl Marx que, plus récemment, par la nouvelle macroéconomie classique. Le qualificatif de « ricardien » ou « néoricardien » est souvent utilisé pour désigner des auteurs qui, sous une forme ou sous une autre, se sont inspirés des *Principes.*

Marx peut être considéré comme s'inscrivant dans la lignée de Ricardo dans la mesure où sa critique de l'économie politique prend souvent comme point de départ l'analyse de l'auteur des *Principes.* Il lui reconnaît le mérite d'avoir clairement expliqué que la valeur d'une marchandise était déterminée par le temps de travail nécessaire à sa production. La théorie de la valeur travail, si elle relie Marx à Ricardo, marque au contraire un point de rupture avec l'analyse marginaliste qui retiendra une approche subjective de la valeur. Ricardo peut toutefois être crédité d'avoir, bien avant les marginalistes, recouru à une analyse à la marge en raisonnant sur le capital et le travail employés sur la dernière terre mise en culture.

La théorie des avantages comparatifs est l'illustration du succès de la pensée de Ricardo dans tel ou tel champ de l'analyse économique. Développée par John Stuart Mill, elle bénéficie d'un nouvel élan au XXe siècle avec les travaux d'Éli Heckscher, Bertil Ohlin et

Paul Samuelson. Le fameux théorème HOS, qui résume leur apport, continue à justifier le libre-échange à partir de différences de dotations en facteurs de production.

D'autres aspects de l'œuvre de Ricardo ont été redécouverts plus récemment. C'est le cas de ce que James Buchanan appelle en 1976 le théorème d'équivalence ricardienne, couramment appelé théorème Ricardo-Barro, qui repose sur une relecture du chapitre 17 des *Principes.* Dans un article de 1974, Robert Barro affirme ainsi qu'une politique de relance budgétaire est sans effet. Il s'appuie sur le concept d'anticipations rationnelles pour expliquer que les agents anticipent une hausse future des impôts destinée à rembourser la dette publique. Le supplément de revenu que leur procure un déficit budgétaire est donc épargné pour faire face à l'augmentation future des impôts et n'amène pas l'effet de relance attendu.

Il revient sans doute à Piero Sraffa d'avoir relancé l'intérêt pour l'analyse de Ricardo. Après s'être consacré pendant plus de vingt ans à une édition scientifique de l'œuvre de Ricardo, il publie en 1960 *Production de marchandises par des marchandises.* Dans cet ouvrage, il s'attaque au problème non résolu par Ricardo « d'une mesure invariable de la valeur », titre de la section 6 du premier chapitre des *Principes.* L'ouvrage de Sraffa a été à l'origine d'une abondante littérature et a donné naissance à un courant parfois appelé postricardien.

• Éléments de bibliographie

Œuvres de David Ricardo

L'œuvre de Ricardo a été éditée par Piero Sraffa sous le titre *Works and Correspondence of David Ricardo.* Elle comprend onze volumes, publiés de 1951 à 1973 par Cambridge University Press :

I. *Principles of Political Economy and Taxation.*
II. *Notes on Malthus.*
III-IV. *Pamphlets and Papers.*
V. *Speeches and Evidence.*
VI-IX. *Letters.*
X. *Biographical Miscellany.*
XI. *General Index.*

Les traductions françaises les plus récentes sont :
« Valeur absolue, valeur d'échange », traduit par Sylvie Denany et Patrick Maurisson, *Cahiers d'économie politique,* 1974.
Essai sur les profits, traduit par François-Régis Mahieu, avec la collaboration de Marie-France Jarret, Economica, 1988.
Écrits monétaires 1809-1811, édité sous la direction de Bernard Courbis et Jean-Michel Servet, Lyon, Association des amis du musée de l'imprimerie et de la banque, 1991.
Des principes de l'économie politique et de l'impôt, traduit par Cécile Soudan avec présentation de François-Régis Mahieu, Flammarion, 1992.

Ouvrages sur David Ricardo

Mahieu François-Régis, *Ricardo,* Economica, 1995.
Zouboulakis Michel, *La Science économique à la recherche de ses fondements. La tradition épistémologique ricardienne 1826-1891,* PUF, 1993.

Karl MARX

I. L'homme dans son temps

• Marx, un économiste à l'immense activité intellectuelle et politique

Karl Marx naît à Trèves, en Allemagne, le 5 mai 1818. Sòn grand-père est rabbin de sa ville, mais son père, avocat, répudie le judaïsme et fait baptiser ses enfants dans la religion protestante en 1824. En 1835, Marx commence des études juridiques, d'abord à l'université de Bonn puis à celle de Berlin. Mais il est beaucoup plus attiré par la philosophie que par le droit. La lecture de Hegel joue, en particulier, un grand rôle dans sa réflexion. Il participe d'ailleurs à un groupement d'intellectuels favorables à une lecture progressiste des idées hégéliennes, le *Doktor Club*. Il révèle, dès l'Université, une grande curiosité intellectuelle et le besoin de prendre des positions. Marx sera ainsi tout au long de sa vie un homme de pensée et d'action.

Il devient le 15 avril 1841 docteur en philosophie avec une thèse sur la philosophie grecque intitulée *La différence entre la philosophie de la nature chez Démocrite et Épicure*, mais il ne parvient pas à accéder à un emploi de professeur du fait des idées politiques qu'il développe contre l'État prussien et pour le libéralisme politique.

À partir de 1842, il débute dans la vie active avec le journalisme qui est alors le seul moyen d'action et d'expression des libéraux. Il devient rédacteur en chef de la *Gazette rhénane*. Puis en 1843, quand la presse est à son tour réprimée par le régime et son journal interdit à la demande du tsar, il part en exil. Il fonde à Paris *Les annales franco-allemandes* qui ne paraissent qu'une fois, encore victimes de la censure. Toujours en 1843, il entame la rédaction de ses premiers ouvrages philosophiques : *Sur la question juive, Critique de la philosophie hégélienne de l'État, Introduction à la critique de la philosophie du droit de Hegel, Manuscrits philosophico-économiques.* D'autres faits marquants se déroulent à cette époque dans la vie de Marx : il se marie avec Jenny et il rencontre celui qui deviendra son grand ami, Friedrich Engels. Avec lui, il écrit *La Sainte Famille,* puis *L'Idéologie allemande.* En 1845, le gouvernement prussien obtient son expulsion de France, ce qui le conduit à de nouveaux exils. Il s'installe d'abord à Bruxelles, puis revient après les événements de 1848 à Paris qu'il quitte au bout de quelques mois pour Cologne. Il en est chassé en 1849. De retour en

France, il est d'abord assigné à résidence en Bretagne. Enfin, il s'installe définitivement en août 1849 à Londres. Il a alors 31 ans.

Pour de nombreux commentateurs, l'année 1848 marque une rupture dans l'œuvre de Marx. Avant, il est essentiellement philosophe ; après, il devient sociologue et surtout économiste. C'est d'ailleurs après cette date qu'il publie ses deux ouvrages économiques essentiels *Contribution à la critique de l'économie politique* et *Le Capital.* C'est aussi l'époque où Marx rompt avec l'idéalisme philosophique et qu'il développe son analyse matérialiste qui donne un rôle déterminant en dernière instance à l'économie pour expliquer l'ensemble des phénomènes : « l'anatomie de la société est à rechercher dans l'économie ».

La vie londonienne de Marx est très difficile, en particulier sur le plan matériel. Il y arrive ruiné et il se débat en permanence contre des ennuis d'argent, et ce malgré l'aide d'Engels qui, pendant vingt ans, lui envoie régulièrement des sommes d'argent et pourvoit ainsi largement à ses besoins. Celui-ci va même jusqu'à vendre en 1869 la filature qu'il avait reçue en héritage pour verser à son ami des sommes suffisantes. La vie de Marx est aussi rendue difficile par son état de santé. À partir de 1853, il se lance en effet dans des années de lectures, d'études et d'écriture au prix d'un travail acharné, de jour comme de nuit. « Je travaille, comme un fou, pendant des nuits entières » écrit-il à Engels. La rédaction du livre 1 de son œuvre fondamentale, *Le Capital,* qui lui a pris quatorze années, l'a ainsi épuisé. À la fin des années 1860, il est usé, son travail s'en ressent et son activité, jusqu'à sa mort le 14 mars 1883, devient très réduite. C'est Engels qui se charge alors de publier ses œuvres et de diffuser ses idées.

Parallèlement, et surtout à partir de 1846, Marx s'engage dans l'action politique. Cette année-là, il crée avec Engels un Comité de correspondance communiste pour regrouper les ouvriers progressistes. En 1847, ils adhèrent à la Ligue des Justes qui deviendra la Ligue des Communistes et dont la devise est « Prolétaires de tous les pays, unissez-vous ». Il prépare, à la demande du IIe Congrès de cette ligue, un manifeste qui paraît en 1848 sous le nom de *Manifeste communiste.* En 1850, il réorganise la Ligue communiste et contribue à la création en 1864 de l'Association Internationale des Travailleurs, appelée Première Internationale.

• Le contexte économique : la croissance et les crises

C'est à Londres que Marx écrit ses ouvrages économiques dans un contexte qui exerce une grande influence sur ses perceptions du monde. Il observe la deuxième révolution industrielle de l'Angleterre qui fait d'elle « l'atelier du monde ». Elle prend naissance, comme la première, par une révolution technique, en l'occurrence la généralisation de la machine à vapeur qui contribue à mécaniser l'industrie et à créer une véritable révolution des moyens de transport avec la naissance et l'extension des chemins de fer. Cette révolution du transport dynamise le développement économique. En effet, d'une part, les chemins de fer jouent un rôle moteur pour des branches industrielles comme la métallurgie, la sidérurgie et l'industrie du charbon ; d'autre part, ils permettent une expansion de la taille des marchés et donc une production sur une plus grande échelle. L'indice de la production industrielle passe ainsi de 100 en 1800, à 288 en 1827, à 612 en 1842, et à 803 en 1852. Mais cette croissance très forte s'accompagne de forts déséquilibres économiques et sociaux. Le rythme de croissance est instable et les crises économiques se succèdent. La crise débute généralement par une mauvaise récolte qui provoque la hausse des prix alimentaires et diminue le pouvoir d'achat de la population, contractant ainsi les débouchés industriels. Elle se transforme alors en crise généralisée.

• Le contexte social : les débuts du mouvement ouvrier

Un autre fait fondamental pour comprendre l'économie de Marx est l'extension du salariat. Il assiste au développement du système de la grande fabrique qui concentre un grand nombre de salariés. La ligne de partage au sein de la société se déplace. Il n'est plus possible, comme le faisaient les classiques, de considérer que les conflits d'intérêt majeurs sont entre les propriétaires terriens, les travailleurs et les entrepreneurs. Une nouvelle hiérarchie sociale se dessine avec de nouvelles classes comme les capitalistes et les salariés. D'ailleurs, le mouvement social commence à s'organiser. Marx suit les premières tentatives pour créer des syndicats et des sociétés de secours mutuel en Angleterre puis en Europe continentale. En 1830, 150 unions de divers secteurs de l'économie se fédèrent et se regroupent dans la *National Association for the Protection of Labour* ; en 1834, est créée une union nationale des métiers *(Grand National Consolitated Trade Unions)*. Mais ce mouvement se heurte à l'hostilité des employeurs qui, en réaction, utilisent fréquemment la pratique du lock-out. Les tensions sociales deviennent fortes ainsi que les luttes politiques que Marx a décrites dans *La Lutte des classes en France* et *Le 18 brumaire de Louis Napoléon Bonaparte*.

• Le contexte intellectuel : l'émergence d'une pensée socialiste et la philosophie de Hegel

Ce contexte social et politique favorise la naissance d'un nouveau courant de pensée, le socialisme utopiste, alimenté par de nombreux penseurs comme Robert Owen en Grande-Bretagne, Saint-Simon, Pierre Joseph Proudhon ou Charles Fourier en France. Tous se caractérisent par leur remise en cause du capitalisme et la recherche d'un système économique alternatif dans lequel l'homme pourrait s'épanouir. Ils appellent ainsi à une remise en cause du système en place et à son remplacement par une société « parfaite ».

Charles Fourier (1772-1837), comme Jean-Jacques Rousseau, croit que l'homme est naturellement bon et qu'il est possible d'envisager une nouvelle phase dans l'histoire de l'évolution des sociétés humaines fondée sur l'harmonie. Il appelle à la généralisation du système du phalanstère, c'est-à-dire d'une communauté de vie et de travail qui pratique l'agriculture dans un but d'autosubsistance et dans laquelle chacun est rémunéré en fonction de son apport en travail et / ou en capital à la collectivité.

En Angleterre, Robert Owen (1771-1858) théorise une totale réorganisation de la société autour des « villages coopératifs » d'environ mille deux cents personnes dans lesquels on pratiquerait l'agriculture et l'industrie. Il propose donc la suppression de la propriété privée et son remplacement par la propriété collective des moyens de production et la production coopérative.

Pierre Joseph Proudhon (1802-1865) est un autre penseur clé de ce courant socialiste prémarxiste. Lui aussi condamne la propriété car, selon lui, elle ne constitue pas, à la différence de la liberté et de l'égalité, un droit naturel de l'homme. En effet, elle n'a pas de justification. Elle ne peut pas reposer sur le droit du premier occupant car alors elle serait injuste ; elle ne peut pas, non plus, reposer sur le travail car, en général, les propriétaires ne travaillent pas. Par conséquent, Proudhon ne peut l'analyser que comme une « aubaine », c'est-à-dire comme la chance qu'ont certains de pouvoir percevoir un revenu sur le travail d'autrui. Elle leur permet donc de s'accaparer des richesses qu'ils n'ont pas créées. Elle est l'origine d'une spoliation, d'où sa très célèbre formule « la propriété, c'est le vol ». Même si Marx critiquera violemment Proudhon (il répliqua à son livre *Philosophie de la misère* par un cinglant *Misère de la philosophie*), il a exercé une certaine influence sur lui.

Enfin, la philosophie de Hegel (1770-1831) a joué un rôle très important dans la formation de la pensée de Marx. Hegel renouvelle la philosophie en créant une nouvelle méthode, la dialectique. Le monde est ainsi présenté comme étant une unité entre des opposés. Toute chose contient elle-même et son contraire. Donc, la dialectique consiste à analyser la réalité comme constituée de contradictions et l'évolution comme le résultat d'antagonismes.

II. La critique de l'économie politique

Après des premières œuvres philosophiques, Marx s'attèle à l'étude de l'économie. Il développe alors une analyse fondamentalement critique du système économique capitaliste et de l'économie politique dominante de son époque, à savoir de l'économie classique d'Adam Smith, de David Ricardo, de Jean-Baptiste Say, de Thomas Robert Malthus. Jacques Wolff (*Les Grandes Œuvres économiques. Malthus, Ricardo, Marx,* Cujas, 1976) fait remarquer que la majeure partie des ouvrages de Marx porte en titre ou en sous-titre l'expression « critique de l'économie politique ». Il a ainsi écrit une *Contribution à la critique de l'économie politique,* et le sous-titre du *Capital* est *Critique de l'économie politique.*

Marx reproche aux classiques d'avoir considéré que l'économie est animée par des lois générales et universelles. Or, selon lui, tout mécanisme est dépendant du système dans lequel il s'inscrit et les lois économiques n'ont rien de naturel. Elles sont toujours liées à leur contexte. Marx dit qu'elles sont « historiquement déterminées ». Les lois que les classiques mettent en évidence sont alors des lois propres au mode de production capitaliste et elles contribuent à le légitimer. Il en est ainsi, par exemple, de la loi de la surpopulation de Malthus qui attribue la montée de la pauvreté, non pas au système capitaliste qui paupérise les travailleurs, mais à l'augmentation de la population et aux rendements décroissants de la terre.

Marx reproche aussi aux économistes classiques de ne pas rendre compte de la réalité profonde du capitalisme, c'est-à-dire d'en cacher la nature antagoniste et conflictuelle. Par exemple, l'économie politique de Smith, par le mécanisme de la main invisible, décrit une harmonie des intérêts et une compatibilité entre les intérêts particuliers et l'intérêt général. Marx rejette cette vision harmonieuse de la société et lui substitue celle d'une société reposant au contraire sur l'exploitation de la classe ouvrière par les capitalistes, sur l'antagonisme de leurs intérêts et sur leurs conflits qui doivent déboucher sur une révolution généralisée. En masquant cette réalité, les analyses des classiques sont ainsi mystificatrices. Ces économistes se mettent donc, consciemment ou non, au service de la classe dominante alors que Marx, lui, en mettant à jour la réalité de l'exploitation du travail par les capitalistes, veut être au service de la classe ouvrière. Il rejette ainsi l'objectif de la neutralité de la science économique.

Marx remet en cause un autre résultat des classiques, l'impossibilité des crises économiques. D'après la loi de Say, il n'y a pas de crise possible car « les produits s'échangent contre des produits », car la demande est déterminée par l'offre et donc toujours suffisante à son écoulement. Marx explique que la libre concurrence ne conduit pas à cette régulation des déséquilibres, mais à des crises de surproduction du fait d'une demande structurellement insuffisante de la part de la grande masse des travailleurs qui ne reçoivent que le strict minimum pour survivre, crises qui, ainsi, condamnent à terme le capitalisme à son autodestruction.

En revanche, on peut trouver des points communs et même des emprunts de Marx aux classiques. Comme eux, il établit des lois d'évolution de la répartition des revenus. Marx, après Ricardo, annonce une tendance à la baisse du taux de profit. Marx est aussi dans la lignée de Ricardo quand il développe son analyse de la valeur travail. Il reprend la distinction entre la valeur d'usage et la valeur d'échange et il considère que le travail incorporé est la mesure de la valeur d'échange.

Mais même lorsqu'il aboutit à des résultats proches de ceux des classiques, il insiste sur l'insuffisance de leurs thèses. Par exemple, leur analyse de la répartition est erronée car elle prétend que la baisse du taux de profit se fait parallèlement à la hausse du salaire. Elle est aussi incomplète dans la mesure où elle ne fait pas la distinction entre le profit et la plus-value. Marx juge l'analyse classique de la valeur tout aussi superficielle puisqu'elle ne montre pas qu'un travailleur, au cours de son temps de travail, produit de la valeur et qu'en contrepartie il reçoit un salaire dont la valeur est moindre, autrement dit que le travailleur salarié est spolié. Sur ce point, à la décharge des classiques, Marx fait toutefois remarquer qu'à leur époque le travailleur tirait le plus souvent sa subsistance de la vente de son produit et non pas encore de son salaire. Cette insuffisance dans leur analyse de la valeur a pourtant une grande conséquence pour Marx puisqu'elle les conduit à ne s'intéresser qu'aux échanges et non pas à la phase essentielle de l'économie, à savoir la production. Marx, lui, distingue bien ces deux phases et montre la prédominance de la première.

L'objet du livre 1 du *Capital* est ainsi, grâce à la reformulation de la théorie de la valeur travail des classiques, de mettre à jour le fait essentiel qui se déroule au cours de la production, à savoir l'exploitation des travailleurs salariés.

III. La reformulation de la théorie de la valeur travail

• Les formes de la valeur

Le capitalisme se présente d'abord, pour Marx, comme une immense accumulation de marchandises. Une marchandise est une valeur d'usage, pour reprendre son expression exacte qui diffère de celle utilisée par les classiques selon laquelle une marchandise a une valeur d'usage. La marchandise se présente, en effet, comme « un objet extérieur, une chose qui, par ses propriétés, satisfait des besoins humains de n'importe quelle espèce » (*Le Capital,* livre 1, section 1, chapitre 1). La valeur d'usage est ainsi liée à l'utilité ; elle est qualitative, non quantifiable. Elle ne peut pas servir de base à l'échange.

Une marchandise doit donc aussi se présenter sous la forme d'une valeur d'échange puisque l'on observe qu'elle s'échange dans des quantités variables contre d'autres marchandises. La valeur d'échange est une relation quantitative, une proportion dans laquelle s'échange une marchandise contre une autre. D'où vient cette valeur d'échange ? Pour répondre à cette question, Marx énonce qu'il faut rechercher ce qui est commun et quantifiable dans toute marchandise, ce qui le conduit au constat que toute marchandise est un produit du travail. Comme Ricardo, il considère que la valeur d'un objet est proportionnelle à la quantité de travail qu'il incorpore. Une marchandise est donc une valeur travail. Mais Marx est bien conscient qu'on pourrait lui objecter que, le travail d'un manœuvre n'étant pas comparable avec celui d'un ouvrier très qualifié ou d'un ingénieur, il est impossible de quantifier le travail contenu dans une marchandise. Autrement dit, le travail n'étant pas homogène, il ne pourrait pas constituer un étalon. Pour lever cette difficulté due aux différences qualitatives de travail et pour qu'il soit un bon instrument de mesure de la valeur, Marx précise que la valeur d'une marchandise doit être mesurée par le « temps de travail socialement nécessaire ». C'est la durée de travail que la production nécessite en moyenne compte tenu des conditions d'habileté et du niveau de développement de la société. Donc, le travail qui permet de mesurer la valeur est un « travail abstrait » différent du « travail concret » qui a effectivement servi à produire le bien considéré. Pour parfaire son analyse de la valeur travail, Marx distingue aussi le « travail direct » et le « travail indirect » ou « travail mort ». Le premier est celui du ou des ouvriers qui ont participé à la fabrication de la marchandise. Le second est celui qui est incorporé dans tous les équipements, les machines, les articles consommés dans l'acte de production de la marchandise. Le travail humain n'est pas, en effet, le seul facteur de production. Elle exige aussi du capital et des consommations intermédiaires. Or, ces moyens de production sont eux-mêmes le résultat d'un travail qui a été réalisé au cours des phases antérieures à la production de la marchandise. La valeur d'un objet se compose donc du travail direct que sa production a nécessité et du travail indirect qu'a nécessité la fabrication des machines, outils et fournitures utilisés au cours de sa production.

• Valeur et prix

Marx explique que les termes de valeur et de prix ne sont pas équivalents. Une marchandise, qui se caractérise par une quantité donnée de travail et donc par une certaine valeur travail, peut avoir, sur les marchés, plusieurs prix selon les rapports de l'offre et de la demande. La valeur, dans l'économie, prend en effet la forme du prix. Il existe certes un prix équivalent à la valeur travail, mais le prix pratiqué peut subir des variations autour de ce niveau selon l'importance de l'offre et de la demande. Si un bien perd son utilité, s'il ne répond plus à un besoin, son prix va s'effondrer et n'exprimera pas sa valeur travail. Au contraire, si la demande est très forte et dépasse l'offre, le prix se situera au-dessus de sa valeur travail. Donc, l'offre et la demande peuvent faire s'écarter le prix de la valeur travail d'une marchandise. Mais elles ne font pas la valeur d'une marchandise qui reste déterminée par le temps de travail socialement nécessaire. Marx distingue plusieurs types de prix. Le prix de revient est le montant des moyens de production consommés au cours de la production ; le prix de vente est le prix auquel un bien est vendu sur un marché ; le prix de production est le coût de production d'un bien augmenté du profit réalisé, étant donné les conditions de la production et la situation du marché.

• La valeur de la force de travail

Le travail est donc à la fois le fondement et la mesure de la valeur. Mais là ne réside pas l'originalité de l'apport de Marx car, sur ce point, il ne fait qu'approfondir la théorie ricardienne. Sa principale innovation réside dans l'application de la loi de la valeur à une marchandise particulière, la force de travail. Cette expression désigne « l'ensemble des facultés physiques et intellectuelles qui existent dans le corps d'un homme, dans sa personnalité vivante, et qu'il doit mettre en mouvement pour produire des choses utiles » (*Le Capital,* livre 1, section 2, chapitre 6).

La force de travail, comme toute marchandise, est une valeur d'usage car, quand elle est mise à la disposition d'un capitaliste, elle a une utilité, elle permet de créer des produits et de la valeur. Elle est aussi une valeur d'échange qui s'exprime par le salaire. Marx assimile ainsi le salariat à un achat par le capitaliste, non du travail du salarié, mais de sa force de travail ou de sa capacité à travailler. En effet, dans le système du salariat, les travailleurs sont contraints de vendre à des employeurs leur force de travail pour, en échange, percevoir un salaire et ainsi survivre. Comment est fixé le niveau du salaire dans l'économie ? Rappelons que le salaire est pour Marx le prix de la force de travail et que celle-ci est une marchandise. Donc, comme toute marchandise, la force de travail est payée à sa valeur d'échange. Autrement dit, la valeur de la force de travail est la quantité de travail socialement nécessaire pour produire cette force de travail, c'est-à-dire pour produire les biens et services dont l'ouvrier à besoin pour vivre et faire vivre sa famille. Le salaire doit, en effet, permettre l'entretien et le remplacement de la force de travail, c'est-à-dire qu'il doit être suffisant pour faire vivre le travailleur, sa famille et ses enfants. Ces moyens de subsistance que les ouvriers doivent pouvoir acheter avec leur salaire ne correspondent pas nécessairement à un minimum vital. Ils peuvent être plus importants car ils sont fonction du lieu et de l'époque. « Les besoins naturels, tels que nourriture, vêtements, chauffage, habitation, etc., diffèrent suivant le climat et les autres particularités physiques d'un pays. D'un autre côté, le nombre même de prétendus besoins naturels, aussi bien que le mode de les satisfaire, est un produit historique et dépend ainsi, en grande partie, du degré de civilisation atteint. » (*Le Capital,* livre 1, section 2, chapitre 6.) Le minimum nécessaire à la reproduction de la force de travail est donc variable suivant le niveau de développement de la société et les possibilités de son économie.

Marx se distingue par son analyse de la valeur des classiques, qui faisaient du salaire le prix du travail. Son apport consiste donc à remplacer le mot « travail » par l'expression « force de travail ». En revanche, il reste proche de Ricardo qui expliquait que le prix du travail correspond à la valeur des subsistances nécessaires à la survie des travailleurs.

• Les formes de l'échange

Il existe plusieurs types d'échange dans l'économie. Il y a d'abord l'échange de marchandises contre d'autres marchandises. C'est le troc que Marx symbolise par l'expression M-M′, une marchandise M est échangée contre une marchandise M′, de valeur égale aux yeux des échangistes. Il y a aussi l'échange monétaire. Dans ce deuxième cas, lors de l'échange, la marchandise perd sa forme pour revêtir la forme de monnaie ou d'argent, qui permettra à son tour d'acheter une autre marchandise. Marx désigne cette circulation par l'expression M-A-M′, une marchandise, M, est vendue contre une somme d'argent, A, qui permet d'acheter une autre marchandise, M′. La marchandise est le commencement et la fin de l'échange. Marx appelle cette séquence la « circulation simple » des marchandises.

Outre ces deux présentations traditionnelles, il y a dans l'économie capitaliste un autre type d'échange qui, au lieu d'aller de la marchandise à la marchandise, va de l'argent à l'argent en passant par la marchandise. Marx le symbolise par le schéma A-M-A′ (argent-marchandise-argent), avec A′ = A + ΔA. L'argent intervient alors comme capital. Il est avancé par le capitaliste et le résultat de son action économique (A′) est supérieur au départ (A). En vendant sa production, le capitaliste retrouve son capital-argent primitif accru d'un montant, d'un « incrément » que Marx appelle la plus-value et qui est égal à la différence entre A′ et A. À la fin de l'échange, il se retrouve donc avec une somme d'argent supérieure à ce qu'il avait au début. C'est l'essence, la caractéristique de l'échange capitaliste, selon Marx, qui ne consiste donc pas à se défaire d'une marchandise dont on n'a pas besoin pour se procurer une autre marchandise, mais qui consiste à aller de l'argent à l'argent. Marx met ainsi en évidence la véritable nature du capital, soit l'accroissement perpétuel de sa valeur.

• L'origine de la plus-value

Le capitaliste veut à l'issue du processus de production posséder une valeur d'échange supérieure aux dépenses qu'il a dû engager pour produire. Il veut obtenir A′> A. Comment expliquer que le capital puisse augmenter de valeur, se valoriser ? Si l'on reste dans le champ de l'échange (A-M puis M-A′), cette plus-value apparaît bien mystérieuse. En effet, l'échange ne peut se faire qu'entre équivalents. La plus-value ne peut donc venir de la phase A-M, ni de la phase M-A′. L'accroissement de la valeur ne peut donc se faire que dans la production de la marchandise. Comment, dans la production, la valeur peut-elle augmenter ? Lisons Marx : « Pour pouvoir tirer une valeur échangeable nouvelle de la valeur usuelle d'une marchandise, il faudrait que l'homme aux écus eût l'heureuse chance de découvrir au milieu de la circulation, sur le marché même, une marchandise dont la valeur d'usage possédât la vertu particulière d'être une source de valeur échangeable, de sorte que la consommer serait réaliser un travail et par conséquent créer de la valeur. Et notre homme trouve effectivement sur le marché une marchandise douée de cette vertu spécifique ; elle s'appelle puissance de travail ou force de travail. »

Marx explique ici qu'au cours du processus de production, l'ouvrier vend sa force de travail et perçoit un salaire. Il travaille et crée des marchandises dont la valeur est supérieure à celle de sa rémunération. Supposons, par exemple, que la production des moyens de subsistance journaliers nécessite 6 heures de travail. Le salarié doit alors travailler 6 heures par jour pour reproduire la valeur qu'il obtient en percevant son salaire. Or, son temps de travail effectif est supérieur à ce temps nécessaire pour produire une valeur égale à ce qu'il reçoit en salaire. Marx dit que la durée effective de travail est supérieure au temps de travail nécessaire. Supposons donc que la durée journalière du travail soit de 10 heures, les 4 heures qui excèdent les 6 premières heures sont un surtravail pendant lequel l'ouvrier produit de la valeur qu'il ne percevra pas en salaire et qui sera la propriété du capitaliste. Le capitaliste utilise donc la force de travail qu'il achète à sa valeur et à qui il fait faire un surtravail au-delà du temps de travail nécessaire à la reproduction de celle-ci. À cette condition, le travail produit une plus-value qui est appropriée par le capitaliste. Cette plus-value résulte donc, à la fois, de l'achat de la force de travail et de la vente des marchandises à leurs valeurs travail respectives, et de l'excédent qui apparaît alors entre la valeur travail de la production réalisée et la valeur travail de la force de travail utilisée. Autrement dit, le capitalisme permet une production de plus-value parce que la force de travail est une marchandise qui a la propriété de créer plus de valeur qu'elle n'en coûte. C'est pourquoi, si un capital initial est égal à A, il devient, par le travail salarié, égal à $A' = A + \Delta A$.

L'emploi de la force de travail donne aux capitalistes la possibilité de s'approprier une plus-value. Les salariés, eux, sont privés d'une partie des richesses qu'ils ont créées, ils sont spoliés et exploités. C'est pourquoi les intérêts de la bourgeoisie et du prolétariat sont contradictoires. Les profits des uns s'obtiennent par l'exploitation des autres. La situation des artisans ou des indépendants n'employant pas de travailleurs est différente. En effet, ils créent des marchandises, créent éventuellement de la plus-value mais, contrairement aux salariés, ils ont la possibilité de se l'approprier. Ils ont donc une double personnalité. Comme possesseurs de moyens de production, ils sont capitalistes, et comme ouvriers, ils sont leur propre travailleur salarié. Ils « s'exploitent » eux-mêmes comme salariés.

L'usage de la force de travail est, pour Marx, l'unique source de la plus-value, même si la production exige, outre le travail humain, des machines, des outils ou des matières premières. Il considère que ces autres facteurs de production ne contribuent pas de la même façon que le travail à la création de la valeur lors du processus de production. Pour lui, seul l'ouvrier crée plus de valeur qu'il n'en coûte. En revanche, la valeur des autres moyens de production est uniquement transmise au cours du procès de production aux marchandises nouvellement créées. Si, pour fabriquer des vêtements, on utilise un ouvrier dont le salaire quotidien est de 3 shillings et si cet ouvrier, dans sa journée de travail, réalise une production dont la valeur est de 8 shillings, l'emploi et la rémunération de cet ouvrier ont créé une valeur nouvelle de 5 shillings. Si, pour cette même fabrication, on utilise une livre de coton qui coûte 1 shilling, son utilisation ajoute au produit une valeur de 1 shilling. Cette valeur nouvelle de 1 shilling est une simple reproduction, non une création. On peut appliquer le même raisonnement à l'utilisation d'une machine de 1 000 livres qui s'userait en 1 000 jours. Son emploi quotidien transmet une valeur d'une livre.

Marx distingue ainsi le capital variable et le capital constant. Il appelle capital variable la partie du capital des entreprises qui sert à rémunérer la force de travail, qui sert au paiement des salariés. Cette partie du capital contribue en effet à faire varier, en l'occurrence à faire augmenter, la valeur totale. Il appelle capital constant la partie du capital des entreprises qui correspond aux machines, aux consommations intermédiaires, car elle n'est que transmettrice et non pas créatrice de valeur. De l'importance relative de ces deux composantes du capital dépend la composition organique du capital. Il désigne par cette expression le rapport du capital constant et du capital variable. On peut donc dire que si la part du capital constant augmente par rapport au capital variable, la composition organique du capital s'élève.

Marx peut alors exposer comment il est possible de mesurer la valeur d'un produit. La production exige une consommation de capital constant et de capital variable. La valeur de la marchandise obtenue est supérieure au capital engagé, le supplément de valeur étant la plus-value. Donc la valeur d'un produit est égale à la somme du capital constant et du capital variable engagés et de la plus-value transmise par la force de travail. Marx appelle c le capital constant, v le capital variable, C le capital total, pl la plus-value et C′ la valeur du produit. On peut alors poser $C = c + v$ et $C' = c + v + pl$.

On vérifie que le procès de production est bien un procès de valorisation du capital puisque C′ est supérieur à C.

• L'augmentation de la plus-value

L'intérêt d'un capitaliste est bien sûr d'augmenter ses gains, donc d'augmenter sa plus-value. Mais comment peut-il procéder pour y parvenir ? Selon Marx, il dispose de deux moyens.

Le capitaliste peut d'abord chercher à augmenter le montant total de la plus-value. Pour cela, il augmente le surtravail, donc la durée du travail de ses ouvriers. Si la durée de travail est de 11 heures par jour et si le temps de travail nécessaire à la reproduction de la force de travail est de 10 heures, le surtravail est de 1 heure. Si maintenant la journée de travail est étendue à 12 heures, le surtravail devient égal à 2 heures. Marx dit que le capitaliste augmente alors sa plus-value absolue.

Si la durée de la journée de travail ne peut pas être prolongée, le capitaliste peut quand même augmenter sa plus-value en agissant cette fois-ci sur le temps de travail nécessaire. S'il le réduit, il abaisse la valeur de la force de travail ou le salaire et obtient une plus-value plus élevée. Si la durée de travail reste fixée à 11 heures, un temps de travail nécessaire abaissé à 9 heures fait passer le surtravail à 2 heures. Mais comment le capitaliste procède-t-il pour abaisser la valeur de la force de travail ? Marx répond qu'il y parvient par l'augmentation de la productivité. En effet, une plus grande productivité abrège le temps de travail nécessaire pour produire n'importe quelle marchandise et donc le temps de travail nécessaire pour produire les biens que consomment l'ouvrier et sa famille. Elle permet alors au capitaliste de diminuer le salaire qu'il verse à ses ouvriers et d'augmenter ce que Marx appelle sa plus-value relative. La productivité, et donc le machinisme, contribuent ainsi à la production d'une plus-value relative en rendant meilleur marché la force de travail.

La plus-value et son appropriation par le capitaliste sont l'expression de l'exploitation de la force de travail. Plus la plus-value est importante, plus l'exploitation de l'ouvrier est forte. Pour mesurer l'intensité de cette exploitation, Marx utilise le taux de plus-value (pl / v), soit le rapport entre la plus-value et la masse des salaires ou le rapport entre le surtravail et le travail nécessaire. Si la plus-value obtenue à partir d'un capital variable donné augmente, le taux de plus-value augmente aussi. La part du produit qui revient alors au travailleur (v) diminue par rapport à celle qui revient au capitaliste (pl) et son degré d'exploitation augmente. Supposons que le capitaliste paye quotidiennement 100 shillings à 100 ouvriers dont le temps de travail nécessaire s'élève à 6 heures et dont le surtravail s'élève à 4 heures. La plus-value totale réalisée est alors de 400 heures ou de 40 shillings. Le taux de plus-value est égal à 40 shillings / 100 shillings = 40 %. Supposons maintenant que le capitaliste puisse, par des gains de productivité, diviser par deux le nombre de ses ouvriers, donc aussi son capital variable, et doubler le temps de surtravail. Avec un capital variable de 50 shillings, il emploie 50 forces de travail qui lui procurent une plus-value de 5 × 8 heures = 400 heures ou de 40 shillings. La masse totale de la plus-value est restée inchangée mais le taux de plus-value a doublé puisqu'il est désormais de 40 shillings / 50 shillings = 80 %. Il exprime donc bien le degré d'exploitation de la force de travail par le capital.

IV. La dynamique du capitalisme

Marx ne se satisfait pas de l'analyse de la dynamique économique des classiques. Pour ceux-ci, nous l'avons vu avec Thomas Robert Malthus et David Ricardo, la loi de la population et la loi des rendements décroissants entraînent une augmentation de la rente, une hausse nominale des salaires et une diminution des profits. Ils en concluent que l'économie marche vers un état stationnaire.

Marx, lui, va montrer que la dynamique de l'économie conduit à l'autodestruction du capitalisme puis à son remplacement par un autre système économique.

• L'accumulation du capital

L'accumulation du capital est le processus qui permet d'augmenter le stock de capital initial par l'investissement, c'est-à-dire par l'utilisation productive d'une partie de la plus-value réalisée. Plus le capitaliste transforme en capital une partie importante de sa plus-value, plus l'accumulation sera forte et plus il s'enrichira. Pour pouvoir accumuler du capital, il doit vendre ses marchandises et retransformer en capital une partie de l'argent ainsi obtenu. Par conséquent, il ne doit pas consommer pour ses propres besoins l'intégralité de sa plus-value. Il ne peut en faire qu'une consommation partielle pour pouvoir procéder à un réinvestissement.

Marx met en évidence des formes différentes d'accumulation du capital. Première possibilité, il peut y avoir accumulation sans modification de la composition organique. Le capital constant et le capital variable augmentent de façon parallèle, le nombre d'ouvriers augmente alors que reste stable le degré de leur exploitation. Deuxième possibilité, l'accumulation du capital se fait avec une diminution de la composition organique. Par exemple, les entreprises se concentrent et se mécanisent. Elles substituent du capital constant au capital variable. Leur demande de travail baisse donc tandis qu'augmente le chômage. Il y a alors un excès de travailleurs par rapport aux besoins de l'économie. Marx qualifie cette « surpopulation » de relative. L'adjectif relatif s'oppose à celui d'absolu qu'utilisait Malthus pour caractériser la surpopulation quand le nombre d'habitants d'un pays excède les moyens de subsistances disponibles. La surpopulation relative s'explique, elle, par l'accumulation importante du capital qui ne permet plus d'utiliser toute la population active. Elle contribue d'ailleurs à son tour à l'accumulation puisqu'elle crée une « armée de réserve industrielle » qui fait baisser les salaires, qui donc fait augmenter la plus-value relative et ainsi les possibilités d'investissement.

Mais pourquoi le capitaliste a-t-il toujours tendance à accumuler du capital ? Pour Marx, c'est la concurrence qui le contraint à rechercher en permanence à améliorer la productivité du travail. S'il ne modernise pas sans cesse ses installations, s'il n'investit pas, il sera vite dépassé par d'autres entreprises plus compétitives. L'accumulation est donc une loi du capitalisme.

• La circulation et les cycles du capital

La dynamique du capitalisme passe par l'accumulation du capital, par la production de marchandises, et aussi par la vente de ces marchandises. C'est, en effet, une phase indispensable car c'est elle qui permet au capitaliste de transformer les marchandises produites en un capital-argent, qui lui permet alors d'acheter à nouveau de la force de travail et des moyens de production et d'entreprendre ainsi un nouveau procès de production.

Marx étudie cette question dans le cadre de l'analyse de la circulation du capital qui s'opère en trois cycles : le cycle du capital-argent, le cycle du capital productif, le cycle du capital-marchandise.

Le cycle du capital-argent s'exprime par la séquence A-M-P-M′-A′. L'action du capitaliste se déroule ainsi en trois actes. Il est d'abord acheteur, sur le marché, de marchandises et de travail, il accomplit l'acte A-M. Puis il est producteur de marchandises, c'est l'acte P-M′, dont la valeur est supérieure à celle des éléments grâce auxquels il a produit, M′ est supérieur à M. Le capitaliste devient alors vendeur sur le marché des marchandises, il convertit sa marchandise en argent et réalise l'acte M′-A′, avec A′ supérieur à A.

Le cycle du capital productif s'exprime par P-M′-A′-M″-P′. Il contribue à la nécessaire reproduction du capital. En effet, pour que le procès de production puisse se poursuivre après la vente des premières marchandises fabriquées, le capitaliste doit utiliser, au moins partiellement, sa plus-value pour racheter du capital. Après la vente de sa production (M′-A′), il redevient donc acheteur sur le marché de moyens de production et de travail, il accomplit l'acte A′-M″, grâce auquel il produit de nouvelles marchandises, M″-P′.

Le cycle du capital-marchandise s'exprime par M′-A′-M-P. Les marchandises produites doivent redevenir capital-argent, c'est la séquence M′-A′. Ainsi, la plus-value peut se réaliser pour le capitaliste. Par conséquent, si la plus-value est bien créée au cours de la production, elle ne se réalise que dans la sphère de la circulation quand la marchandise est échangée contre de l'argent. Et en cas de vente à un prix inférieur au coût de production, la plus-value, créée dans la production par l'exploitation de la force de travail, ne se réalise pas. Donc, rien n'assure que la vente de la production permet au capitaliste de transformer, comme il l'espère, la plus-value en capital. En effet, si la consommation s'avère faible ou insuffisante, la recherche d'une valorisation du capital peut se transformer en véritable dévalorisation. La circulation est donc bien une phase fondamentale, c'est elle qui transforme les marchandises, qui ont une valeur latente, théorique, non encore matérialisée, en valeur effective.

• Reproduction simple et reproduction élargie

La circulation doit permettre la reproduction, c'est-à-dire la reconstitution des éléments qui sont utilisés lors de la production pour qu'ils puissent servir à un nouveau cycle de production. À quelles conditions la reproduction est-elle assurée ? Pour répondre à cette question, Marx distingue deux sections dans la production, la section des moyens de production (la section 1) et celle des moyens de consommation (la section 2). Il distingue ainsi deux types de marchandises, celles qui participent à la production et celles qui sont consommées. Les premières entrent dans la composition du capital constant, les deuxièmes sont consommées grâce au capital variable et à la plus-value. Bien sûr, dans chacune de ces sections, le capital se divise en capital constant et variable, et la valeur totale de la production se décompose en trois éléments, le capital constant dépensé, le capital variable dépensé et la plus-value.

Marx appelle reproduction simple une reproduction stationnaire, sans augmentation des capacités de production de période en période. Dans cette situation, le capitaliste peut consommer l'intégralité de la plus-value et ne pas accumuler de capital supplémentaire.

Décrivons l'exemple chiffré que Marx propose dans *Le Capital.* Pour chaque section de l'économie, il décrit la composition du capital et la valeur de la production réalisée. Les lettres c, v, pl désignent le capital constant, le capital variable et la plus-value ; les indices 1 et 2 désignent les deux sections.

– Section 1 : Capital = 4 000 c_1 + 1 000 v_1 = 5 000
Production = 4 000 c_1 + 1 000 v_1 + 1 000 pl_1 = 6 000

– Section 2 : Capital = 2 000 c_2 + 500 v_2 = 2 500
Production = 2 000 c_2 + 500 v_2 + 500 pl_2 = 3 000

La production du secteur 1 (6 000) peut être écoulée. En effet, la section 2 achète à la section 1 2 000 c_2 de capital constant et dans la section 1, il est procédé au remplacement du capital constant consommé pour 4 000 c_1.

La production du secteur 2 (3 000) peut aussi être écoulée. Les 1 000 v_1 et 1 000 pl_1 de la section 1 sont dépensés en moyens de consommation achetés à la section 2 ainsi que les 500 v_2 + 500 pl_2 de la section 2.

L'offre du secteur 1 est de 4 000 c_1 + 1 000 v_1 + 1 000 pl_1 = 6 000.

La demande adressée au secteur 1 est de 4 000 c_1 + 2 000 c_2 = 6 000.

L'offre du secteur 2 est de 2 000 c_2 + 500 v_2 + 500 pl_2 = 3 000.

La demande adressée au secteur 2 est de 1 000 v_1 + 1 000 pl_1 + 500 v_2 + 500 pl_2 = 3 000.

Une reproduction simple de l'économie est ici assurée, la vente des productions des secteurs 1 et 2 s'effectue. Les capitalistes obtiennent un capital argent qui leur permet de percevoir une plus-value, de reconstituer le capital constant et le capital variable nécessaires pour commencer un nouveau procès de production.

Marx décrit un autre mode de reproduction, la reproduction élargie, par laquelle l'économie connaît une croissance de cycle de production en cycle de production. Pour cela, le capitaliste ne doit pas consommer l'intégralité de sa plus-value mais en utiliser une partie pour accumuler du capital. La plus-value prélevée par les capitalistes est ainsi partiellement dépensée pour l'achat de capital constant et partiellement pour l'achat de biens de consommation.

Reprenons l'exemple de Marx en faisant l'hypothèse que la moitié de la plus-value fait l'objet d'une accumulation dans la section 1 et l'autre moitié d'une consommation. On a alors :

Section 1 : Production = 4 000 c_1 + 1 000 v_1 + 1 000 pl_1 = 6 000

Section 2 : Production = 1 500 c_2 + 750 v_2 + 750 pl_2 = 3 000.

L'offre du secteur 1 est 4 000 c_1 + 1 000 v_1 + 1 000 pl_1 = 6 000 et la demande adressée à ce secteur est 4 000 c_1 + 1 500 c_2 = 5 500. Il y a donc, dans le secteur 1, un excès de 500 de l'offre de biens de production qui permettra une accumulation et donc une reproduction élargie.

L'offre du secteur 2 est 1 500 c_2 + 750 v_2 + 750 pl_2 = 3 000. La demande qui lui est adressée est 1 000 v_1 + 1 000 pl_1 + 750 v_2 + 750 pl_2 = 3 500. Il y a donc, dans le secteur 2, une insuffisance de 500 de l'offre de biens de consommation qui provient de la non-consommation intégrale de la plus-value par les capitalistes.

Pour qu'il y ait équilibre et pour que la reproduction élargie soit possible, il faut que la plus-value non consommée soit utilisée pour l'investissement, autrement dit qu'une fraction de la demande du secteur 2 (500) se reporte sur l'offre du secteur 1. Auquel cas, la demande adressée au secteur 1 devient : 4 000 c_1 + 1 500 c_2 + 500 c_2 = 6 000. Et la demande adressée au secteur 2 devient : 1 000 v_1 + 1 000 pl_1 + 750 v_2 + 250 pl_2 = 3 000. L'offre et la demande des deux sections sont alors égales, la demande de biens de consommation provenant de la section 1 est égale à la demande de biens de production provenant de la section 2. La reproduction élargie de l'économie est ainsi réalisée quand il y a égalité entre l'épargne nette et l'investissement net. La vente de la production sur le marché permet alors de remplacer la force de travail ainsi que les moyens de production usés ou détruits, d'obtenir une plus-value que le capitaliste consacre pour partie à sa consommation et pour partie à l'accroissement de ses moyens de production.

• Le profit et l'évolution tendancielle du taux de profit

Le capitalisme connaît, comme les classiques l'avaient perçu, une tendance à la baisse du taux de profit.

Mais qu'est-ce que le profit par rapport à la plus-value ? Tout d'abord, ils ont en commun d'être la différence entre la valeur d'une marchandise et son coût de production. De même, la plus-value et le profit trouvent leur source dans le fait que le capitaliste peut vendre le produit d'une marchandise particulière qu'il n'a pas acheté, en l'occurrence le surtravail. Ils sont donc, tous deux, indissociables de l'exploitation de la force de travail, c'est-à-dire pour Marx du capital variable engagé par le capitaliste. Or ce dernier ne se préoccupe pas seulement de comparer son gain (pl) avec le seul capital variable qu'il a engagé (v). Ce qui compte pour lui est « le rapport entre la plus-value, ou l'excédent de valeur réalisé dans la vente de ses marchandises, et le capital total avancé pour la production de celles-ci ». C'est pour cela que Marx en vient à distinguer le profit de la plus-value. Il appelle taux de profit le rapport entre la plus-value et le capital total utilisé $pl / (c + v)$. Il diffère donc du taux de plus-value qui n'est rapporté qu'au capital variable utilisé. Ce faisant, est accomplie ce que Marx appelle « la mystification du processus de mise en valeur du capital » puisque celle-ci paraît créée par l'utilisation d'un capital total et non par la seule exploitation de la force de travail. Le profit est ainsi la forme que prend la plus-value aux yeux des agents économiques pour masquer la réalité de son existence et de sa naissance par l'exploitation de travail. C'est pourquoi Marx dit qu'il représente, en fait, la forme mystifiée de la plus-value.

Du mode de calcul du taux de profit et du taux de plus-value, on peut déduire que le premier est toujours inférieur au second puisque v est toujours inférieur à (c + v). Le taux de profit est aussi inversement proportionnel au ratio de la composition organique du capital. Il dépend donc de deux variables, le taux de plus-value, c'est-à-dire l'intensité de l'exploitation, et la composition organique du capital.

Le problème de la transformation de la plus-value en profit a été beaucoup discuté par les économistes, par exemple Joan Robinson ou Joseph A. Schumpeter. Il faut dire que la présentation de Marx n'est pas exempte d'ambiguïté dans la mesure où les composantes du rapport pl / (c + v) ne sont pas homogènes. La plus-value et le capital variable sont des flux, le capital constant est un stock. Le taux de profit ne devrait donc pas s'écrire comme Marx le présente, mais comme le rapport entre le profit et le capital dépensé dans la production, avec c représentant le flux annuel de matières premières, de consommations intermédiaires et la dépréciation du capital. Pour être homogène, le rapport devrait en outre être mesuré en termes de prix car c'est en ces termes que se présentent dans l'économie le profit réalisé et le montant du capital engagé dans la production. Or le passage de la valeur au prix est problématique, Marx lui-même reconnaissant que le prix peut s'écarter de la valeur travail. D'autres économistes ont aussi fait remarquer que la hausse de la productivité ne pouvait conduire à la fois, comme Marx le prétend, à une baisse du taux de salaire réel et à une baisse du taux de profit.

Quoi qu'il en soit, la définition du taux de profit permet à Marx de décrire son évolution tendancielle. Nous savons que du fait de la concurrence, le capitaliste doit recourir aux innovations techniques et les incorporer à son organisation, qu'il est conduit à accroître la part de son capital constant. Proportionnellement, il augmente ainsi plus vite que le capital variable. Or, seul le capital variable est créateur de valeur. Donc, l'accumulation du capital fait augmenter la masse totale du profit, mais fait diminuer le taux de profit. En effet, si v et si pl / v restent stables, l'augmentation de c conduit à une décroissance du rapport pl / (c + v). Le taux de profit baisse donc au fur et à mesure de la modification de la composition organique du capital. Marx exprime ainsi sa loi : « La croissance progressive du capital constant, par rapport au capital variable, doit avoir nécessairement pour résultat une chute graduelle du taux de profit général, à supposer que les taux de plus-value ou d'exploitation du travail par le capital restent constants. » C'est une loi valable pour l'ensemble de l'économie et non pour tel ou tel capitaliste individuel. Il peut en effet exister une diversité de taux de profit entre les différentes branches de l'économie. Mais, sous l'effet de la concurrence, Marx annonce qu'ils ont tendance à s'unifier en un taux général moyen de profit, les capitalistes travaillant dans une branche peu profitable ayant intérêt à déplacer leur capital vers les branches les plus rémunératrices. Notons ici que le résultat auquel parvient Marx est loin de la conception ricardienne qui attribuait la baisse du taux de profit aux rendements décroissants qui font augmenter la rente différentielle et le salaire nominal et baisser le profit du capital.

C'est pour Marx une loi économique très importante puisqu'elle lui permet de montrer que le système capitaliste devient à terme un obstacle au développement économique. Il est alors condamné à s'autodétruire du fait même de ses propres lois de fonctionnement.

• Les transformations des modes de production et la marche vers l'autodestruction du capitalisme

En effet, un mode de production, ou la façon dont les hommes produisent, n'est pas permanent. Il naît, il évolue, il meurt et il laisse la place à un mode de production différent. C'est, pour Marx, un devenir inévitable, une nécessité historique. Il énonce ainsi une succession de modes de production qui commence par le mode de production asiatique, puis le mode de production antique, le mode de production féodal, et enfin le mode de production bourgeois moderne. Ce mode de production bourgeois a lui même connu différentes étapes. D'abord la coopération par laquelle un seul entrepreneur fait travailler un grand nombre d'ouvriers sans grande organisation ni division du travail. Puis la manufacture, à partir du XVIe siècle et jusqu'à la fin du XVIIIe, qui se caractérise par une plus grande division du travail et la naissance du travailleur parcellaire, plusieurs ouvriers participant alors à la production d'un même objet. Arrive enfin le temps du machinisme et de la grande industrie.

Le processus qui est à l'origine de ces différentes évolutions est toujours le même, à savoir la contradiction qui survient entre les forces productives et les rapports de production. Les forces productives désignent les moyens de production utilisés à un moment donné et les rapports de production les relations que les hommes entretiennent entre eux quand ils produisent. Pour comprendre le processus de transformation des modes de production de l'économie, lisons ce texte de Marx : « Dans la production sociale de leur existence, les hommes nouent des rapports déterminés, nécessaires, indépendants de leur volonté, ces rapports de production correspondent à un degré donné du développement de leurs forces productives matérielles. L'ensemble de ces rapports de production forme la structure économique de la société, la fondation réelle sur laquelle s'élève un édifice juridique et politique, et à quoi répondent des formes déterminées de la conscience sociale. Le mode de production de la vie matérielle domine en général le développement de la vie sociale, politique et intellectuelle. Ce n'est pas la conscience des hommes qui détermine leur existence, c'est au contraire leur existence sociale qui détermine leur conscience. À un certain degré de leur développement, les forces productives matérielles de la société entrent en contradiction avec les rapports de production existants ou avec les rapports de propriété au sein desquels elles s'étaient mues jusqu'alors, et qui n'en sont que l'expression juridique. Hier encore, formes de développement des forces productives, ces conditions se changent en de lourdes entraves. Alors commence une ère de révolution sociale. Le changement dans les fondations économiques s'accompagne d'un bouleversement plus ou moins rapidement dans tout cet énorme édifice. » (*Contribution à la critique de l'économie politique,* Préface.)

Marx explique ici que ce qui est déterminant pour comprendre l'évolution d'une économie et d'une société n'est pas la volonté des hommes, mais les rapports sociaux qu'ils entretiennent lors de la production. La base économique, l'infrastructure, détermine la superstructure, les façons de penser et les institutions. À un moment donné, les forces de production et les rapports de production entrent en contradiction et de cette contradiction naîtra une révolution et un nouveau système économique. Dans cette dynamique nécessaire, la baisse du taux de profit joue un rôle majeur car elle constitue un obstacle puissant au développement de l'économie. En effet, quand les capitalistes se heurtent à la baisse de leur taux de profit, ils augmentent leurs investissements pour tenter de contrecarrer cette tendance et redevenir plus efficaces. Or, seul le travail est productif et créateur de valeur, le capital constant ne faisant que transmettre sa propre valeur sans l'accroître. Donc, plus leur capital constant devient important, plus diminue en proportion la valeur créée par rapport au stock de capital engagé pour l'obtenir, autrement dit plus diminue le taux de profit. L'agrégation du comportement des capitalistes conduit ainsi à la baisse cumulative du taux de profit et, à terme, à l'impossibilité de la poursuite de la production capitaliste. Marx inverse ici l'hypothèse fondamentale de la main invisible de Smith selon laquelle chacun en travaillant dans son propre intérêt contribue à réaliser l'intérêt général. C'est une première contradiction interne du capitalisme. En outre, l'accumulation du capital conduit à une véritable paupérisation de la classe ouvrière. La paupérisation est le processus par lequel les prolétaires deviennent de plus en plus pauvres. Cette paupérisation peut être absolue lorsque diminue le revenu des ouvriers, et / ou relative lorsque les richesses accumulées par la bourgeoisie progressent plus vite que le revenu des travailleurs. Nous savons que les capitalistes, du fait de la concurrence, ont tendance à investir et à substituer du capital au travail. L'accumulation du capital est donc destructrice d'emplois et créatrice d'une surpopulation relative. À court terme, cette armée de réserve industrielle est favorable aux capitalistes car elle pèse sur le marché du travail, empêche les salaires de monter dans les phases de prospérité et les fait baisser en situation de crise. Mais à long terme cette paupérisation, cette « accumulation de la misère » parallèle à l'accumulation du capital entre en contradiction avec le fait que le capitalisme crée de plus en plus de richesses. L'économie capitaliste entre ainsi dans une crise de surproduction par laquelle une partie de la valeur créée dans la production ne peut plus se réaliser. En effet, si la production excède la demande, elle ne peut être écoulée qu'à des prix réduits, voire inférieurs aux coûts de production. Les marchandises sont alors vendues en dessous de leur valeur. La crise constitue un arrêt dans le processus de reproduction. Mais elle comporte aussi des mécanismes régulateurs. Nous avons vu qu'elle est due à une surproduction de capital constant. Or, elle aboutit à une destruction de capital puisque des machines deviennent inutilisées, suite par exemple aux faillites, et ne sont alors plus du capital. De même, la baisse des prix est une dépréciation de la valeur des marchandises et contribue à leur écoulement. Pour ces raisons, la crise est un élément temporaire, momentané de régulation de l'économie. Toutefois, de crises en crises, le système s'affaiblira progressivement et générera des tensions sociales de plus en plus violentes entre le prolétariat paupérisé et la bourgeoisie enrichie. À terme donc, quand les contradictions internes du capitalisme seront devenues très importantes, la classe ouvrière renversera le système et ainsi abolira l'exploitation qui est la sienne. Après la bourgeoisie qui a joué un rôle révolutionnaire en constituant le système de production capitaliste, le prolétariat deviendra une classe révolutionnaire.

Par conséquent, Marx décrit deux moyens d'autodestruction du capitalisme, un vecteur économique par la baisse du taux de profit et l'impossibilité du maintien de l'équilibre entre les deux secteurs de l'économie et un vecteur sociologique par la révolte inévitable du prolétariat qui renversera la bourgeoisie et s'appropriera les moyens de production.

Le mode de production capitaliste aboli, Marx théorise le passage au communisme, après une phase de dictature du prolétariat, avec la propriété commune des moyens de production. Disparaîtront alors la soumission des individus à la division du travail, la domination du travail manuel et l'exploitation, le producteur recevant alors de la société l'équivalent de ce qu'il lui fournit.

Au total, Marx présente ainsi une théorie évolutionniste de l'histoire, ce qui est une constante du monde des idées de ce XIXe siècle après Auguste Comte et les formes d'organisation sociale ou Charles Darwin et l'évolution des espèces vivantes. Marx écrit d'ailleurs avoir lu et approuvé les analyses de Darwin, la « lutte pour la vie » de celui-ci trouvant son équivalent dans la lutte des classes.

V. Postérité et influence

Les contributions de Marx aux sciences humaines ne s'arrêtent pas à son analyse économique. Il a, en particulier, contribué à l'analyse sociologique et à l'analyse philosophiquc.

Il suffit par exemple d'ouvrir un ouvrage de sociologie contemporaine au chapitre des classes sociales pour constater que son analyse est toujours présentée et discutée. La pensée de Marx est une interprétation du caractère contradictoire ou antagoniste de toute forme de société. Toutes celles qui se sont succédé ont été divisées en classes ennemies (hommes libres et esclaves, barons et serfs...), la société capitaliste ne diffère pas et se compose de deux grandes classes ennemies, la bourgeoisie et le prolétariat. Marx ne nie toutefois pas qu'entre ces deux classes, il puisse exister de multiples groupes intermédiaires comme les artisans, les petits commerçants, les paysans propriétaires. Mais il explique qu'au fur et à mesure de l'évolution économique, la société voit les rapports sociaux se cristalliser autour de deux groupes. En plus, toutes les classes intermédiaires ne jouent pas de rôle historique. Or, pour Marx, une classe doit être à la fois une classe en soi de par sa position dans les rapports de production et une classe pour soi de par sa conscience et sa participation à la lutte sociale. Bien sûr, des évolutions contemporaines ont rendu quelque peu obsolète la sociologie marxiste. Par exemple, Ralf Dahrendorf, dans *Classes et conflits de classes dans la société industrielle* publié en 1957, développe son désaccord avec Marx au sujet de la cristallisation des classes autour de la bourgeoisie et du prolétariat. La classe capitaliste se divise ainsi en de nombreux éléments, les directeurs, propriétaires, financiers..., la classe ouvrière se différencie aussi entre des ouvriers qualifiés et des ouvriers spécialisés, enfin apparaît une nouvelle classe moyenne de bureaucrates et d'employés de bureau. Dahrendorf est aussi en désaccord avec Marx sur l'origine des classes et des conflits de classe. Marx les situe dans les rapports de production, Dahrendorf les situe dans l'inégale distribution de l'autorité (soit, au sens wéberien, la probabilité qu'un ordre soit exécuté, entraîne l'obéissance) entre personnes et entre groupes. C'est elle qui est la source de la constitution de groupes d'intérêts et des conflits. Les sociologues observent aussi un véritable brouillage des classements qui rend difficile la présentation d'une hiérarchie comme le faisait Marx. Par exemple, un individu peut occuper une position élevée dans l'échelle des revenus et une position basse dans l'échelle des diplômes ou vice versa. C'est pourquoi, Henri Mendras explique qu'il faut renoncer à la vision pyramidale de la société et lui substituer une vision cosmographique avec deux constellations principales, la constellation populaire et la constellation centrale, et quelques constellations de moindre importance comme les techniciens, les indépendants, l'élite dirigeante et les pauvres. Pour compléter cette analyse de la contribution de Marx à la sociologie, on se référera à l'ouvrage de Jean Étienne et Henri Mendras publié dans cette même collection : *Les Grands Auteurs de la sociologie* (1996).

Dans le domaine de la philosophie, Marx est présenté comme le père du matérialisme historique. Il explique que ce sont les conditions matérielles qui déterminent les modes de pensée et qui déterminent le sens de l'histoire et renverse ainsi la problématique hégélienne selon laquelle le moteur de l'histoire est l'Esprit ou la Raison. Comme Marx donne le nom d'infrastructure aux conditions matérielles et économiques, et le nom de superstructure aux idées, aux lois, religions et institutions d'une société, le matérialisme historique le conduit à affirmer que tous les événements sont déterminés par des éléments infrastructurels, y compris les idées et les autres composantes superstructurelles. Et ce matérialisme, cette prééminence des conditions matérielles agissent de façon non pas mécanique mais dialectique. La production est en effet la base de l'ordre social. Or la production est traversée de contradictions et de conflits et ce sont ces contradictions qui sont à l'origine des changements que connaît la société.

Autre apport de Marx à l'analyse en sciences humaines, sa conception de l'aliénation. L'homme est amputé de certaines de ses aptitudes quand il participe au procès de production. Il y est déshumanisé, il devient étranger à lui-même en ne se reconnaissant pas dans son activité très largement parcellisée. Marx écrit que « le travail est extérieur à l'individu, c'est-à-dire qu'il n'appartient pas à son être ; par conséquent, il ne s'affirme pas dans son travail, bien au contraire, il s'y renie ; loin d'y être heureux, il s'y sent malheureux ; il n'y développe aucune énergie libre, ni physique, ni morale, mais y mortifie son corps et y ruine son esprit ». L'ouvrier est aussi étranger aux résultats de son travail quand ceux-ci lui échappent, ne lui appartiennent pas. De la même façon, dans le procès de production capitaliste, pour vivre, le travailleur doit devenir salarié. Il ne s'appartient plus, il appartient à un autre, au capitaliste à qui il loue sa force de travail. Au lieu que le travail soit l'expression de l'homme, il est seulement, pour lui, un moyen de vivre dont il est esclave. La production capitaliste crée aussi l'appauvrissement de la classe ouvrière alors même qu'elle enrichit la bourgeoisie. L'ouvrier est donc de plus en plus dévalorisé au sein de la société. L'aliénation générale de l'homme dans la société capitaliste s'exprime encore dans le fait qu'il est victime d'un fétichisme de la marchandise. Marx fait ici un parallèle entre le monde de l'économie et le monde de la religion. Le fétichisme, au sens premier du terme, est une religion dans laquelle le divin est objectivité. Les individus, les agents économiques ignorent les lois de fonctionnement de l'économie. Ils croient que l'économie est seulement une affaire d'échanges, de circulation de choses, de marchandises ; la monnaie voile les rapports sociaux en œuvre dans l'économie. Ils ignorent les rapports humains et sociaux qu'implique le système capitaliste. Les marchandises et l'argent apparaissent ainsi comme de véritables fétiches quand le caractère social de la production disparaît derrière la marchandise et quand la réalité de la production disparaît derrière l'échange de marchandises.

Sur un plan politique, Marx a largement travaillé à l'organisation du mouvement ouvrier international et nombre de mouvements révolutionnaires se sont référés et se réfèrent toujours à ses idées. Marx a aussi contribué, par la pensée, à l'émergence d'un nouveau système économique, politique et social, le socialisme. Par exemple, le socialisme est apparu en Russie à partir de 1917 sous l'égide de Lénine qui se réclamait de la doctrine de Marx. De même, d'autres chefs d'État socialistes se référaient à Marx, comme Staline ou Mao Zedong.

Aujourd'hui encore, malgré la chute des économies socialistes, malgré les critiques apportées aux œuvres de Marx, malgré l'annonce maintes fois répétées de sa « mort », de l'obsolescence de ses analyses, force est de constater qu'il existe toujours un mouvement marxiste. Dans les années 1960-1970, le philosophe français Louis Althusser a même dit du *Capital* qu'il constituait, comme les mathématiques et la physique, l'une des inventions fondamentales de l'histoire des sciences. Qu'est-ce que le marxisme, plus d'un siècle après la mort de Marx ? De la même façon que Marx a toujours été un homme de pensée et d'action, on peut dire du marxisme qu'il est à la fois une pensée, c'est-à-dire un mode d'analyse de l'économie et de la société en termes d'antagonismes, ainsi qu'un mouvement social et politique constitué par ceux qui cherchent à substituer au capitalisme un système socialiste.

• Éléments de bibliographie

Œuvres de Karl Marx

Karl Marx a énormément écrit (des milliers de pages), mais beaucoup de ses écrits n'ont été publiés qu'à titre posthume. Comme son analyse économique s'intègre à une analyse générale du capitalisme et est inséparable de son action, ses œuvres ont une nature très diverse, elles sont économiques, philosophiques, historiques et politiques.

Les éditions Gallimard (Bibliothèque de la Pléiade) ont publié les *Œuvres* de Karl Marx en cinq tomes. On y trouve, sous la direction de Maximilien Rubel, la plupart des écrits économiques de Marx dans les tomes 1 et 2. Les tomes 3 et 4 comprennent, eux, l'essentiel des écrits philosophiques et politiques. Le tome 5 est en préparation.

Les éditions Sociales ont aussi publié l'ensemble des écrits de Marx, d'Engels et de Marx et Engels, avec en particulier une édition du *Capital* en huit volumes.

Si l'on adopte une vision chronologique, les écrits de Marx sont :

Critique du droit politique hégélien, 1re édition en 1843.

Contribution à la critique et de la philosophie du droit de Hegel, 1re édition en 1844.

Sur la question juive, 1re édition en 1844.

Manuscrits de 1844, rédigés en 1844 et 1re édition en 1932.

Misère de la philosophie, 1re édition en 1847.

Travail salarié et capital, 1re édition en 1849.

La Lutte des classes en France, 1re édition en 1850.

Le 18 brumaire de Louis Napoléon Bonaparte, 1re édition en 1852.

Introduction générale à la critique de l'économie politique, 1re édition en 1857.

Fondements de la critique de l'économie politique, 1re édition en 1857-1858.

Contribution à la critique de l'économie politique, 1re édition en 1859.

Les Théories de la plus-value, 1re édition en 1861-63.

Salaire, prix et profit, rédigé en 1865 et édition posthume.
Le Capital, 1re édition en 1867.
La Guerre civile en France, 1re édition en 1872.

Ouvrages de Marx et Engels

La Sainte Famille, 1re édition en 1845.
L'Idéologie allemande, rédigé en 1846 et 1re édition en 1932.
Critique des programmes de Gotha et d'Erfurt, rédigé en 1875 et édité en 1891.
Critique de Malthus, édition posthume de 1978, Maspero.

Ouvrages sur Karl Marx

Des centaines d'ouvrages ont été écrits sur la vie, l'œuvre, les engagements de Marx. Parmi ceux-ci, on retiendra :

Althusser Louis, *Pour Marx,* Maspero, 1968.
Althusser Louis, Balibar Étienne, *Lire Le Capital,* Maspero, 1969.
Calvez Jean-Yves, *La Pensée de Karl Marx,* Le Seuil, 2e édition en 1970.
Robinson Joan, *Essai sur l'économie de Marx,* traduction française, Dunod, 1971.
Salama Pierre, Tran Hai Hac, *Introduction à l'économie de Marx,* La Découverte (Coll. « Repères »), 1992.
Wolff Jacques, *Les Grandes Œuvres économiques. Malthus, Ricardo, Marx,* Cujas, 1976.

Léon WALRAS

I. L'homme dans son temps

Léon Walras doit à son père, Auguste, sa vocation d'économiste et les principes fondamentaux de sa doctrine économique.

• D'Auguste à Léon Walras

Auguste Walras naît le 1er février 1801 à Montpellier où les Walras, d'origine néerlandaise, font partie de la petite bourgeoisie cultivée. Après de brillantes études au collège de Montpellier, où il se distingue par des prix en philosophie et en mathématiques, il est admis à l'École normale supérieure et part pour Paris. Condisciple d'Augustin Cournot, il quitte la rue d'Ulm en 1822 et enseigne à Valence puis Saint-Étienne, mais retourne dans la capitale l'année suivante. Il s'inscrit à l'École de droit et commence à s'intéresser à l'économie politique. Peu satisfait de la théorie de la propriété alors enseignée par les juristes, il se tourne en effet vers les écrits des économistes mais son insatisfaction ne fait que s'accroître. Les économistes défendent la propriété privée car elle est le meilleur encouragement à la multiplication des richesses. Ils ne s'occupent toutefois pas de ce qui fonde cette propriété privée. Or Auguste Walras considère que le droit de propriété et l'économie politique ont en commun la richesse. Cette richesse, constituée des choses qui ont de la valeur, devient objet de propriété. La valeur d'une chose en rend la propriété avantageuse et cette propriété doit être légitimée. C'est ainsi qu'Auguste Walras en vient à étudier la question de la valeur et à bâtir une théorie l'expliquant à partir de la rareté.

En 1831, Auguste Walras est nommé professeur de rhétorique au collège d'Évreux. C'est dans cette ville qu'il publie la même année son premier ouvrage d'économie politique : *De la nature de la richesse et de l'origine de la valeur.* Un an plus tard, il ouvre un cours public d'économie politique. Les années que le jeune professeur passe à Évreux sont marquées par une évolution de sa situation professionnelle et familiale. En 1833, il devient principal du collège. L'année suivante, il épouse Louise-Aline de Sainte-Beuve, une parente éloignée du célèbre critique littéraire. De leur union naît Léon Walras le 16 décembre 1834.

Auguste Walras, qui jouit à Évreux d'une position sociale honorable, ne peut toutefois se satisfaire pleinement de sa situation. Ses tâches administratives lui laissent trop peu de temps pour s'adonner à l'économie politique. En outre, s'il bénéficie d'une reconnaissance intellectuelle locale pour son livre et quelques articles publiés à Évreux, il reste un économiste largement ignoré en dehors de cette ville. Fin 1835, il demande et obtient un congé pour préparer l'agrégation de philosophie et s'installe à Paris. Tout en préparant le concours, il se consacre en partie à l'économie politique : il suit les cours de Pellegrino Rossi, successeur de Jean-Baptiste Say au Collège de France, donne lui-même des leçons publiques à l'Athénée de Paris et publie plusieurs articles. En 1839, il est nommé au collège de Lille où il enseigne la philosophie et l'année suivante, à la suite de sa réussite à l'agrégation, il devient professeur de philosophie au collège royal de Caen. C'est là que son fils aîné, Léon, effectuera une partie de ses études secondaires.

En 1846, Auguste Walras quitte le collège pour l'Université : il est provisoirement chargé de la chaire de littérature française à la faculté des lettres de Caen. Un an plus tard, il est promu inspecteur d'académie à Nancy où il ne reste que quelques mois avant de revenir à Caen comme inspecteur d'académie. Après la Révolution de 1848, nommé à Cahors, il refuse le poste et abandonne provisoirement l'Université. Mettant à profit cette absence d'activité professionnelle, il se consacre à ses recherches en économie politique qu'il n'avait jamais complètement abandonnées, comme en témoignent ses deux articles sur une « Esquisse de la théorie de la richesse » publiés en 1844. Il rédige plusieurs travaux, dont certains restent à l'état de manuscrits, et publie en 1849 sa *Théorie de la richesse sociale*. La même année, il lit à l'Académie des sciences morales et politiques un *Mémoire sur l'origine de la valeur d'échange* visant, comme l'indique le sous-titre du mémoire, une « réfutation des opinions les plus accréditées, chez les économistes, sur cette question ».

Cette période de disponibilité employée à l'étude de l'économie politique est toutefois préjudiciable à la situation matérielle de la famille et Auguste Walras doit, en 1850, reprendre son travail d'inspecteur d'académie. Il reste quatre ans à Douai puis, après un bref passage à Tulle en 1854, il est nommé à Pau où il s'installe définitivement. Pleinement absorbé par son activité professionnelle, il ne peut plus espérer développer et faire connaître ses recherches. Il a néanmoins la satisfaction de pouvoir compter sur son fils en qui il fonde tous ses espoirs pour prendre le relais.

Le jeune Léon ne semble pas se destiner immédiatement à l'économie politique. Reçu bachelier ès lettres à 17 ans, il se tourne vers des études scientifiques et devient bachelier ès sciences deux ans plus tard. Il se présente ensuite au concours d'entrée à l'École polytechnique où il échoue. Il tente de renforcer ses connaissances en mathématiques, suit les cours de l'École des mines de Paris où il est reçu comme élève externe, mais un deuxième échec à l'École polytechnique l'incite à s'orienter vers une carrière littéraire. En 1858, il publie un roman, *Francis Sauveur,* dont la critique ne laisse guère espérer un avenir littéraire à l'auteur. Cette même année 1858, Léon Walras renonce à la littérature pour suivre la voie tracée par son père. Il relate, dans son autobiographie, le moment où il décide de se tourner vers l'économie politique à laquelle il consacrera le reste de son existence. « L'heure la plus décisive de toute ma vie sonna par un soir de l'été 1858 où, pendant une promenade dans la vallée du Gave de Pau, mon père m'affirma avec énergie qu'il y avait encore à accomplir deux grandes tâches pour le XIXe siècle : achever de créer l'histoire et commencer de créer la science sociale. Il ne soupçonnait pas alors combien Renan devait lui donner satisfaction sur le premier point. Le second, qui l'avait préoccupé toute sa vie, le touchait plus sensiblement encore. Il y insistait avec une conviction qu'il fit passer en moi. Et ce fut alors que, devant la porte d'une campagne appelée *Les Roseaux,* je lui promis de laisser la littérature et la critique d'art pour me consacrer entièrement à la continuation de son œuvre. »

• Le parcours de Léon Walras en économie politique

Léon Walras commence sa nouvelle carrière en entrant au *Journal des économistes* en 1859, puis à *La Presse* en 1860. Il publie, cette même année, son premier ouvrage économique : *L'Économie politique et la justice,* dans lequel il réfute les thèses de Pierre Joseph Proudhon. Il se penche sur les questions fiscales et participe au Congrès international de l'impôt à Lausanne, envoie un mémoire au concours sur l'impôt ouvert par le canton de Vaud, désireux de moderniser la législation fiscale, puis publie en 1861 une *Théorie critique de l'impôt.* Les premiers déboires ne tardent cependant pas à survenir. Walras, qui à Lausanne s'en est pris à Joseph Garnier, rédacteur en chef du *Journal des économistes,* voit ses articles refusés par la revue. Il quitte aussi *La Presse* et échoue dans son projet de fonder un nouveau journal. Il doit alors accepter d'entrer comme employé aux Chemins de fer du Nord en 1862.

À partir de 1865, Walras s'engage dans le mouvement coopératif. Il publie un recueil de conférences données à Paris sur *Les Associations populaires coopératives* qui seront plus tard suivies d'une *Recherche sur l'idéal social.* Il collabore avec Léon Say, petit-fils de Jean-Baptiste Say, à la direction de la *Caisse d'escompte des associations populaires* pour laquelle il quitte son emploi antérieur, et à la fondation d'une revue du mouvement coopératif, *Le Travail.* La liquidation de l'établissement de crédit en 1868 obligeant Walras à trouver un nouvel emploi, il entre au service du banquier Hollander.

La création d'une chaire d'économie politique à la faculté de droit de l'université de Lausanne permet à Léon Walras de saisir la chance de sa vie. Son intervention au Congrès de l'impôt dix ans plus tôt avait favorablement impressionné un jeune avocat, Louis Ruchonnet, qui accédera plus tard à la présidence de la Confédération. Devenu président du jury destiné à recruter un professeur pour la nouvelle chaire, celui-ci demande à l'économiste français de poser sa candidature. C'est ainsi que Walras, qui a le plus grand mal à imposer ses vues sur l'économie politique dans son pays, devient professeur à Lausanne à l'automne 1870.

Léon Walras peut dès lors poursuivre l'œuvre entreprise par son père qui, mort quatre ans plus tôt, ne pourra plus être le témoin d'un succès qu'il aura tant attendu. En dépit d'ennuis de santé qui ralentissent son travail, le nouveau professeur enchaîne les publications. En 1873, il présente devant l'Académie des sciences morales et politiques, à Paris, un mémoire sur le *Principe de la théorie mathématique de l'échange* qui sera publié l'année suivante. Cette publication a un effet inattendu. Un étudiant hollandais, après avoir lu et apprécié le mémoire, écrit à l'auteur pour lui signaler l'existence de la *Theory of Political Economy* de William Stanley Jevons parue en 1871. Walras, qui se procure l'ouvrage, reconnaît que Jevons l'a précédé sur quelques points. Pour prendre date et garder la paternité de ses découvertes, il décide de faire paraître sans délai les *Éléments d'économie politique pure* alors que seule une partie est imprimée. Cette première partie est publiée en juillet 1874 tandis que la seconde partie paraît en 1877. Les *Éléments* sont en outre résumés en quatre mémoires rédigés de 1873 à 1876 et réunis en un recueil qui, traduit en italien et en allemand, participe à diffusion de l'économie mathématique. Trois autres mémoires s'y ajouteront pour constituer la *Théorie mathématique de la richesse sociale* publiée en 1883. D'autres mémoires sont ensuite consacrés à la théorie de la monnaie.

Plusieurs bémols viennent tempérer la satisfaction que Walras pourrait légitiment retirer de ses publications. En France, la sortie des *Éléments* est accueillie sans enthousiasme. À l'étranger, hormis l'Italie, l'intérêt pour l'ouvrage reste aussi limité. Walras, qui doit lui-même financer ses ouvrages et n'hésite pas à les envoyer à presque tous les professeurs d'économie politique en Europe, vit difficilement avec le traitement que lui verse l'Université. Diverses activités viennent s'adjoindre à son travail d'enseignement et de recherche : il devient consultant d'une compagnie d'assurances en 1874, est nommé recteur de l'Académie de Lausanne l'année suivante, tient une chronique à la *Gazette de Lausanne* à partir de 1878. La multiplication des activités contribue à altérer sa santé. Il doit aussi faire face à la maladie de sa première épouse et au décès de celle-ci en 1879 (remarié en 1884, il sera à nouveau veuf en 1900). À tout cela s'ajoute l'amertume de ne pouvoir revenir enseigner en France alors que des chaires d'économie politique se créent dans les facultés de droit.

En 1892, Walras prend sa retraite mais n'abandonne pas pour autant toute activité scientifique. Commençant à bénéficier d'une reconnaissance mondiale qui conduit plusieurs sociétés savantes à l'accepter comme membre, il rassemble divers écrits antérieurs dans deux ouvrages, les *Études d'économie sociale* et les *Études d'économie politique appliquée* qui paraissent respectivement en 1896 et 1898.

Sur la dernière période de sa vie, Walras continue à voir se succéder satisfactions et désillusions. Au chapitre des premières, figure celle de voir publier quatre éditions des *Éléments,* en 1889 pour la deuxième, puis en 1896 et 1900. Il voit aussi son successeur à l'université de Lausanne, Vilfredo Pareto, poursuivre son œuvre de mathématisation de l'économie politique. En décembre 1909, lors du jubilé organisé par l'université de Lausanne en l'honneur du cinquantenaire de sa carrière d'économiste, il triomphe en recevant l'hommage appuyé de ses pairs. Quant à sa déception la plus forte, elle est certainement causée par son échec à implanter l'économie mathématique en France. La désillusion est d'autant plus amère que Walras croit voir ses efforts aboutir. En 1903, son premier disciple français, Albert Aupetit, est candidat à l'agrégation et lui demande comment mettre à la portée d'un public mal préparé un cours d'économie mathématique. Walras se remet à l'ouvrage et rédige en cinq mois un cours élémentaire qui deviendra l'*Abrégé des éléments d'économie politique pure*. L'occasion, pour le vieux maître de Lausanne, de faire enseigner ses théories en France est toutefois gâchée. Charles Gide, l'un des rares économistes français à reconnaître l'apport de Walras dont il est aussi l'ami, est membre du jury d'agrégation mais finit par renoncer à y participer. Avec cette défection, Aupetit se trouve face à un jury qui devient en majorité hostile à l'économie mathématique et échoue au concours. Il ne prendra pas la peine de réclamer à Walras le cours que celui a rédigé à son intention. C'est un homme conscient d'être appelé à une reconnaissance mondiale mais amer de ne pas trouver grâce aux yeux de ses concitoyens qui s'éteint le 6 janvier 1910.

II. Le renouveau de l'économie politique

Léon Walras a pour ambition de faire de l'économie politique une véritable science utilisant l'outil mathématique. La rupture avec ses prédécesseurs ne porte pas seulement sur l'objet de l'économie politique et les instruments qu'elle utilise : elle passe par une nouvelle théorie de la valeur. Œuvrant ainsi au renouveau de l'économie politique, Walras participe pleinement à ce qui constitue la révolution marginaliste.

• L'ambition scientifique et l'outil mathématique

Comme il l'écrit dans sa lettre de candidature à la chaire d'économie politique de Lausanne, Walras considère que l'économie politique peut faire l'objet d'un découpage cohérent.

« Je partage, quant à moi, toute l'économie politique et sociale en trois parties, savoir :

1 – L'étude des lois naturelles de la *valeur d'échange* et de l'*échange* ou *théorie de la richesse sociale*. C'est aussi ce que j'appelle *économie politique pure*.

2 – L'étude des conditions les plus favorables de l'*agriculture,* de l'*industrie,* du *commerce,* du *crédit,* ou *théorie de la production de la richesse.* C'est aussi ce que j'appelle *économie politique appliquée.*
3 – L'étude des meilleures conditions de la *propriété* et de l'*impôt* ou *théorie de la répartition de la richesse.* C'est aussi ce que j'appelle particulièrement *économie sociale.* »

Cette distinction explique le projet de Walras de compléter les *Éléments d'économie politique pure* par les *Études d'économie politique appliquée* et les *Études d'économie sociale*, projet non complètement concrétisé puisque les deux derniers ouvrages sont restés à l'état de recueils d'articles. L'économie politique montre ce qui est vrai, l'économie appliquée ce qui est utile et l'économie sociale ce qui est juste. C'est la première qui peut être pleinement considérée comme une science. L'économie sociale, de par sa préoccupation de justice, relève de la morale. L'économie appliquée est définie par Walras comme un art qui conduit à déterminer comment doit être organisée l'activité économique. L'économie pure, qui vaudra à Walras de passer à la postérité, est, quant à elle, une science qui permet de découvrir des lois. Alors que l'économie appliquée prescrit des actions, l'économie pure explique des phénomènes. Walras en délimite précisément le champ. « L'*économie politique pure* est essentiellement la théorie de la détermination des prix sous un régime hypothétique de concurrence absolue. » (*Éléments,* préface.)

L'économie pure doit établir des démonstrations rigoureuses. Cet impératif l'amène à recourir à l'outil mathématique. La démarche est d'autant plus justifiée que l'« économie politique pure est une science tout à fait semblable aux sciences physico-mathématiques » (*Éléments,* 3e leçon). Puisqu'elle est « comme la mécanique, comme l'hydraulique, une science physico-mathématique, elle ne doit pas craindre d'employer la méthode et le langage des mathématiques ». La théorie de l'échange, qui constitue le cœur de l'économie pure, doit donc aller au-delà de la simple présentation littéraire pour être véritablement démontrée. Cette « théorie est une théorie mathématique, c'est-à-dire que, si l'exposition peut s'en faire dans le langage ordinaire, la démonstration doit s'en faire mathématiquement » (*Éléments,* préface). L'échange permet de maximiser l'utilité des participants et suppose la détermination de prix d'équilibre. « La mathématique seule » peut nous apprendre comment ces résultats sont atteints.

En prônant le recours aux mathématiques, Walras s'engage dans une voie que les économistes avaient jusque-là renoncé à explorer, si l'on excepte l'ouvrage de Cournot sur les *Recherches sur les principes mathématiques de la théorie des richesses* publié en 1838. Il prend le contre-pied des économistes classiques et de la plupart de ses contemporains, ce qui explique les difficultés qu'il rencontrera pour faire reconnaître ses travaux et le mépris qu'il affiche lui-même à l'encontre de ceux qui refusent de voir les perspectives ouvertes par l'utilisation des mathématiques. Walras ne doute pas que l'avenir lui donnera raison. « Quant aux économistes qui, sans savoir les mathématiques, sans savoir même exactement en quoi consistent les mathématiques, ont décidé qu'elles ne sauraient servir à l'éclaircissement des principes économiques, ils peuvent s'en aller répétant que "la liberté humaine *ne se laisse pas mettre en équations*" ou que "les mathématiques font abstraction des frottements *qui sont tout dans les sciences morales*" et autres gentillesses de même force. Ils ne feront pas que la détermination des prix en libre concurrence ne soit une théorie mathématique ; et, dès lors, ils seront toujours dans l'alternative ou d'éviter cette discipline, et d'élaborer l'économie politique appliquée sans avoir élaboré l'économie politique pure, ou de l'aborder sans les ressources nécessaires et, en ce cas, de faire à la fois de très mauvaise économie politique pure et de très mauvaise mathématique. » Dans l'esprit de Walras, il ne s'agit pas seulement de se servir d'un instrument indispensable à la démonstration mais d'un langage plus pratique. Dès lors, « pourquoi s'obstiner à expliquer très péniblement et très incorrectement, comme l'a fait souvent Ricardo, comme le fait à chaque instant John Stuart Mill dans ses *Principes d'économie politique,* en se servant de la langue usuelle, des choses qui, dans la langue des mathématiques, peuvent s'énoncer en bien moins de mots, d'une façon bien plus exacte et bien plus claire ? » (*Éléments,* 3e leçon.)

Tout comme la délimitation du champ de l'économie pure et le recours aux mathématiques pour l'investir marquent une première rupture avec l'économie classique, la réfutation des analyses de la valeur, désormais liée à la rareté, constitue un deuxième point de rupture.

• Rareté et valeur d'échange

Les économistes ont proposé trois approches pour expliquer l'origine de la valeur. La première, développée par Smith et Ricardo, est fondée sur le travail. Walras ne peut s'en satisfaire car elle n'explique pas pourquoi le travail lui-même a de la valeur et s'échange. La deuxième approche, suivie par Condillac et Say, explique la valeur par l'utilité. La principale objection à son encontre tient au fait que des choses utiles, comme l'air, la lumière du soleil ou l'eau, n'ont pas de valeur. Condillac a tenté de contourner cette difficulté en considérant qu'elles coûtent quelque chose, en l'occurrence l'effort nécessaire pour les appréhender, comme par exemple celui qui résulte de l'action de se baisser pour puiser l'eau. Quant à Say, il estime que leur valeur est considérable mais que leurs utilisateurs ne les payent pas car ils ne pourraient jamais en payer le prix. Walras rejette ces réponses qui ne peuvent réussir à sauver une théorie cherchant à expliquer la valeur par la seule utilité.

La troisième approche, que défend Léon Walras, a été présentée dès le XVIIIe siècle par le juriste Jean-Jacques Burlamaqui. Elle était enseignée à Naples à la même époque par Antonio Genovesi puis à Oxford dans la première moitié du XIXe siècle par William Senior. Mais c'est Auguste Walras qui l'a pleinement exposée dans l'ouvrage de 1831. Son fils la reprend en utilisant l'analyse mathématique. Cette approche trouve dans la rareté la source de la valeur.

Léon Walras définit la richesse sociale comme l'ensemble des choses « qui sont *rares,* c'est-à-dire qui, d'une part, nous sont *utiles,* et qui, d'autre part, n'existent à notre disposition qu'*en quantité limitée* ». Il donne au mot *rareté* un sens scientifique, de la même façon que le mot *vitesse* prend un sens particulier en mécanique ou le mot *chaleur* en physique. Pas plus que, dans cette acception, la vitesse ne s'oppose à la lenteur ou la chaleur au froid, la rareté ne s'oppose pas à l'abondance. Quelle que soit son abondance, il suffit qu'une chose soit utile et limitée en quantité pour qu'elle soit rare.

Walras tire trois conséquences de l'existence de la rareté. En premier lieu, « les choses utiles et limitées en quantité sont *appropriables* ». Nul ne songerait en effet à s'approprier des choses sans usage ou disponibles en quantité illimitée. Ensuite, ces choses sont *« valables et échangeables »*. Leur détention permet d'obtenir en échange une autre chose rare. Enfin, elles sont « *industriellement productibles* ou *multipliables* ». Compte tenu de la caractéristique précédente, l'accroissement de leur nombre présente un intérêt.

On voit ainsi que les choses rares, une fois appropriées, acquièrent une valeur d'échange. « Si le blé et si l'argent ont *de la valeur,* c'est parce qu'ils sont rares, c'est-à-dire utiles et limités en quantité [...]. Et si le blé et si l'argent ont *telle valeur* l'un par rapport à l'autre, c'est qu'ils sont respectivement plus ou moins rares, c'est-à-dire plus ou moins utiles et plus ou moins limités en quantité ». La rareté, critère d'appartenance d'une chose à la richesse sociale, est donc « la cause de la valeur d'échange » (*Éléments,* 10e leçon). Celle-ci « ne porte que sur la richesse sociale et porte sur toute la richesse sociale » (*Éléments,* 3e leçon).

En mobilisant le concept de rareté, Walras peut réfuter les autres analyses de la valeur. L'approche de Smith et de Ricardo est à rejeter puisque « si le travail vaut et s'échange, c'est parce qu'il est à la fois utile et limité en quantité, parce qu'il est rare. La valeur vient donc de la rareté, et toutes les choses qui seront rares, qu'il y en ait ou non d'autres que le travail, vaudront et s'échangeront comme le travail. Ainsi la théorie qui met l'origine de la valeur dans le travail est moins une théorie trop étroite qu'une théorie complètement vide, moins une affirmation inexacte qu'une affirmation gratuite. » (*Éléments,* 16e leçon.) L'approche de Condillac et Say peut être rejetée avec un raisonnement du même ordre. L'utilité seule ne suffit pas à procurer de la valeur à une chose ni, inversement, son existence en quantité limitée si cette chose est sans usage.

La détermination de la valeur d'échange nécessite le recours à l'outil mathématique. C'est en effet « une grandeur appréciable. Et si les mathématiques en général ont pour objet l'étude des grandeurs de ce genre, il est certain qu'il y a une branche des mathématiques [...] qui est la théorie de la valeur d'échange. » (*Éléments,* 3e leçon.) Walras participe à son élaboration en définissant plus formellement la rareté comme la « dérivée de l'utilité effective par rapport à la quantité possédée » (*Éléments,* 10e leçon). La rareté, donnée subjective, correspond à « l'intensité du dernier besoin satisfait ». Ce mode d'appréhension de la valeur ou d'autres grandeurs est caractéristique de la révolution marginaliste.

• La révolution marginaliste

L'école marginaliste, par laquelle on désigne généralement les économistes qui, vers 1870, utilisent le calcul à la marge, s'intéresse à la dernière unité d'une grandeur particulière. Reprenant le concept d'utilité mis à l'honneur par Jeremy Bentham, elle met plus précisément l'accent sur l'utilité de la dernière unité disponible d'un bien. Au fur et à mesure qu'augmente la quantité détenue d'un bien, chaque unité additionnelle de ce bien satisfait un besoin de plus en plus faible. L'utilité d'un bien décroît ainsi avec la quantité consommée de ce bien.

Walras reconnaît à un auteur allemand, Hermann-Heinrich Gossen, la paternité de la mise en évidence d'une courbe d'utilité décroissante, dans un ouvrage publié en 1854. Il contribue d'ailleurs à le faire connaître en lui consacrant un article dans le *Journal des économistes*. Gossen déduit en outre de sa courbe d'utilité la condition d'un maximum d'utilité. Deux marchandises échangées par deux individus devront être réparties entre ces deux individus de façon à ce que le dernier atome reçu de chaque marchandise ait la même valeur pour l'un et l'autre individu. Dans sa *Theory* de 1871, Jevons, sans avoir eu connaissance de l'existence de l'ouvrage de Gossen, construit lui aussi une courbe d'utilité décroissante. De même que Gossen raisonne sur la valeur des derniers atomes, Jevons considère le « degré final d'utilité », concept qui correspond à celui de rareté chez Walras. Sa théorie de l'utilité lui permet de construire une théorie de l'échange de deux marchandises. Celles-ci s'échangeront dans un rapport inverse à celui des degrés finals d'utilité des quantités qui seront disponibles après l'échange.

Jevons n'est pas le seul contemporain de Walras à raisonner de la sorte. En 1871, l'année même ou Jevons publie sa *Theory,* Carl Menger, professeur à l'université de Vienne, fait paraître un ouvrage dans lequel il présente une théorie de l'utilité en montrant comment un besoin décroît avec la quantité consommée du bien permettant de le satisfaire. Menger renonce à utiliser les mathématiques mais se sert d'une table dans laquelle il classe les besoins et représente par des nombres les satisfactions procurées par l'accroissement d'une unité des biens capables de satisfaire chaque besoin. Ces nombres correspondent à ce que les économistes appelleront par la suite l'utilité marginale du bien considéré.

Menger mérite d'autant plus l'attention qu'il est le fondateur de l'école de Vienne, laquelle compte parmi les plus importantes dans l'histoire de l'économie politique. Plusieurs de ses élèves deviennent à leur tour professeurs et complètent son analyse. Friedrich von Wieser et Eugen von Böhm-Bawerk sont les représentants les plus illustres de cette génération. C'est Wieser qui, dans un ouvrage de 1884, utilise pour la première fois le terme *Grenznutzen* qui sera traduit et popularisé par l'expression « utilité marginale ».

La révolution marginaliste correspond donc à un tournant dans l'histoire de l'économie politique. Trois ouvrages sont publiés presque simultanément au début des années 1870 par trois auteurs de nationalité différente sans que chacun ait eu connaissance des travaux des autres. Ils s'appuient sur le concept d'utilité marginale pour bâtir une théorie de l'échange. Walras, qui participe à son élaboration en ignorant les recherches de ses contemporains dans ce domaine, s'emploie à l'approfondir après avoir découvert les travaux de Jevons et Menger.

III. La théorie de l'échange

Walras précise que « la théorie de l'échange se résume tout entière dans le double fait, à l'état d'équilibre du marché : d'abord de l'obtention par chaque échangeur du maximum d'utilité, et ensuite de l'égalité de la quantité demandée et de la quantité offerte de chaque marchandise par tous les échangeurs » (*Éléments*, préface). Pour comprendre cette théorie, il convient tout d'abord de présenter le problème posé par l'échange, dans un cadre simplifié comportant seulement deux marchandises échangeables entre elles. Il faut ensuite expliquer comment s'établit un prix d'équilibre égalisant l'offre et la demande. Il est enfin nécessaire de montrer que cette égalité procure à chaque participant à l'échange le maximum d'utilité.

• Le problème posé par l'échange de deux marchandises entre elles

La richesse sociale est constituée de marchandises qui s'échangent sur un marché. Leur valeur d'échange est déterminée par la concurrence sur ce marché où, selon la formulation de Walras, les acheteurs demandent à l'enchère et les vendeurs offrent au rabais.

La concurrence joue pleinement lorsque, à l'instar du marché boursier, ventes et achats se font à la criée grâce à un intermédiaire qui les centralise. Cet intermédiaire permet aux participants de connaître les conditions de l'échange. Walras sait parfaitement qu'un tel marché ne rend pas compte de la réalité de la plupart des échanges, mais il raisonne sur « un marché parfaitement organisé sous le rapport de la concurrence, comme en mécanique pure on suppose d'abord des machines sans frottement » (*Éléments,* 5e leçon).

L'observation du marché boursier permet de voir comment s'exerce la concurrence. Au prix affiché pour un titre correspond une offre effective, que Walras définit comme l'offre d'une quantité déterminée de marchandises, ici des titres. À ce prix se manifeste aussi une demande effective. Le marché est en équilibre lorsque l'offre effective est égale à la demande effective, situation dans laquelle l'échange a lieu. En cas d'inégalité, l'échange est suspendu. Si la quantité demandée est supérieure à la quantité offerte, un prix supérieur est proposé, ce qui produit un double effet. Des acheteurs se retirent tandis que de nouveaux vendeurs surviennent. L'écart entre offre effective et demande effective se réduit et l'échange a lieu lorsque l'égalité est atteinte. Si au contraire la quantité demandée est inférieure à la quantité offerte, c'est la baisse du prix qui conduit à l'équilibre.

Walras entreprend de donner un caractère scientifique à cette observation. Il considère deux marchandises quelconques désignées par les lettres A et B, la première représentant par exemple l'avoine et la seconde le blé. Les offreurs de marchandise A sont des demandeurs de marchandise B et inversement. Un agent propose de céder n unités de B contre m unités de A. Si l'on note v_a la valeur d'échange d'une unité de A et v_b celle d'une unité de b, l'équation d'échange s'écrit :

$$mv_a = nv_b.$$

En appelant *prix* les rapports des valeurs d'échange, avec p_b le prix de B exprimé en A et p_a le prix de A exprimé en B, et en désignant par μ le quotient du rapport m / n et par $1 / \mu$ celui du rapport n / m, on obtient :

$$v_b / v_a = p_b = m / n = \mu,$$
$$v_a / v_b = p_a = n / m = 1 / \mu,$$

d'où :

$$p_b = 1 / p_a \text{ et } p_a = 1 / p_b.$$

Ainsi, *« les prix, ou les rapports des valeurs d'échange, sont égaux aux rapports inverses des quantités de marchandise échangées. Ils sont réciproques les uns des autres. »* Si quelqu'un propose d'échanger 5 hectolitres de blé contre 10 hectolitres d'avoine, le prix proposé du blé en avoine est de 2 et celui de l'avoine en blé de 1/2.

Il y a en outre une relation entre les quantités demandées et offertes et les prix. Soient D_a, O_a, D_b, O_b la demande et l'offre effectives des marchandises A et B aux prix précédemment énoncés. Dire que l'on demande une quantité D_a de marchandise A au prix p_a, c'est dire qu'on offre une quantité O_b de marchandise B égale à $D_a p_a$. Par exemple, demander 200 hectolitres d'avoine au prix de 1/2 en blé revient à offrir 100 hectolitres de blé. On a donc l'équation :

$$O_b = D_a p_a.$$

Le même type de raisonnement permet d'écrire que :

$$D_b = O_a p_a \ ; \ O_a = D_b p_b \ ; \ D_a = O_b p_b.$$

La relation entre quantité et prix peut ainsi être formulée. *« La demande ou l'offre effective d'une marchandise contre une autre est égale à l'offre ou à la demande effective de cette autre multipliée par son prix en la première. »*

Dans cet échange où à une offre correspond une demande équivalente, Walras ne place pas offre et demande sur le même plan. « En effet, dans le phénomène de l'échange en nature de deux marchandises l'une contre l'autre, la demande doit être considérée comme le fait principal, et l'offre comme un fait accessoire. On n'offre pas pour offrir, on n'offre que parce qu'on ne peut pas demander sans offrir ; l'offre n'est qu'une conséquence de la demande. »

Considérons maintenant l'égalité :

$$D_a = \alpha O_a.$$

Selon que α est inférieur, égal ou supérieur à 1, cette égalité signifie que la demande de marchandise A au prix énoncé est supérieure, égale ou inférieure à l'offre de cette même marchandise A.

Si l'on remplace, dans cette équation, D_a et O_a par les valeurs fournies par les équations précédentes, à savoir que $D_a = O_b p_b$ et $O_a = D_b p_b$, on peut en déduire que :

$$O_b = \alpha D_b$$

ou, ce qui revient au même :

$$O_b / D_b = D_a / O_a = \alpha.$$

Cela signifie que *« deux marchandises étant données, le rapport de la demande effective de l'une à son offre effective est égal au rapport de l'offre effective de l'autre à sa demande effective »*. Si par exemple la demande effective de la marchandise A est supérieure à son offre effective, l'offre effective de la marchandise B sera supérieure dans la même proportion à sa demande effective.

Si α est égal à 1, c'est-à-dire si pour chaque marchandise la quantité demandée est égale à la quantité offerte, chaque acheteur trouve exactement sa contrepartie chez un vendeur. Le marché est à l'équilibre et l'échange est réalisé. Si en revanche le marché n'est pas à l'équilibre, il reste à déterminer comment on obtient l'égalité de l'offre et de la demande pour chacune des deux marchandises. Le raisonnement diffère ici de celui qui a été tenu à propos du marché boursier où seuls le prix du titre et les quantités offertes et demandées étaient prises en considération. Désormais, avec deux marchandises, la hausse du prix de l'une correspond à la baisse du prix de l'autre. Dans ces conditions, il est nécessaire de déterminer comment s'effectue le cheminement vers l'équilibre.

• L'égalisation de l'offre et de la demande

L'étude du rapport entre le prix et la demande effective permet de comprendre comment sera atteint l'équilibre. Considérons un individu détenant du blé et souhaitant acquérir de l'avoine pour ses chevaux. La quantité de blé qu'il cédera dépendra du prix de l'avoine. Si ce prix est nul, c'est-à-dire s'il n'a pas à fournir de blé pour obtenir l'avoine, sa demande d'avoine sera élevée. Il sera incité à en acquérir pour tous les chevaux qu'il a à nourrir et même pour tous ceux qu'il pourrait avoir. Si, pour obtenir l'avoine, il doit livrer une quantité de plus en plus importante de blé, il réduira sa demande. Enfin, à un prix élevé, c'est-à-dire s'il doit fournir de nombreux hectolitres de blé pour obtenir un hectolitre d'avoine, il ne demandera plus du tout d'avoine et n'offrira donc plus de blé.

La demande effective d'avoine diminue ainsi au fur et à mesure que le prix s'accroît. Elle est élevée au prix de zéro et tombe à zéro pour prix élevé, comme le montre le graphique ci-dessous. Quant à l'offre effective du blé fourni en contrepartie, elle part de zéro, s'élève jusqu'à un maximum puis diminue pour revenir à zéro.

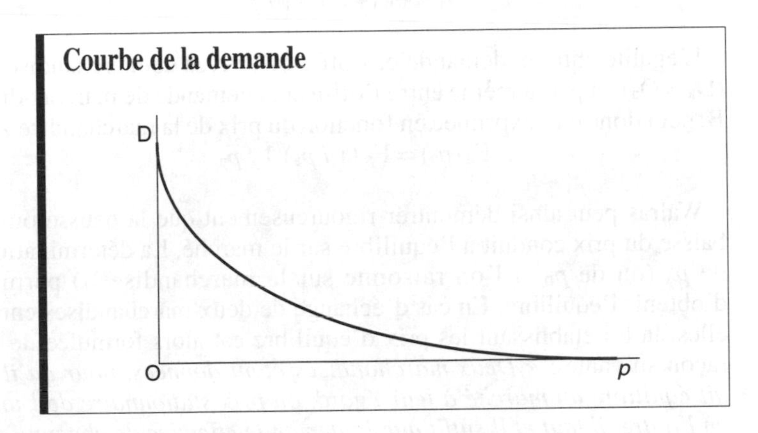

Pour un individu, cette courbe de demande n'est pas nécessairement continue. Ainsi, le demandeur d'avoine ne réduit pas sa demande de façon continue au fur et à mesure que son prix s'accroît. Il réduit plutôt cette demande par palier chaque fois qu'il se décide à nourrir un cheval de moins. Pour lui, la courbe a donc la forme d'un escalier dont chaque marche, quand on se déplace vers la droite, correspond à une réduction de la quantité demandée du fait de sa décision de nourrir un cheval de moins. Si l'on raisonne en revanche sur la demande totale d'avoine, laquelle correspond à la somme des demandes individuelles, la courbe peut être considérée comme continue. En vertu de la loi des grands nombres, une hausse même très faible du prix de l'avoine conduira au moins un individu à renoncer à acquérir de quoi nourrir un cheval, ce qui produira une petite diminution de la demande globale.

La demande d'une marchandise A, l'avoine dans l'exemple, est ainsi fonction de son prix, ce qui peut être exprimé par l'équation :

$$D_a = F_a(p_a).$$

Cette expression de la demande en fonction du prix nous permet de comprendre le rôle que joue le prix en cas de déséquilibre entre demande et offre effectives. L'offre de marchandise A, quant à elle, est représentée par l'équation :

$$O_a = D_b p_b = F_b (p_b) p_b.$$

Et comme nous avons vu que $p_b = 1 / p_a$, nous pouvons écrire :

$$O_a = F_b (1 / p_a) 1 / p_a.$$

L'égalité entre la demande et l'offre effectives de marchandise A ($D_a = O_a$), et par là même entre l'offre et la demande de marchandise B, peut donc être exprimée en fonction du prix de la marchandise A :

$$F_a (p_a) = F_b (1 / p_a) 1 / p_a.$$

Walras peut ainsi démontrer rigoureusement que la hausse ou la baisse du prix conduit à l'équilibre sur le marché. La détermination de p_a (ou de p_b si l'on raisonne sur la marchandise B) permet d'obtenir l'équilibre. En cas d'échange de deux marchandises entre elles, la loi établissant les prix d'équilibre est alors formulée de la façon suivante : *« Deux marchandises étant données, pour qu'il y ait équilibre du marché à leur égard, ou prix stationnaire de l'une en l'autre, il faut et il suffit que la demande effective de chacune de ces deux marchandises soit égale à son offre effective. Lorsque cette égalité n'existe pas, il faut, pour arriver au prix d'équilibre, une hausse du prix de la marchandise dont la demande effective est supérieure à l'offre effective, et une baisse du prix de celle dont l'offre effective est supérieure à la demande effective.* » (*Éléments*, 6e leçon.)

Comment cet équilibre procure-t-il le maximum de satisfaction aux participants à l'échange ?

• La maximisation de l'utilité

Si un individu participe à un échange, c'est parce que la satisfaction qu'il retire de cet échange est supérieure à celle qui résulterait de la consommation des seules marchandises qu'il détient. En acceptant de se dessaisir d'une partie des marchandises qui excèdent sa consommation pour en acquérir d'autres, il peut satisfaire une somme totale de besoins supérieure. Cette somme totale de besoins satisfaits par la consommation d'une certaine quantité de marchandises est désignée par Walras comme étant l'*utilité effective*. La rareté représente l'intensité du dernier besoin satisfait par cette consommation.

En échangeant de la marchandise B contre de la marchandise A, un individu renonce à la satisfaction que pourrait lui procurer la marchandise B cédée au profit d'une satisfaction supérieure tirée de la consommation de la marchandise A obtenue. Il diminue ainsi la rareté de A et augmente celle de B. Non seulement l'échange est source d'une satisfaction supérieure à celle qui résulterait de l'absence d'échange, mais cette satisfaction doit être maximale. L'individu ne doit pas se contenter de céder 1 hectolitre de blé si l'avoine obtenue contre la fourniture de 2 hectolitres de blé permet de satisfaire une somme totale de besoins plus importante. Tant que la privation induite par le blé cédé est plus que compensée par la satisfaction procurée par l'avoine obtenue en échange, l'échange reste avantageux. L'échange deviendra seulement désavantageux à partir du moment où, contre l'avoine reçue, il devra fournir une quantité de blé telle que sa satisfaction globale sera moindre. L'unité additionnelle d'avoine deviendra trop coûteuse en comparaison avec la satisfaction qu'elle procure. L'utilité effective est en fait maximale quand le rapport des intensités des derniers besoins satisfaits par les deux marchandises est égal au prix. Si par exemple la dernière unité d'avoine obtenue procure une satisfaction quatre fois moins élevée que la dernière unité de blé consommable, le prix de l'avoine en blé sera, à l'équilibre, de 0,25. Si ce prix passait à 0,3, un nouvel échange apporterait une moindre satisfaction que celle qui aurait résulté de la consommation du blé cédé.

Walras peut ainsi énoncer son théorème de l'utilité maxima des marchandises : *« Deux marchandises étant données sur un marché, la satisfaction maxima des besoins, ou le maximum d'utilité effective, a lieu, pour chaque porteur, lorsque le rapport des intensités des derniers besoins satisfaits, ou le rapport des raretés, est égal au prix. Tant que cette égalité n'est pas atteinte, il y a avantage pour l'échangeur à vendre de la marchandise dont la rareté est plus petite que le produit de son prix par la rareté de l'autre pour acheter de cette autre marchandise dont la rareté est plus grande que le produit de son prix par la rareté de la première. »* (*Éléments,* 8e leçon.)

Ces démonstrations concernant l'échange de deux marchandises peuvent être étendues à une situation caractérisée par l'existence d'une multiplicité de marchandises à échanger. C'est ce que fait Walras en construisant l'équilibre général.

IV. L'équilibre général

Walras suit une démarche qui le conduit à aller de la situation la plus simple à la plus complexe. En passant d'une économie où seules deux marchandises sont à échanger à une économie où ce sont de nombreuses marchandises qui doivent être échangées, il reste dans un cadre où l'échange constitue la seule activité des individus. Chacun détient des marchandises, dont on ne se préoccupe pas pour l'instant de l'origine, et cherche à maximiser sa satisfaction en procédant à des échanges de ces marchandises. C'est seulement lorsqu'il a montré qu'il pouvait exister un équilibre général dans une telle économie que Walras étend son modèle en considérant que les marchandises ont dû être produites par une combinaison de services producteurs qui doit être prise en compte pour compléter l'équilibre général.

• L'échange de plusieurs marchandises entre elles

L'ambition de Walras est de montrer que, de même qu'il existe un équilibre permettant un échange de deux marchandises qui maximise la satisfaction des participants à l'échange, il existe un équilibre général sur un marché comportant *m* marchandises.

Une première approche de l'équilibre général consiste à déterminer le nombre d'équations et le nombre d'inconnues. Les équations sont des équations de demande effective, qui rendent compte de la quantité demandée en fonction du prix, et des équations d'échange, qui rendent compte de l'égalité entre la demande et l'offre effectives. Quant aux inconnues, elles correspondent aux quantités et aux prix des différentes marchandises échangées.

Quel est le nombre d'équations de demande ? Dans une économie comportant trois marchandises A, B et C, ce nombre peut être facilement calculé. Il existe tout d'abord une demande de marchandise B et une demande de marchandise C exprimée par les détenteurs de marchandise A. Il existe aussi une demande de C et de A exprimée par les détenteurs de B. Il existe enfin une demande de A et de B exprimée par les détenteurs de C. Ce sont donc six équations de demande qui expriment les dispositions à l'échange des individus dans une économie à trois marchandises. Plus généralement, dans une économie comportant m marchandises, il y a $m(m-1)$ équations de demande. Chaque marchandise (il y en a *m*) est en effet appelée à être échangée contre toutes les autres marchandises en dehors d'elle-même (il en reste $m - 1$).

Quel est le nombre d'équations d'échange ? Si l'on reprend l'exemple d'une économie à trois marchandises, la demande de marchandise A contre des marchandises B et C doit être égale à l'offre de marchandise A de la part des demandeurs de marchandises B et C. C'est aussi vrai pour la demande de B contre A et C, qui doit correspondre à l'offre de B contre A et C, ainsi que pour la demande de C contre A et B, qui doit être égale à l'offre de C contre A et B. A priori, puisqu'il y a trois marchandises, il semble qu'il y ait trois équations représentant l'égalité entre offre et demande pour chaque marchandise. Mais s'il y a équilibre pour les deux premières marchandises, il y a nécessairement équilibre pour la troisième. Puisque la marchandise C n'est demandée que contre des marchandises A ou B, si la demande est égale à l'offre pour celles-ci, elle ne peut qu'être égale à l'offre pour la marchandise C. Cette constatation, désormais connue sous le nom de *loi de Walras,* implique que s'il y a équilibre sur $m - 1$ marchés, l'équilibre est automatiquement réalisé sur le *m*ième. Pour revenir à l'exemple d'une économie à trois marchandises, ce sont deux équations d'échange, et non trois, qui sont nécessaires pour rendre compte de l'égalité entre l'offre et la demande pour chaque marchandise. D'une manière générale, dans une économie à *m* marchandises, il y a $m - 1$ équations d'échange.

Il ne faut toutefois pas retenir seulement les équations de demande et les équations d'échange pour aboutir à l'équilibre général. En effet, nous dit Walras, il ne suffit pas de considérer le prix des marchandises prises deux à deux. « *L'équilibre* parfait *ou général du marché n'a lieu que si le prix de deux marchandises quelconques l'une en l'autre est égal au rapport des prix de l'une et l'autre en une troisième quelconque.* » (*Éléments,* 11e leçon.) Autrement dit, il ne suffit pas qu'un rapport de prix soit fixé entre A et B et qu'un rapport de prix soit fixé entre B et C. Encore faut-il que ces rapports de prix soient compatibles avec celui qui lie A et C. Pour cela, il suffit que le prix de chaque marchandise exprimé en une autre marchandise soit compatible avec le prix de chacune de ces deux marchandises exprimé en une marchandise de référence qui constitue le *numéraire*. Par exemple, si la marchandise A sert de numéraire, le prix de la marchandise B exprimé en marchandise C ($p_{b,c}$) doit être égal au prix de B en A ($p_{b,a}$) rapporté au prix de la marchandise C en A ($p_{c,a}$).

Il faut donc ajouter aux équations de demande et aux équations d'échange les équations dites d'équilibre général, lesquelles s'écrivent sous la forme $p_{b,c} = p_{b,a} / p_{c,a}$. Pour m marchandises, il y a $(m - 1)(m - 1)$ équations de demande à considérer. Il s'agit en effet de déterminer le prix de chaque marchandise exprimé en toute autre marchandise que le numéraire. Il est en outre inutile de poser une équation relative au prix de chaque marchandise en elle-même puisque ce prix est égal à l'unité.

L'addition des $m (m - 1)$ équations de demande, des $m - 1$ équations d'échange et des $(m - 1)(m - 1)$ équations d'équilibre général donne un total de $2m (m - 1)$ équations. Qu'en est-il des inconnues ? Pour m marchandises échangées deux à deux, il y a $m (m - 1)$ prix et $m (m - 1)$ quantités totales échangées, puisqu'une marchandise n'est pas échangée contre elle-même, soit un total de $2m (m - 1)$ inconnues. Le nombre d'inconnues est ainsi égal au nombre d'équations et le système peut admettre une solution.

Comme dans le cas de l'échange de deux marchandises, l'échange des m marchandises au prix d'équilibre permet de maximiser la satisfaction de ceux qui y participent. Le rapport des raretés de deux marchandises est là encore égal au prix de l'une en l'autre, sinon il resterait des possibilités d'échanges augmentant la satisfaction des individus. Et les mouvements de prix assurent là aussi la réalisation de l'équilibre : *« Plusieurs marchandises étant données, dont l'échange se fait avec intervention de numéraire, pour qu'il y ait équilibre du marché à leur égard, ou prix stationnaire de toutes ces marchandises en numéraire, il faut et il suffit qu'à ces prix la demande effective de chaque marchandise soit égale à son offre effective. Lorsque cette égalité n'existe pas, il faut, pour arriver aux prix d'équilibre, une hausse du prix des marchandises dont la demande effective est supérieure à l'offre effective et une baisse du prix de celles dont l'offre effective est supérieure à la demande effective. »* (*Éléments,* 12e leçon.)

L'équilibre étant ainsi préservé dans une économie où m marchandises sont à échanger, il reste à montrer que l'équilibre général est applicable à une économie dans laquelle ces marchandises sont produites par une combinaison de services producteurs.

• L'extension du modèle

De la théorie de l'échange à la théorie de la production

« La résolution du problème de l'échange nous a conduits à la formule scientifique de la *loi de l'offre et de la demande.* La résolution du problème de la production nous conduira à la formule scientifique de la *loi des frais de production* ou *du prix de revient.* » (*Éléments,* 17e leçon.) Pour cela, Walras doit s'arrêter sur la composition de la richesse sociale. Reprenant une distinction opérée par son père, il divise cette richesse sociale en *capitaux* et en *revenus.* Les premiers ont la particularité de servir plus d'une fois et de ne consommer qu'à la longue. Ils comprennent les terres, les facultés personnelles et les capitaux proprement dits. Les seconds ne servent au contraire qu'une fois. Ils comprennent d'abord les objets de consommation et les matières premières. En outre, certains revenus, appelés *services,* consistent dans l'usage même de capitaux. Ce sont, lorsqu'ils ont une utilité directe, des *services consommables,* qui s'ajoutent aux objets de consommation, ou, lorsqu'ils ont une utilité indirecte, des *services producteurs,* qui se réunissent aux matières premières.

De même que la théorie de l'échange permet de déterminer le prix des objets de consommation et des services consommables, il revient à la théorie de la production de déterminer le prix des matières premières et des services producteurs. Deux marchés sont à distinguer. L'un est le marché des services. Les offreurs y sont les propriétaires fonciers, dont les terres fournissent des *services fonciers* ou *rentes*, les travailleurs, qui fournissent des *services personnels* ou *travaux,* et les capitalistes, qui fournissent des *services mobiliers* ou *profits.* Ces mêmes agents sont demandeurs de services consommables tandis que les services producteurs sont demandés par les entrepreneurs. L'autre marché est le marché des produits. Les offreurs y sont les entrepreneurs. Ces entrepreneurs sont aussi demandeurs de matières premières tandis que les propriétaires fonciers, travailleurs et capitalistes sont demandeurs d'objets de consommation.

Les deux marchés sont liés. Sur le premier, propriétaires fonciers, travailleurs et capitalistes reçoivent respectivement, pour les services producteurs rendus, des *fermages,* des *salaires* et des *intérêts* versés par les entrepreneurs. Et c'est avec ce qu'ils reçoivent des entrepreneurs sur ce marché qu'ils peuvent, sur l'autre marché, acheter les produits des entrepreneurs, leur permettant ainsi d'acquérir les services producteurs sur le premier marché. On voit dès lors que l'équilibre ne peut pas être réalisé sur un marché indépendamment de ce qui se passe sur l'autre marché. « L'état d'équilibre de la production, contenant implicitement l'état d'équilibre de l'échange, est à présent facile à définir. C'est celui, d'abord, où l'offre et la demande effective des services producteurs sont égales, et où il y a prix courant stationnaire, sur le marché de ces services. C'est celui, ensuite, où l'offre et la demande effectives de produits sont égales, et où il y a prix courant stationnaire, sur le marché des produits. C'est celui, enfin, où le prix de vente des produits est égal à leur prix de revient en services producteurs. Les deux premières conditions se rapportent à l'équilibre de l'échange ; la troisième est relative à l'équilibre de la production. » (*Éléments,* 18e leçon.)

Il s'agit pour Walras de montrer que cet équilibre peut être atteint. Il pose pour cela quatre systèmes d'équations. Le premier comporte *n* équations d'offre totale de services. Le deuxième regroupe les *m* équations de demande totale des produits. Utilisant des coefficients de fabrication qui indiquent la quantité de chaque service producteur entrant dans la fabrication de chaque produit, Walras construit deux autres systèmes d'équations. L'un, qui exprime que les quantités de services producteurs employées sont égales aux quantités offertes, contient *n* équations. L'autre, rendant compte de l'égalité entre les prix de vente des produits et leurs prix de revient en services producteurs, contient *m* équations. Walras montre que la combinaison des deux derniers systèmes permet de faire l'économie d'une équation, ce qui en ramène le nombre de $2m + 2n$ à $2m + 2n - 1$. Or c'est justement le nombre des inconnues, constituées par les *n* quantités totales offertes de services, les *n* prix de ces services, les *m* quantités totales demandées de produits et les $m - 1$ prix de $m - 1$ de ces produits exprimés dans le *m*ième.

L'équilibre général peut alors être réalisé. Il faut pour cela que la demande effective de chaque produit et de chaque service soit égale à son offre effective, et que le prix de vente des produits soit égal à leur prix de revient en services : « *Lorsque cette double égalité n'existe pas, il faut, pour arriver à la première, une hausse du prix des services ou des produits dont la demande effective est supérieure à l'offre effective, et une baisse du prix de ceux dont l'offre effective est supérieure à la demande effective ; et, pour arriver à la seconde, une augmentation dans la quantité des produits dont le prix de vente est supérieur au prix de revient, et une diminution dans la quantité de ceux dont le prix de revient est supérieur au prix de vente.* » (*Éléments*, 21e leçon.)

Théories de la capitalisation et de la circulation

L'équilibre général étant construit, il reste à le parachever. Déterminer le prix des services rendus par les capitaux ne suffit pas. Il faut aussi déterminer le prix de ces capitaux.

De même qu'il existe un marché des services et un marché des produits, il existe aussi un marché des capitaux. Les propriétaires fonciers, travailleurs et capitalistes, au lieu de demander des services consommables et des objets de consommation pour la valeur totale des services qu'ils offrent, peuvent épargner, c'est-à-dire demander des capitaux neufs pour une partie de cette valeur. Et les entrepreneurs, au lieu de ne produire que des matières premières et des objets de consommation, produisent aussi des capitaux neufs. Si ces capitaux neufs sont demandés, c'est en raison du fermage, du salaire et de l'intérêt qu'ils procurent. Le prix de ces capitaux dépend donc du prix des services qu'ils rendent. Le prix du service rendu par un capital rapporté au prix de ce capital donne, si l'on ne tient pas compte des dépenses d'amortissement ou d'assurance, le taux du revenu net. Le prix d'un capital correspond donc au prix du service qu'il rend rapporté à ce taux.

La hausse ou la baisse du taux du revenu net, en rendant l'acquisition de capitaux plus ou moins attractive, assure la détermination de l'équilibre. En reprenant une démarche comparable à celle suivie pour les deux premiers marchés, Walras aboutit à la loi établissant le taux du revenu net, et conduisant par là même à l'équilibre sur le marché des capitaux : « *Il suffit : 1° qu'aux prix de vente déterminés par le rapport des revenus nets au taux commun du revenu net, la demande et l'offre effective de ces capitaux neufs en numéraire soient égales, et 2° que les prix de vente et de revient de ces capitaux neufs soient égaux. Lorsque cette double égalité n'existe pas, il faut, pour arriver à la première, une hausse des prix de vente par baisse du taux du revenu net si la demande effective est supérieure à l'offre effective et une baisse des prix de vente par hausse du taux du revenu net si l'offre effective est supérieure à la demande effective, et pour arriver à la seconde, une augmentation dans la quantité des capitaux neufs dont le prix de vente excède le prix de revient et une diminution dans la quantité de ceux dont le prix de revient excède le prix de vente.* » (*Éléments,* 25e leçon.) Comme sur les marchés précédents, l'équilibre correspond à la situation qui procure la satisfaction maximale aux demandeurs et aux offreurs de capitaux.

Jusque-là, la monnaie est la grande absente de l'équilibre général. Les prix sont estimés en numéraire mais il n'y a pas de monnaie servant d'intermédiaire dans les échanges. Walras comble cette lacune avec sa théorie de la circulation en reconnaissant la nécessité, pour les consommateurs comme pour les producteurs, de détenir de la monnaie. En tant qu'élément de la richesse sociale, la monnaie a un statut quelque peu ambigu puisque, du point de vue de la société, le fait qu'elle serve plus d'une fois à faire des paiements la fait entrer dans la définition du capital, alors que du point de vue d'un individu, comme elle ne sert qu'une fois pour les paiements, elle est un revenu. L'introduction de la monnaie ne bouleverse toutefois pas l'équilibre général. Elle rend un service dont le prix s'établit par hausse ou par baisse, selon que l'*encaisse désirée*, définie comme la quantité de monnaie que les individus veulent détenir pour se procurer des produits ou des services, est supérieure ou inférieure à la quantité de monnaie. Quant à l'attribution du rôle de monnaie à une marchandise, il réduit certes la quantité de cette marchandise qui continue à être utilisée comme telle, mais il en élève le prix.

L'équilibre général est achevé. Walras prend la précaution, en le construisant, de rappeler que « c'est un état idéal et non réel » (*Éléments,* 18e leçon). En pratique, des tâtonnements successifs ne conduisent pas à égaliser complètement les offres et les demandes, pas plus que les prix de vente ne correspondent exactement aux prix de revient. L'équilibre général est toutefois « l'état normal en ce sens que c'est celui vers lequel les choses tendent d'elles-mêmes sous le régime de la libre concurrence ».

V. Postérité et influence

Si l'on reprend la distinction établie par Walras entre économie pure, économie appliquée et économie sociale, force est de reconnaître que les travaux qu'il a consacrés aux deux dernières ne lui ont guère valu la reconnaissance des économistes alors que ses recherches en économie pure lui ont assuré une célébrité certes tardive mais incontestable.

• L'insuccès des écrits sur l'économie appliquée et l'économie sociale

L'économie pure livre un enseignement. « La liberté procure, dans certaines limites, le maximum d'utilité ; donc les causes qui la troublent sont un empêchement à ce maximum et, quelles qu'elles puissent être, il faut les supprimer le plus possible. » (*Éléments*, 22e leçon.) Une telle affirmation ne doit pas pour autant conduire à faire passer Walras pour un libéral opposé à toute intervention de l'État. Il se proclame au contraire socialiste à plusieurs reprises et prône une intervention de l'État dans l'activité économique.

La concurrence peut fonctionner pour la production de biens destinés à satisfaire les besoins privés des individus. Elle n'est en revanche pas possible pour la production de services publics que seul l'État serait en mesure d'acheter. Un producteur qui ne réussirait pas à vendre à l'État ne vendrait à personne et la production considérée, bien que répondant à un besoin, risque de ne pas être réalisée. C'est pourquoi « l'État doit entreprendre la production des services ou produits d'intérêt public que l'initiative individuelle ne produit pas » (« L'économie appliquée et la défense des salaires », *Études d'économie politique appliquée*). Certaines productions, comme celle des chemins de fer, ont en outre un caractère de monopole qui doit les conduire à être effectuées par l'État.

L'existence même de l'État pose le problème de son financement. En pratique, ce financement est généralement assuré par l'impôt, mais Walras conteste cette solution qui revient à priver les individus d'un revenu qui leur est dû. Il propose une autre solution : le rachat des terres par l'État. Une telle mesure répond à un impératif de justice puisque, à travers l'État, c'est chaque personne et non les seuls propriétaires fonciers qui peut bénéficier des ressources fournies par la nature. Elle permet aussi de financer les dépenses publiques grâce aux revenus procurés par la rente des terres car « l'État propriétaire des terres les afferme à des entrepreneurs de culture et consacre le montant des fermages aux services publics qui seront gratuits » (« Théorie de la propriété », *Études d'économie sociale*). Cette solution préconisée par Walras ne sera pas mise en application et perd de sa pertinence dans les économies où la rente pourrait de moins en moins financer l'intégralité des dépenses publiques.

Il est un autre domaine où Walras prétend faire jouer un rôle important à l'État mais ne voit pas ses idées mises en pratique : la stabilisation de la valeur de la monnaie. Les fluctuations de la valeur de la monnaie perturbent en effet l'activité économique et Walras entend rechercher la stabilité monétaire en confiant un rôle de régulation à l'État. Il propose un système de monnaie d'or avec billon d'argent régulateur. Dans ce système, l'État injecte des pièces d'argent dans la circulation monétaire lorsque la monnaie se valorise, ce que traduit la baisse des prix. Le supplément de monnaie en réduit la valeur et les prix peuvent se stabiliser. Inversement, en cas de hausse des prix due à un excès de monnaie en circulation, l'État procède à un retrait de pièces d'argent. Ce système est certes loin d'être dénué d'intérêt. Walras se montre notamment précurseur en prévoyant l'utilisation d'un indice de prix pour guider la politique monétaire. Mais, là encore, le système proposé ne sera pas mis en place et il perd sa raison d'être dans des économies où les échanges ne sont plus assurés par l'intermédiaire d'une monnaie métallique.

Si des propositions auxquelles Walras était attaché sont largement tombées dans l'oubli, il n'en va pas de même des développements qu'il consacre à l'économie pure.

• Le succès tardif mais incontestable du théoricien de l'économie pure

Confronté aux réserves de la plupart de ses contemporains à l'encontre de la nouvelle approche de l'économie politique qu'il veut imposer, Walras compte sur les générations suivantes pour voir son œuvre reconnue. La lenteur de la diffusion de ses idées tient à la rupture que constitue sa démarche par rapport à l'approche alors dominante de l'économie politique, ce qui lui vaut l'incompréhension des économistes de son époque. Elle s'explique aussi sans doute par le fait que les *Éléments* ne sont pas traduits en anglais avant 1930. Walras s'en accommode en considérant que le public à qui est destiné l'ouvrage lit le français et que les formules mathématiques représentent un langage international. Cette lacune aura toutefois pour effet d'éclipser provisoirement Walras au profit d'Alfred Marshall dans le renouveau de l'économie politique.

Walras contribue néanmoins à assurer la pérennité de ses travaux en contribuant à la nomination de Vilfredo Pareto pour lui succéder à la chaire de Lausanne. Traduit en italien dès 1878, l'auteur des *Éléments* semble alors plus apprécié de l'autre côté des Alpes qu'en France. Pareto adhère notamment à l'introduction de l'outil mathématique en économie et perçoit tout l'intérêt du concept d'équilibre général. Il prolonge les travaux de Walras, contribuant ainsi à la constitution d'une véritable école de Lausanne. Recourant à la technique des courbes d'indifférence mise au point par Francis Edgeworth, il montre que l'explication des choix économiques des individus ne nécessite pas une mesure de l'utilité mais seulement un classement des préférences. Cette conception d'une utilité dite ordinale sera reprise en 1934 par John Hicks et R. G. D. Allen pour construire la théorie moderne de l'équilibre du consommateur. Pareto montre en outre que l'équilibre de l'échange correspond à ce qu'il appelle un *maximum d'ophélimité*. Ce concept, aujourd'hui connu sous l'appellation d'optimum de Pareto, rend compte d'une situation où il n'est plus possible d'améliorer la satisfaction d'un individu sans réduire celle d'un autre.

Avec l'équilibre général, Walras a en fait ouvert un chantier sur lequel ne manquent pas de revenir les économistes mathématiciens. Il laisse en effet plusieurs problèmes non résolus. Tout d'abord, il ne suffit pas que le nombre d'équations corresponde au nombre d'inconnues pour que le système ait une solution. Ensuite, si une solution existe, il faut savoir si elle est unique. Cette solution doit en outre avoir une signification économique. Ainsi, une solution qui ferait apparaître des prix négatifs ne serait guère satisfaisante. Enfin, l'équilibre doit être stable : lorsqu'un choc éloigne l'économie d'une situation d'équilibre, des forces permettent-elles de revenir à l'équilibre ?

Ces interrogations ont conduit les économistes à revenir sur l'existence de l'équilibre général et sur ses caractéristiques. En 1939, dans *Valeur et capital,* Hicks donne une nouvelle impulsion à l'analyse de l'équilibre général. La question de la stabilité, déjà étudiée par Hicks, est reprise par Paul Samuelson puis par Kenneth Arrow. Ce dernier, dans un article qu'il publie en 1954 avec Gérard Debreu, démontre en outre, à l'aide des techniques mathématiques modernes, l'existence d'un équilibre général. Dans sa thèse qu'il publie en 1959 sous le titre *Théorie de la valeur,* Debreu, qui établit une démonstration rigoureuse de l'existence de l'équilibre général, montre que celui-ci est un optimum et qu'à tout optimum correspond à un équilibre général. Maurice Allais, qui reproche à son ancien disciple Debreu de privilégier le formalisme mathématique au détriment du réalisme, renonce à l'hypothèse de prix uniques. Il envisage que des échanges aient lieu, avec des prix spécifiques à chaque échange, avant que l'équilibre général soit atteint, si chaque participant y trouve avantage. Il y a alors équilibre quand il n'existe plus aucune possibilité d'échanges avantageux.

L'analyse en termes d'équilibre général a connu bien d'autres développements, qu'il s'agisse des travaux de John von Neumann montrant l'existence d'un sentier de croissance équilibré ou de ceux de Wassily Leontief sur l'élaboration de tableaux d'échanges interindustriels. Mais l'apport de Walras va bien au-delà des recherches fondées sur l'équilibre général. Le principe d'une approche scientifique de l'économie s'est imposé et les mathématiques sont devenues, comme le préconisait Walras, un outil indispensable pour les économistes.

• Éléments de bibliographie

Œuvres d'Auguste et Léon Walras

Les *Œuvres économiques complètes* d'Auguste et Léon Walras sont publiées sous les auspices du Centre Walras de Lyon par Economica. Elles comprennent quatorze volumes, publiés à partir de 1987, qui rassemblent les écrits de Léon Walras dans les volumes V à XIII :

I. *Richesse, liberté et société.*
II. *La Vérité sociale.*
III. *Cours et pièces diverses.*
IV. *Correspondance.*

V. *L'Économie politique et la justice.*
VI. *Les Associations populaires coopératives.*
VII. *Mélanges d'économie politique et sociale.*
VIII. *Éléments d'économie politique pure ou théorie de la richesse sociale.*
IX. *Études d'économie sociale : théorie de la répartition de la richesse sociale.*
X. *Études d'économie politique appliquée : théorie de la production de la richesse sociale.*
XI. *Théorie mathématique de la richesse sociale (et autres écrits mathématiques et d'économie pure).*
XII. *Cours d'économie sociale et d'économie politique appliquée.*
XIII. *Œuvres diverses.*
XIV. *Tables et index.*

Ouvrages sur Léon Walras

Boson Marcel, *Léon Walras, fondateur de la politique économique scientifique,* Rennes, Imprimeries réunies, 1950.

Cunningham Wood John (éd.), *Léon Walras. Critical Assessments,* Routledge, 3 vol. 1993.

Dumez Hervé, *L'Économiste, la science et le pouvoir : le cas Walras,* PUF, 1985.

Économies et sociétés, n° 20-21, octobre-novembre 1994.

Rouge-Pullon Cyrille, *Introduction à l'œuvre de Walras,* Ellipses (coll. « Les économiques »), 1996.

Wolff Jacques, *Les Grandes Œuvres économiques,* t. 3, *Walras et Pareto,* Cujas, 1981.

Alfred MARSHALL

I. L'homme dans son temps

Alfred Marshall naît le 26 juillet 1842 à Bermondsey, une banlieue ouvrière de Londres, dans une famille appartenant à la classe moyenne. Sous l'influence de son père, un employé de banque au caractère austère et rigoureux, il reçoit une éducation très stricte et placée sous le signe du travail et des études. Il en gardera d'ailleurs toute sa vie des traces puisque ses proches le décrivent comme quelqu'un au caractère marqué par la rigueur, l'exigence et l'ascétisme. Comme Thomas Robert Malthus, mais aussi comme John Stuart Mill, un autre économiste classique, il est d'abord préparé à une carrière ecclésiastique. Mais Marshall est beaucoup plus attiré par les mathématiques que par l'étude des textes religieux et, contre la volonté paternelle, il refuse de devenir pasteur. Grâce à l'aide financière d'un de ses oncles, il réussit à s'inscrire au St-John's College de Cambridge, pour y étudier les mathématiques. Il y réussit très bien. Ce n'est que tardivement, à l'âge de 25 ans, qu'il commence à apprendre l'économie.

Deux faits expliquent l'intérêt nouveau qu'il porte, après les mathématiques, aux questions économiques et sociales. Tout d'abord, il se préoccupe de la pauvreté qu'il observe dans son quartier de naissance en particulier et dans la société anglaise en général. L'époque victorienne est, certes, celle du « capitalisme triomphant » qui voit l'Angleterre être un empire mondial, une grande puissance économique et industrielle, mais c'est aussi celle d'une société inégale avec des poches de pauvreté et une classe ouvrière aux conditions de vie difficiles. La conjonction de ces deux facettes explique, d'une part que Marshall accorde sa confiance au système capitaliste libéral, et d'autre part qu'il critique ce système qui ne parvient pas à améliorer la situation des plus défavorisés. Il rentre en 1867, l'année même où il commence ses travaux en économie, au *Grote Club,* un club d'intellectuels dans lequel il discute des problèmes sociaux et dans lequel il découvre les idées socialistes. L'autre fait important, qui selon John Maynard Keynes explique sa prise de conscience des phénomènes économiques et sociaux, est son voyage aux États-Unis en 1875. Il en revient impressionné par les résultats économiques du libéralisme économique, mais aussi toujours préoccupé par les conditions de travail et de vie des classes laborieuses, par ce qu'il appelle les « souffrances sociales ». Ce séjour américain le conforte dans son idée que l'étude de l'économie doit permettre de trouver des solutions pour faire progresser le sort des plus défavorisés. Pour lui, l'économie n'est pas une science pure coupée des réalités, elle doit contribuer à résoudre les problèmes de ses contemporains. Sa conception est donc très humaniste et instrumentale. L'homme doit être au centre de l'économie et l'économiste a pour rôle social de contribuer à définir les moyens d'augmenter, de répartir au mieux les ressources.

Pour atteindre cet objectif, l'économiste doit utiliser une méthode rigoureuse et des outils mathématiques. Le contexte intellectuel de son époque, marqué entre autres par la publication de l'*Origine des espèces* de Charles Darwin et les travaux d'Herbert Spencer, n'est pas étranger à cette recherche d'une méthode scientifique. Leurs concepts de « lutte pour l'existence » (Darwin) ou de « lutte-concours entre les individus » (Spencer) l'inspirent et contribuent à son idée que l'économie est vivante, dynamique et fluctuante. Marshall compare ainsi souvent l'économie à la biologie – Cambridge, l'université dans laquelle il fait ses études, est un centre réputé de recherche en biologie. Dans l'un de ses textes, il montre quels emprunts l'économiste peut faire aux travaux des biologistes : « Les économistes ont à leur tour profité des nombreuses et profondes analogies qui ont été découvertes entre l'organisation sociale, et particulièrement l'organisation industrielle, d'une part, et l'organisation physique des animaux supérieurs d'autre part. [...] Cette unité centrale est exprimée par la règle générale, qui ne souffre pas beaucoup d'exceptions, selon laquelle le développement d'un organisme, social ou physique, entraîne une subdivision croissante des fonctions entre ses parties distinctes, et d'autre part une relation plus étroite entre elles. Chaque partie en vient à pouvoir de moins en moins se suffire à elle-même, à dépendre de plus en plus des autres parties pour son bien-être [...]. Ce progrès dans la subdivision des fonctions, ou "différenciation", comme on l'appelle, se manifeste, en ce qui touche l'industrie, sous la forme de la division du travail, et sous celle des progrès de la spécialisation, des connaissances et du machinisme. » (*Principes d'économie politique,* livre 4, chapitre 8.) Ainsi, la biologie aide l'économiste à étudier la division du travail.

Au total donc, la personnalité de Marshall explique deux caractéristiques majeures de son œuvre économique : de par son éducation religieuse, il a une vision de l'économie au service de l'homme ; de par ses goûts pour les mathématiques et les sciences, il développe les premières formalisations.

Il épouse en 1877 Mary Paley, une étudiante de Cambridge, qui sera pour lui une véritable collaboratrice. Ils écrivent ainsi ensemble en 1879 *The Economics of Industry,* qui est sa première publication. Sa carrière universitaire est très brillante. Il est d'abord professeur d'économie politique au collège universitaire de Bristol, puis à Oxford, et enfin, à partir de 1884, à Cambridge, là où il était étudiant. Il prend sa retraite en 1908. C'est Arthur Cecil Pigou, un autre grand économiste, qui lui succède. Il décède quelques jours avant de fêter ses 82 ans le 13 juillet 1924.

II. L'école de Cambridge

Marshall constitue autour de lui une véritable école au sens où ses membres, c'est-à-dire ses collègues et beaucoup de ses anciens étudiants, sont unis par l'usage de raisonnements identiques. Alors que les économistes de l'école de Vienne, comme Carl Menger (1840-1921) ou Eugen von Böhm-Bawerk (1851-1914), travaillent essentiellement sur l'utilité marginale, alors que les économistes de l'école de Lausanne réunis autour de Léon Walras décrivent l'équilibre général, les économistes de l'école de Cambridge ont en commun de raisonner en termes d'équilibre partiel, de firmes représentatives et de reformuler la théorie quantitative de la monnaie.

• La méthode d'analyse

Nous savons que Walras a théorisé l'équilibre sur tous les marchés considérés ainsi comme interdépendants. Marshall, lui, adopte une perspective beaucoup plus modeste car il se contente d'analyser des équilibres partiels. Il ne s'intéresse pas à l'ensemble des marchés, mais à un seul. En outre, il fait abstraction de l'environnement de ce marché. Pour cela, il suppose la constance de cet environnement et utilise la clause « toutes choses étant égales par ailleurs » ou « ceteris paribus ». Il utilise aussi dans son raisonnement la notion de firmes représentatives. Ce sont des entreprises de dimension moyenne, n'ayant pas une importance suffisante pour que leur activité puisse influencer les principaux agrégats économiques, c'est-à-dire les prix, la production ou la demande des facteurs. Pour comprendre comment fonctionne une entreprise, il l'étudie en tant que telle et en faisant abstraction de tout ce qui l'entoure : « nous n'avons pas besoin de tenir compte au moins de la grande majorité des effets et contre-effets que, par exemple, la plus petite modification des conditions de la production d'épingles exerce en principe sur le revenu national, et à travers lui sur la demande d'essence » écrit Joseph Alois Schumpeter dans son *Histoire de l'analyse économique* quand il décrit la méthode marshallienne de l'analyse partielle.

Par sa méthode de l'isolement de marchés et de firmes indépendants du reste de l'économie, Marshall peut ignorer les interdépendances et privilégier l'étude de la « biologie économique ». Ainsi, pour comprendre comment fonctionne l'économie complexe, il « dissèque » le mode de fonctionnement d'un système simplifié.

• Le rôle des mathématiques dans l'analyse économique

Marshall formalise son raisonnement. Ses ouvrages contiennent des appendices mathématiques et il utilise de nombreux graphiques. Mais il ne faut pas se méprendre sur la signification de l'usage des mathématiques dans ses œuvres. Son but n'est pas de fonder une économie mathématique. Il écrit ainsi dans la préface des *Principes d'économie politique* que « le principal emploi des mathématiques pures, dans les questions économiques, paraît être d'aider à transcrire rapidement, brièvement, exactement nos pensées pour notre propre usage, de nous assurer que les conclusions tiennent à des relations suffisamment nombreuses, sans plus, c'est-à-dire que le nombre d'équations est le même que celui des inconnues ». Les mathématiques ne sont donc qu'un moyen d'écriture rapide, d'exposé rapide des problèmes économiques et non pas un moyen de recherche en tant que tel. C'est pourquoi, dans ce livre, les points de mathématiques ne sont cités que dans les notes de bas de page et en appendices. C'est la même chose pour l'emploi des graphiques et la résolution graphique de problèmes économiques. Marshall est le fondateur de l'illustration du raisonnement économique par des graphiques, en particulier pour l'analyse de l'équilibre des marchés. Mais il insiste bien sur le fait que ces graphiques ne doivent en aucun cas être pris pour des démonstrations, mais pour de simples représentations ayant pour but de clarifier l'exposé du raisonnement. Ils ne sont que les instruments d'une méthode pédagogique.

- **L'école de Cambridge dans l'histoire de la pensée économique**

Sur de nombreux points, les analyses des économistes de l'école de Cambridge peuvent apparaître comme étant des compromis entre les classiques et les néoclassiques. Ainsi, sur la question de la valeur, ils considèrent que les marginalistes ont raison en courte période et que les classiques ont raison en longue période. En effet, en courte période, l'offre est relativement constante et c'est la demande et l'utilité qui sont déterminantes. Mais, plus augmente la période sur laquelle l'analyse est menée, plus l'influence exercée par le coût de production, donc par la quantité de travail incorporée dans les marchandises, sur la valeur est importante. « L'utilité détermine la quantité qui doit être offerte, la quantité qui doit être offerte détermine le coût de production, le coût de production détermine la valeur » écrit Marshall. Keynes considère que l'analyse marshallienne de l'épargne est aussi dans la continuité des classiques. Comme eux, il considère que l'épargne n'est qu'une forme de dépense du revenu et qu'elle est systématiquement investie. Marshall explique que l'épargne est une dépense qui n'a pas pour but de procurer une satisfaction immédiate, mais qui est consacrée à acheter des biens dont on espère tirer des revenus ultérieurs. Enfin, il fait référence aussi bien à des classiques, Adam Smith, David Ricardo, Mill qu'à des néoclassiques, Augustin Cournot, Heinrich von Thünen, William Stanley Jevons, Jules Dupuit.

Pourtant Marshall a toujours nié avoir voulu réconcilier ces deux écoles de pensée. En fait, s'il a subi des influences à la fois des classiques et des néoclassiques, on peut considérer avec Schumpeter qu'il a fait une œuvre créatrice, originale par rapport à ses prédécesseurs.

III. L'équilibre partiel

Marshall mène son étude de l'équilibre du marché dans le cadre de la libre concurrence. Les acheteurs font librement concurrence aux autres acheteurs et les vendeurs font concurrence aux autres vendeurs présents. Il n'y a pas de coalition, chaque agent agit pour son propre compte.

Sa représentation de l'équilibre du marché diffère des graphiques qui sont couramment utilisés par les économistes et qui placent les prix en abscisses et les quantités en ordonnées. Marshall permute les axes et ses courbes de demande et d'offre représentent l'évolution des prix de demande et des prix d'offre en fonction des quantités.

• La demande

Marshall introduit sa théorie de la demande sur un marché quelconque par l'exemple, devenu célèbre, du cueilleur de mûres. « Lorsque, par exemple, une personne cueille des mûres pour les manger, l'action de cueillir lui procure probablement un certain plaisir pendant un moment ; et pendant quelque temps encore, le plaisir de manger est plus que suffisant pour compenser la peine qu'elle prend à cueillir ces mûres. Mais après qu'elle en a mangé une certaine quantité, le désir d'en cueillir davantage diminue tandis que le travail de la cueillette commence à occasionner une fatigue [...]. Lorsque, enfin, le désir de se recréer et son éloignement pour le travail de cueillir des mûres contrebalancent le désir de manger, l'équilibre est atteint. La satisfaction que cette personne peut retirer de la cueillette est arrivée à son maximum : jusqu'à ce moment, en effet, chaque nouveau fruit cueilli a plus ajouté à son plaisir qu'il ne lui a ôté ; mais à partir de ce moment tout nouveau fruit cueilli a, au contraire, plus diminué son plaisir qu'il ne l'a augmenté. » (*Principes d'économie politique,* livre 5, chapitre 2.)

Le mobile de la consommation est l'utilité, le plaisir que ressent le consommateur. Tant que la consommation d'une unité supplémentaire augmente sa satisfaction, un individu consomme des quantités croissantes. En revanche, la consommation s'arrête quand la consommation de quantités croissantes d'une marchandise fait baisser l'utilité ressentie par le consommateur. En effet, l'utilité marginale est décroissante avec la quantité. Ce premier résultat étant obtenu, Marshall utilise la notion de prix de demande. C'est pour chaque bien le prix maximum qu'un consommateur est prêt à payer pour obtenir une quantité donnée de ce bien. Il correspond donc à l'utilité marginale d'une quantité. C'est pourquoi, « le prix de demande pour chaque unité diminue au fur et à mesure qu'augmente la quantité demandée ». Le prix de demande est une fonction décroissante des quantités demandées sur le marché (voir le graphique p. 200).

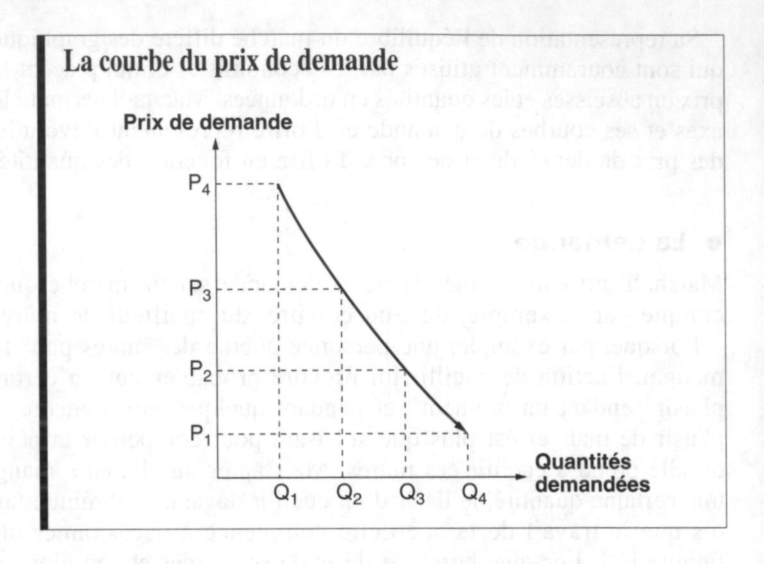

La courbe du prix de demande

• L'offre

La production d'un bien nécessite d'utiliser quatre agents ou facteurs de production : l'homme, la nature, le capital, l'organisation. Plus la quantité à produire est importante et plus le producteur doit utiliser des quantités importantes de ces facteurs. Marshall appelle prix d'offre le prix à payer pour que les producteurs d'une marchandise consentent à supporter les frais nécessaires pour produire une quantité donnée de cette marchandise. Les dépenses engagées pour payer les facteurs de production formant le prix d'offre de cette quantité de la marchandise, il est évident que le prix d'offre total est une fonction croissante des quantités produites. Mais qu'en est-il du prix d'offre unitaire ? Comme il le fait pour la demande, Marshall raisonne en marginaliste et considère que le prix auquel est offerte une quantité donnée est déterminé par le coût de la dernière unité produite. Le prix d'offre d'une certaine quantité de marchandises est donc le prix marginal de cette quantité. Or, il fait l'hypothèse qu'à très court terme, c'est-à-dire au moment même où les quantités sont offertes sur le marché, le coût marginal augmente avec les quantités. C'est pourquoi le prix d'offre pour chaque unité augmente au fur et à mesure qu'augmente la quantité offerte. Le prix d'offre est une fonction croissante des quantités offertes sur le marché (voir le graphique p. 201).

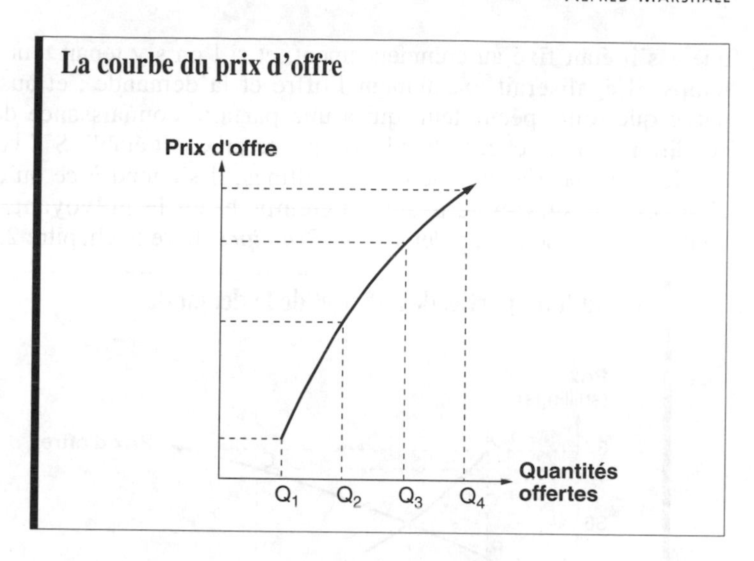

• La réalisation de l'équilibre partiel et temporaire de l'offre et de la demande

Pour expliquer comment se réalise l'équilibre partiel, Marshall cite un autre exemple célèbre, celui du marché à blé d'une ville de province sur lequel existent un prix d'offre et un prix de demande pour chaque quantité, d'après le tableau suivant :

Prix	Offre	Demande
37 shillings	1 000 quarters	600 quarters
36 shillings	700 quarters	700 quarters
35 shillings	500 quarters	900 quarters

Si le prix est de 37 shillings par quarter, les offreurs sont prêts à vendre 1 000 quarters de blé alors que les acheteurs, trouvant le prix trop élevé, ne peuvent en acheter que 600. Seulement 600 quarters seraient donc vendus à ce prix. Si le prix est de 35 shillings par quarter, les offreurs ne sont prêts à vendre que 500 quarters de blé car ils trouvent le prix trop bas alors que les acheteurs, eux, peuvent en acheter 900. Seulement 500 quarters seraient donc vendus à ce prix. Enfin, si le prix est de 36 shillings, la quantité mise en vente, 700 quarters, est égale à la quantité qui peut trouver preneur à ce prix. Ce prix est appelé par Marshall « prix d'équilibre » parce que « s'il était fixé au commencement, et si l'on s'y tenait tout le temps, il égaliserait exactement l'offre et la demande ; et aussi parce que tout spéculateur, qui a une parfaite connaissance des conditions du marché, s'attend à ce que ce prix soit établi. S'il voit que le prix est très éloigné de 36 shillings, il s'attend à ce qu'un changement survienne avant longtemps et en le prévoyant, il contribue à l'amener rapidement. » (*Principes,* livre 5, chapitre 2.)

L'équilibre partiel de l'offre et de la demande

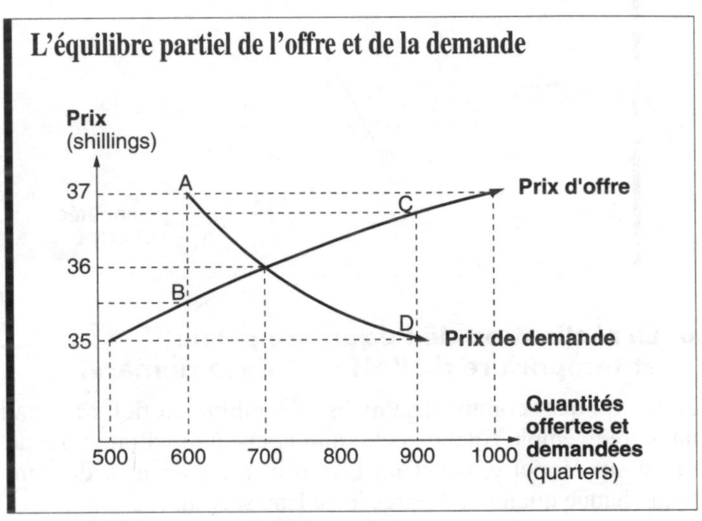

• La stabilité de l'équilibre partiel

Lorsque la quantité produite est telle que le prix de demande est plus élevé que le prix d'offre (c'est le segment AB sur le graphique), les vendeurs reçoivent plus qu'il ne leur est nécessaire pour offrir leur production sur le marché. Ils ont alors tendance à augmenter la quantité mise en vente. Quand la quantité produite est telle que le prix de demande est moindre que le prix d'offre (c'est le segment CD), les vendeurs ne reçoivent pas assez pour livrer leur production sur le marché, ce qui décourage la production. « Lorsque le prix de demande est égal au prix d'offre, la quantité produite n'a tendance ni à être augmentée ni à être diminuée, elle est en état d'équilibre [...]. Lorsque l'offre et la demande sont en équilibre, la quantité de la marchandise qui est produite dans une unité de temps peut être désignée sous le nom de quantité d'équilibre et le prix auquel cette quantité est vendue peut être appelé le prix d'équilibre. » (*Principes d'économie politique,* livre 5, chapitre 2.)

Lorsque les prix d'offre et de demande sont différents, le marché est en déséquilibre, mais ce déséquilibre n'est pas durable car l'offre et la demande sont amenées à varier et progressivement à s'égaliser. C'est ce qui se produit quand le prix demandé est supérieur au prix offert quand la quantité est inférieure à celle du point d'équilibre, ou quand le prix de demande est inférieur au prix offert quand la quantité est plus grande que la quantité d'équilibre.

• Le surplus du consommateur

À l'équilibre, il apparaît un surplus du consommateur et un surplus du producteur. C'est un concept inspiré de l'économiste français Dupuit (1804-1866). Marshall définit le surplus du consommateur dans le livre 3, chapitre 6 de ses *Principes d'économie politique* : « Le prix qu'une personne paie pour un objet ne peut jamais excéder, et atteint rarement, celui qu'elle serait disposée à payer plutôt que de se passer de l'objet, de sorte que la satisfaction qu'elle retire de son achat excède d'ordinaire celle à laquelle elle renonce en abandonnant la somme payée comme prix ; l'achat lui procure donc un excédent de satisfaction. Cet excédent de satisfaction est mesuré économiquement par la différence entre le prix qu'elle consentirait à payer plutôt que de se passer de l'objet, et le prix qu'elle paye réellement. Il a quelques analogies avec la rente ; mais il vaut mieux l'appeler simplement "le bénéfice du consommateur" (*consumer's surplus*). »

Soit P*, le prix d'équilibre du marché et soit D_1 une courbe individuelle de demande. Q_1 est la quantité demandée par un consommateur individuel au prix P*. Le consommateur, du fait de sa courbe de demande, aurait en fait accepté de payer plus que ce prix pour des quantités comprises entre A et Q*. Notons ici que Marshall ne fait pas partir la courbe du prix de demande de l'axe des ordonnées. En effet, pour des quantités très faibles, entre 0 et A, l'utilité marginale tend vers l'infini, les premières mûres n'ont pas de prix pour celui qui n'a rien à manger. C'est pourquoi il doit considérer que la courbe de prix de demande part d'une quantité minimale, le point A, et non pas de l'origine. Entre les deux points, A et Q*, le consommateur obtient donc un surplus de satisfaction. Graphiquement, son surplus est donc l'aire hachurée située sous la courbe de demande individuelle, entre le sommet de la courbe et le segment P*M (voir le graphique p. 204).

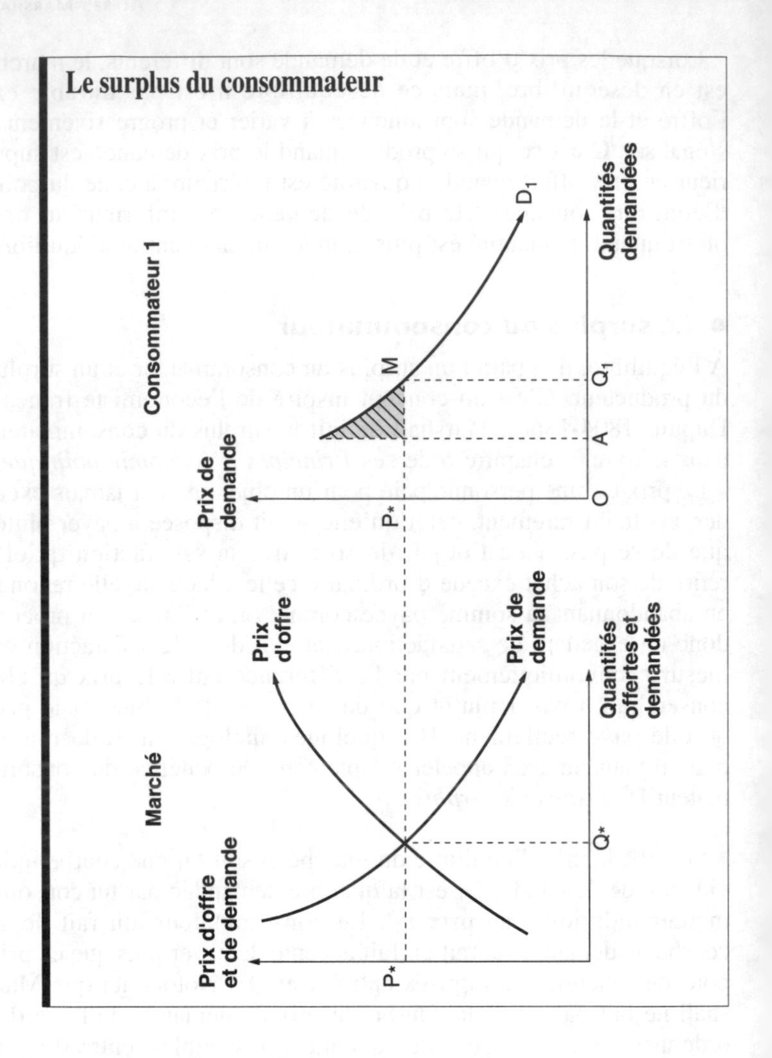

• Le surplus du producteur

Les producteurs qui ont les coûts de production les plus bas bénéficient aussi d'un surplus. Soit P*, le même prix d'équilibre du marché et soit O_1 une courbe individuelle d'offre. Q_1 est la quantité offerte par un producteur individuel au prix P*. Le producteur, du fait de sa courbe d'offre, aurait en fait accepté d'être payé moins que ce prix pour des quantités comprises entre A et Q_1. Notons que, comme dans le graphique précédent, Marshall ne fait pas partir la courbe du prix d'offre de l'axe des ordonnées. En effet, pour des quantités très faibles, entre 0 et A, le coût marginal tend vers l'infini, le coût fixe ne pouvant être réparti sur un nombre suffisant d'unités. C'est pourquoi il doit considérer que la courbe de prix d'offre part d'un minimum, le point A, et non pas de l'origine. Entre les deux points, A et Q*, le producteur obtient donc un surplus de satisfaction. Graphiquement, son surplus est donc l'aire hachurée située au-dessus de la courbe d'offre individuelle, entre le sommet de la courbe et le segment P*M.

Le surplus du producteur

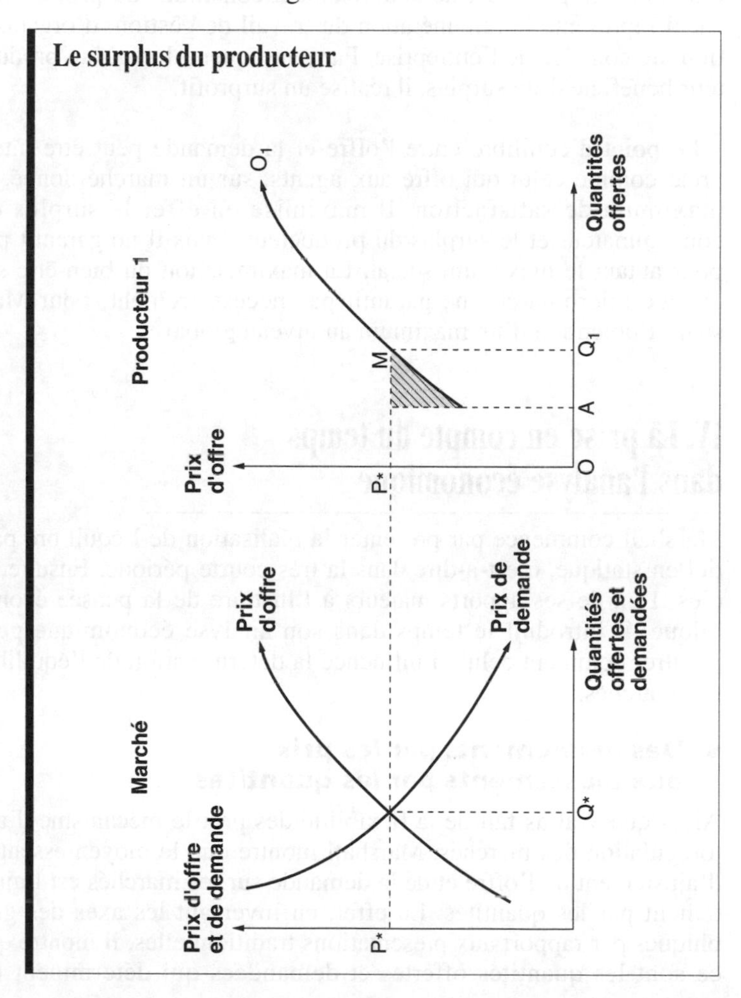

Notons que Marshall ne confond pas surplus et profit. D'après sa conception de la composition du prix d'offre, celui-ci intègre le profit normal du producteur. Pour l'illustrer, il prend l'exemple de la production d'une certaine quantité de drap. Les dépenses de production sont constituées du prix d'offre de la laine et autres consommations intermédiaires, de l'usure et de la dépréciation des équipements, des intérêts et assurance du capital, des salaires de ceux qui travaillent dans la fabrique de drap, des bénéfices de la direction. Le profit est donc un élément constitutif du prix d'offre car il représente la rémunération du travail de gestion, d'organisation, de contrôle de l'entreprise. Par conséquent, lorsqu'un producteur bénéficie d'un surplus, il réalise un surprofit.

Le point d'équilibre entre l'offre et la demande peut être interprété comme celui qui offre aux agents, sur un marché donné, le maximum de satisfaction. Il maximise en effet le surplus du consommateur et le surplus du producteur. Mais il ne garantit pas pour autant le maximum social. La maximisation du bien-être sur chaque micromarché ne garantit pas nécessairement, pour Marshall, l'obtention d'un maximum au niveau global.

IV. La prise en compte du temps dans l'analyse économique

Marshall commence par présenter la réalisation de l'équilibre partiel en statique, c'est-à-dire dans la très courte période. Ensuite, et c'est l'un de ses apports majeurs à l'histoire de la pensée économique, il introduit le temps dans son analyse économique pour montrer comment celui-ci influence la détermination de l'équilibre des marchés.

• Des ajustements par les prix aux ajustements par les quantités

Alors que Walras fait de la flexibilité des prix le mécanisme d'autorégulation des marchés, Marshall montre que le moyen essentiel d'ajustement de l'offre et de la demande sur les marchés est l'ajustement par les quantités. En effet, en inversant les axes des graphiques par rapport aux présentations traditionnelles, il montre que ce sont les quantités offertes et demandées qui déterminent les prix, donc que ce sont elles qui s'adaptent lors de l'égalisation de l'offre et de la demande. C'est un résultat important de son analyse de l'équilibre partiel. Toutefois, les modalités de l'ajustement ainsi que les rôles joués par les prix et par les quantités sont dépendants de la période de temps considérée.

Prenons un ensemble de producteurs concurrents offrant des biens périssables. Ils ne peuvent qu'accepter le prix du marché qui s'impose donc à eux. Dans la très courte période, que Marshall appelle la période de marché, le producteur de produits périssables est contraint d'écouler sa production et d'accepter de le faire à un prix bas si l'offre se trouve supérieure à la demande. S'il y a au contraire une pénurie, il peut vendre ses produits à un prix élevé. Le prix de demande est donc celui qui influence le marché. Le prix est la variable d'ajustement du marché. En revanche, si la livraison des produits doit se faire à un horizon de temps plus lointain, les producteurs ont la possibilité d'ajuster leur offre aux besoins du marché. Il peut alors y avoir un ajustement des quantités offertes aux quantités demandées sur le marché et une détermination du prix par une influence plus grande des prix d'offre.

Par conséquent, le mode d'ajustement de l'offre et de la demande, la détermination du prix d'équilibre sur le marché sont fonction du temps. Plus la période est brève et plus la variable d'ajustement entre l'offre et la demande est le prix, plus la période est longue et plus la variable d'ajustement entre l'offre et la demande est la quantité. En conséquence, Marshall ne conçoit pas que l'économiste puisse analyser le fonctionnement des marchés sans mentionner la durée de la période dans laquelle l'offre et la demande prennent place.

• La prise en compte du temps

Le problème qui se pose alors à l'économiste est de savoir périodiser le temps, de savoir élaborer une typologie des différentes périodes de temps. Pour ce faire, il propose un découpage en fonction de la situation de l'industrie. Il distingue la période du marché, la courte période, la longue période.

La période du marché est la plus courte période. L'offre du bien peut être considérée comme une donnée, l'offre ne pouvant varier que dans la mesure où les offreurs refusent, lorsque le prix est jugé trop bas, de livrer toute leur offre disponible sur le marché.

La courte période est plus longue, mais elle ne l'est pas assez pour permettre aux producteurs de modifier les conditions de leur production. Donc, leur offre peut varier mais dans les limites imposées par le fait que le capital et les équipements sont supposés constants.

La longue période est, elle, suffisante pour cela. Le stock de capital peut varier. Les facteurs de production et l'offre sont donc variables.

• Le temps et la question de la valeur et des prix

La distinction des différentes périodes de temps pose le problème de la valeur car, lorsque les facteurs utilisés et les quantités offertes peuvent varier, les coûts de la production et donc les prix d'offre varient aussi. Marshall est ainsi conduit à élaborer une analyse originale de la valeur par rapport à ses prédécesseurs classiques et néoclassiques car elle est fonction du temps.

Dans la théorie de Ricardo, la valeur dépend de la quantité de travail incorporée à une marchandise. Dans l'analyse de Jevons, si le travail détermine la valeur, ce n'est que d'une manière indirecte, en faisant augmenter le degré d'utilité de la marchandise au moyen d'une augmentation ou d'une baisse de l'offre. Ainsi, le coût de production détermine l'offre, l'offre détermine le degré d'utilité et l'utilité détermine la valeur. Marshall considère, lui, que les rôles respectifs de l'utilité et des coûts de production sont fonction du temps.

Dans le temps du marché, les offreurs et les demandeurs ajustent leurs besoins, leurs offres et demandes sur une quantité peu variable de biens. C'est la demande et l'utilité que ressentent les demandeurs qui jouent le rôle central et c'est le prix de demande qui influence la formation des prix.

Dans la courte période, le rôle actif est toujours joué par la demande. Mais l'offre et la demande peuvent désormais varier. Une variation de l'utilité peut faire que la demande s'écarte de son niveau ordinaire et les offreurs doivent adapter leur production à la demande avec les moyens de production à leur disposition. Le prix s'établit alors entre la limite supérieure que constitue le prix de demande et la limite inférieure que constitue le coût moyen de production. En effet, il se produit en général « une crainte de ruiner le marché » par la vente à des prix trop bas qui pourrait certes rapporter des bénéfices immédiats, mais aux dépens d'une perte globale plus importante pour l'ensemble de la profession. Par conséquent, même lorsque la demande est faible, le prix ne tombe pas en dessous du prix d'offre moyen. Marshall retient donc la règle suivante : la difficulté, dans la courte période, à augmenter la production entraîne la hausse du prix d'offre avec les quantités produites jusqu'à la limite permise par le prix de demande.

En longue période, c'est l'offre qui joue le rôle actif. Elle peut répondre à la demande, à la condition toutefois que l'offreur puisse vendre à un prix supérieur ou égal au coût de sa production. Donc, la valeur dépend de la fonction de coût. Mais cette fois le coût peut être croissant, décroissant ou stationnaire avec les quantités produites, et ce, en fonction des rendements des entreprises. La valeur varie alors avec les possibilités pour les offreurs de réaliser et de bénéficier d'économies.

Au total donc, Marshall écrit que « nous pouvons poser en règle générale que plus courte sera la période que nous examinerons, et plus nous devrons tenir compte de l'influence que la demande exerce sur la valeur ; et que au contraire, plus cette période sera longue et plus importante sera l'influence exercée par le coût de production sur la valeur. » (*Principes d'économie politique,* livre 5, chapitre 3.)

• Le temps, la nature des rendements de la production et l'équilibre économique

En dehors de la très courte période, la valeur est donc déterminée par la relation entre les coûts et les quantités produites. C'est d'ailleurs le cas de figure le plus courant. En effet, l'état stationnaire, c'est-à-dire l'état dans lequel des conditions de la production et de la consommation sont invariables, n'existe pas. C'est une fiction des économistes classiques. Notre monde économique réel connaît des variations de l'offre et la demande qui font varier les volumes, les méthodes de la production, les coûts, les valeurs et les prix. Ainsi, même si son analyse est essentiellement statique, Marshall décrit des évolutions de l'économie réelle.

Pour cela, Marshall raisonne en termes de rendements à l'échelle, notion inspirée par le contexte de forte industrialisation et d'augmentation des capacités de production dans lequel il vit. Il met en évidence deux types d'économies que peuvent réaliser les entreprises quand leur production se développe. Les économies internes sont celles qui dépendent des ressources, de l'organisation, de l'efficacité des firmes individuelles et de leur taille. Ainsi quand l'échelle de la production augmente, il peut se produire des changements dans les quantités relatives des divers facteurs de production utilisés, il peut devenir avantageux de substituer le travail des machines au travail manuel. Marshall prend pour hypothèse que chaque facteur de production est utilisé jusqu'au moment où sa productivité marginale est égale à son coût marginal. Les entreprises sont ainsi conduites à remplacer les facteurs les moins productifs par les facteurs les plus productifs. Ce principe de la « substitution à la marge » fait alors baisser dans la longue période le coût moyen de production et le prix d'offre quand la production augmente. Quand l'entreprise connaît des rendements croissants, son prix d'offre devient une fonction décroissante des quantités offertes. Par conséquent, la courbe du prix d'offre peut changer d'allure (être décroissante et non plus croissante) quand on quitte la très courte période. En revanche, si les rendements sont décroissants, on retrouve la configuration de la très courte période et l'entreprise subit l'augmentation de son coût de production et de son prix d'offre avec la hausse des quantités offertes. Le prix redevient une fonction croissante des quantités offertes. Enfin, si l'entreprise connaît des rendements constants, le coût moyen et le prix restent constants quelles que soient les quantités produites.

Outre les économies internes, les entreprises peuvent aussi bénéficier d'économies externes permises par la présence, l'activité, le développement des autres firmes. Par exemple, les innovations réalisées par les autres firmes, la présence d'une main-d'œuvre formée et qualifiée, l'existence d'écoles, d'infrastructures, de clients et fournisseurs proches permettent à l'entreprise de profiter d'économies.

Pour illustrer ces relations entre le prix d'offre et les quantités offertes, Marshall cite l'exemple d'une augmentation brutale de la demande de poissons suite à une maladie affectant le bétail. Dans la courte période, une entreprise ne peut réaliser d'économies, ses rendements sont décroissants et son prix d'offre augmente avec les quantités produites. Dans la longue période, si la demande de poissons augmente régulièrement de générations en générations, l'offre doit se développer et « le prix d'offre normal est alors, pour une quantité de poissons, le prix par unité qui attirera lentement, dans l'industrie de la pêche, l'afflux d'un capital et d'un travail suffisants pour obtenir cette même quantité de poisson dans une journée ou une semaine de pêche moyenne » (*Principes d'économie politique,* livre 5, chapitre 5). Autrement dit, le prix normal est celui qui incite les offreurs à produire une certaine quantité. C'est le coût limite de production ou le coût de production des articles qui se trouvent à la limite de la production et qui ne seraient pas produits si le prix était plus bas. Donc, dans un premier temps, l'attente d'un prix d'offre élevé fait augmenter la production alors que l'attente d'un prix peu élevé restreint l'utilisation des facteurs qui sont employés à la production et fait baisser l'offre. Puis quand la période de temps s'allonge, le progrès peut faire jouer la tendance aux rendements croissants. Les économies internes et externes ont le temps de se développer, le prix d'offre n'est plus constitué par les coûts de production d'une quantité donnée de marchandises, mais par les frais occasionnés par l'accroissement de quantités produites. Donc, quand la période devient assez longue pour pouvoir employer des capitaux nouveaux puis pour créer des entreprises nouvelles s'ajoutant aux anciennes, le prix limite d'offre pour chaque producteur individuel est constitué par ce qui s'ajoute à l'ensemble de ses dépenses de production en produisant son dernier élément. Ce prix limite est abaissé à la suite de la réalisation des économies internes et externes. Ainsi, quand les rendements sont croissants, une quantité plus grande de poissons peut être obtenue à un prix plus bas et le prix normal diminue au fur et à mesure que les quantités produites augmentent.

Par conséquent, la prise en compte du temps dans l'analyse économique conduit Marshall à construire des courbes d'offre à partir des courbes de coûts marginaux des firmes. Lorsque les rendements sont décroissants, les prix d'offre augmentent avec les quantités offertes. En revanche, lorsque les rendements sont croissants, les prix d'offre diminuent avec les quantités offertes. Enfin, lorsque les rendements sont constants, les prix d'offre sont les mêmes quelles que soient les quantités offertes (voir p. 212).

Une augmentation de la demande a des effets différents sur le prix d'équilibre du marché suivant la nature des rendements de la fonction de production. Les graphiques p. 213 montrent qu'un déplacement de la courbe de demande de D_1 et D_2 peut se traduire par une stabilité ou une hausse du prix d'équilibre P* du marché.

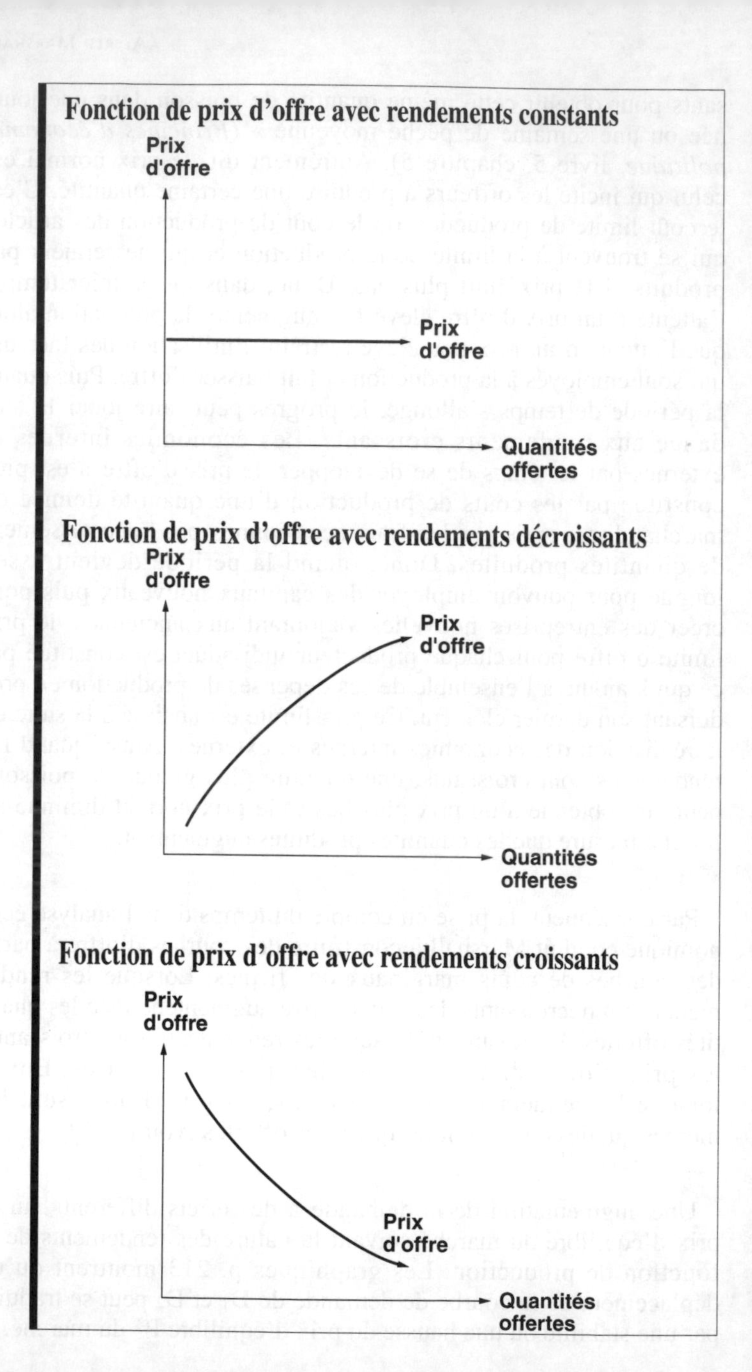
Fonction de prix d'offre avec rendements constants
Prix
d'offre
Prix
d'offre
Quantités
offertes
Fonction de prix d'offre avec rendements décroissants
Prix
d'offre
Prix
d'offre
Quantités
offertes
Fonction de prix d'offre avec rendements croissants
Prix
d'offre
Prix
d'offre
Quantités
offertes

Rendements constants et équilibres de marché

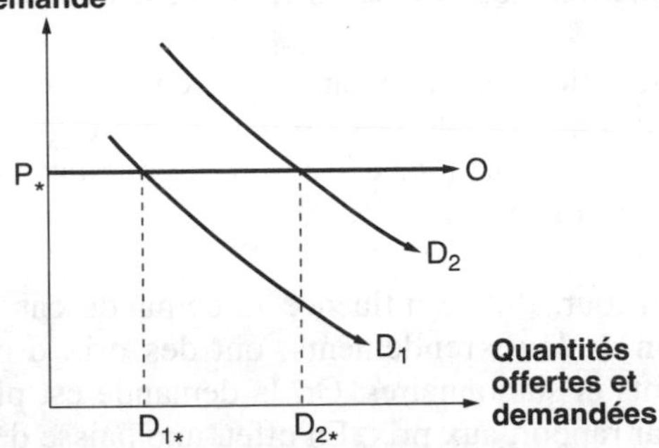

Rendements décroissants et équilibres de marché

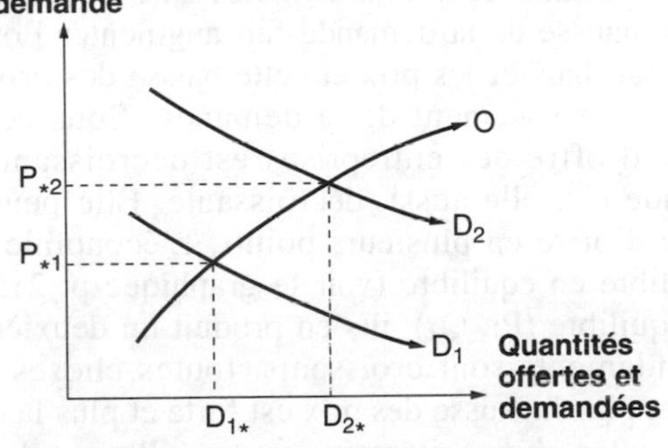

Rendements croissants et équilibres de marché

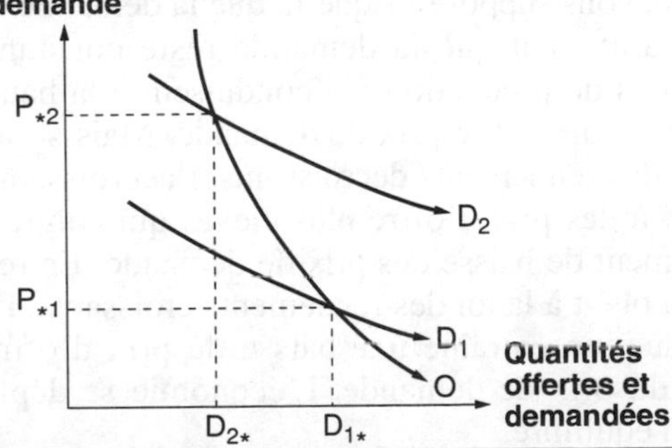

• Les équilibres instables de l'économie

Marshall montre que naît dans l'économie en dynamique une détermination mutuelle de l'offre et de la demande.

Les variations de la demande influencent l'offre car tout producteur doit tenir compte des risques de perte qu'il court et donc du niveau de la demande. C'est son augmentation qui déclenche la hausse de l'offre.

À son tour, l'offre influence la demande car les entreprises, en fonction de leurs rendements, ont des prix d'offre décroissants, croissants et stationnaires. Or, la demande est plus ou moins élastique par rapport aux prix. En effet, une baisse de prix d'un produit peut déclencher une hausse de la demande, comme une hausse de prix peut freiner la consommation. Supposons que les rendements soient croissants et que la demande soit élastique par rapport aux prix, la hausse de la demande fait augmenter l'offre, la hausse de l'offre fait baisser les prix et cette baisse des prix peut générer un nouvel accroissement de la demande. Sous ces hypothèses, la courbe d'offre des entreprises est décroissante. La courbe de demande est, elle aussi, décroissante. Elle peut donc couper la courbe d'offre en plusieurs points. L'économie se déplace ainsi d'équilibre en équilibre (voir le graphique p. 215). Après un premier équilibre (P_1, Q_1), il s'en produit un deuxième (P_2, Q_2). Plus les rendements sont croissants, toutes choses étant égales par ailleurs, plus la baisse des prix est forte et plus la demande est élastique, toutes choses étant égales par ailleurs, plus la hausse de la production est forte.

Nous avons supposé jusque-là que la demande augmente. Supposons maintenant que la demande reste constante. De nouvelles conditions de production qui conduisent à la hausse de la quantité produite abaissent le prix de demande. Mais si la production obéit à la loi des rendements décroissants, l'accroissement de production conduit à des prix d'offre plus élevés qui contrebalancent donc le mouvement de baisse des prix de demande. En revanche, si la production obéit à la loi des rendements croissants, l'accroissement de la production entraîne une baisse du prix d'offre qui renforce la baisse du prix de demande. L'économie se déplace alors d'équilibre en équilibre.

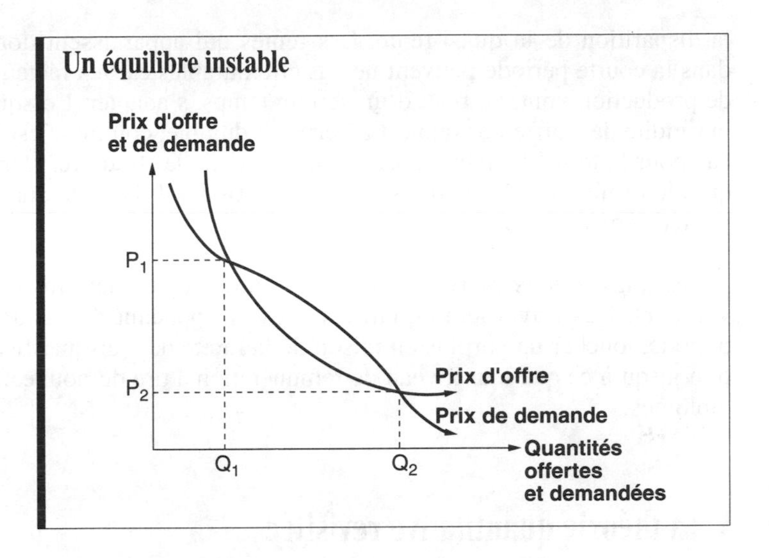

• Les quasi-rentes

La prise en compte du temps contribue à approfondir l'analyse des surplus économiques et à mettre en évidence des quasi-rentes, c'est-à-dire des rentes temporaires.

D'après la conception des classiques, la rente de la terre est due aux rendements décroissants et à la croissance démographique. Marshall appelle quasi-rente les autres différences entre les prix et les coûts pouvant survenir dans l'économie. C'est un phénomène imputable à l'inélasticité de l'offre. Cette inélasticité peut être due, par exemple, à l'impossibilité de l'adaptation dans la courte période de l'offre à la demande. En effet, quand la période de temps est trop courte pour permettre à l'offre de répondre à un changement de la demande, le prix augmente et le producteur reçoit alors un revenu net supplémentaire : la quasi-rente. Une quasi-rente peut aussi naître d'un effet de mode qui crée une attrait soudain pour le produit d'une industrie. Le prix auquel le producteur peut vendre son produit est supérieur au prix normal et celui-ci perçoit une quasi-rente. Plus courte est la période considérée, plus l'offre est inélastique et plus la quasi-rente peut être élevée. En revanche, si la mode devient durable, l'offre peut augmenter et donc les frais de production peuvent baisser, ce qui doit conduire à la disparition de la quasi-rente. Les rentes qui apparaissent donc dans la courte période peuvent ne pas être durables car les facteurs de production vont, au bout d'un certain temps, s'adapter. Lorsque la rigidité de l'offre par rapport au prix est durable, comme c'est le cas pour la terre, Marshall parle de quasi-rente de structure. Lorsqu'elle résulte d'inadaptations de courte période, il parle de quasi-rente de conjoncture.

Des quasi-rentes peuvent concerner, outre les firmes, les travailleurs. Des travailleurs qualifiés peuvent, pendant une courte période, toucher un surplus en raison de la rareté de leur qualification jusqu'à ce que leur niveau de rémunération attire de nouveaux diplômés.

V. La théorie quantitative revisitée

Une autre grande question économique abordée par Marshall est celle de la monnaie dans son livre *Money, Credit and Commerce* et dans les *Official Papers*. Comme pour l'analyse des marchés, son analyse est fondatrice d'un courant de pensée important.

• L'égalité de Fisher

Au début du XXe siècle, une expression nouvelle de la théorie quantitative de la monnaie est énoncée. En 1911, l'économiste américain Irving Fisher présente une relation entre la masse monétaire (M), la vitesse de circulation de la monnaie (V), le niveau des transactions réalisé dans l'économie (T) et le niveau des prix (P) auxquels ces transactions s'effectuent. Il l'écrit : $M \times V = P \times T$ ou plus simplement, $MV = PT$. Il met ainsi en évidence qu'une unité monétaire (une pièce ou un billet) sert plusieurs fois et contribue à financer un montant d'échanges supérieur à sa valeur. Donc, pour financer des échanges d'un niveau X, il suffit de posséder une masse monétaire d'un niveau Y avec $Y < X$.

L'équation de Fisher est une tautologie, elle est nécessairement vérifiée. Prenons deux étudiants en sciences économiques, l'un achetant un manuel à l'autre au prix de 100 F ; le premier peut alors utiliser le billet de 100 F qu'il vient de recevoir pour s'offrir un vêtement qu'il achète dans un magasin de sa ville. La partie gauche de l'égalité de Fisher est de 200 F puisque le billet de 100 F a été utilisé deux fois. La partie droite de l'équation est aussi égale à 200 F, c'est la valeur totale des échanges qu'ont réalisée entre eux les deux étudiants. L'égalité est ainsi toujours vraie, même quand on généralise cet exemple à toutes les transactions pouvant s'effectuer dans un espace et un temps donnés.

Fisher interprète la relation qu'il a mise en évidence en posant les hypothèses suivantes : V est considérée comme constante car les habitudes de paiement des individus ne se modifient pas à court terme ; T dépend de la quantité de biens et de services existant à un moment donné et est donc exogène, c'est-à-dire non déterminé par la variation des variables monétaires ; enfin M est la quantité de monnaie existant à un moment donné et est aussi exogène dans la mesure où elle est entièrement déterminée par la politique monétaire de l'État. La seule variable endogène est donc P. Il peut alors transformer son équation et écrire : P = MV / T. Ainsi, le niveau des prix auquel s'effectuent les transactions T est déterminé par la quantité de monnaie M. Il exprime ainsi la théorie quantitative de la monnaie selon laquelle les prix varient en fonction de la quantité de monnaie.

• La réécriture des économistes de l'école de Cambridge ou l'approche par les encaisses

Dans *Money, Credit and Commerce,* Marshall propose une reformulation de la relation quantitative, en termes de revenu, qui est désormais connue sous l'appellation d'équation de Cambridge.

Il considère que la monnaie est un bien comme un autre. Sa valeur est déterminée par l'offre et la demande. Comme l'offre de monnaie est exogène, c'est la demande de monnaie qui joue le rôle central dans la détermination de sa valeur. Marshall consacre donc son étude à la demande de monnaie et à ses mobiles. Il se demande, en particulier, pourquoi les agents économiques choisissent de détenir telle ou telle quantité de monnaie. Il explique, comme les autres néoclassiques, que les agents ne demandent pas de monnaie pour elle-même car la détention de monnaie n'est pas rémunératrice. Ils ont donc intérêt à posséder les liquidités qui leur permettent tout juste de financer leurs transactions et de placer le reste de leurs encaisses. La monnaie n'est donc demandée que pour réaliser des transactions. Cette demande d'encaisse transactionnelle est le montant d'espèces que chaque individu maintient en permanence pour financer ses transactions, compte tenu de ses recettes, de ses dépenses et des décalages pouvant intervenir entre ses dépenses et recettes. Autrement dit, à un moment donné, les agents conservent toujours une certaine fraction de leur revenu et de leur patrimoine en monnaie pour payer les transactions qu'ils prévoient de faire au cours d'une période donnée. Cette demande d'encaisse est une proportion de leur revenu.

La théorie marshallienne pose donc que la demande de monnaie demeure dans une relation constante (k) avec le revenu nominal ($P \times Y$). Dans l'équation, M devient la demande d'encaisse de la part des agents économiques, Y est le revenu réel des agents alors que les variables V et T de Fisher n'apparaissent plus. Marshall écrit que $M = kPY$. L'encaisse nominale est une fraction du revenu nominal PY. Et comme les agents raisonnent en termes réels, l'égalité peut s'écrire $M / P = kY$. C'est l'équation de Cambridge.

Quelle est la signification du coefficient k ? C'est pour Marshall un coefficient de comportement proche d'une propension au sens keynésien du terme puisqu'il peut être analysé en termes de demande, de désir de détention. Il est inférieur à 1 car l'encaisse nominale est en général inférieure au revenu. Il est aussi supposé constant. Notons enfin qu'il se substitue au $1 / V$ de Fisher. Quel rapprochement peut-on alors faire entre son concept de vitesse de circulation de la monnaie et le coefficient k de Marshall ? C'est une question qui fait l'objet de beaucoup de débats entre économistes. Dans l'équation marshallienne, le coefficient k est le rapport entre la monnaie désirée par les agents pour financer leurs transactions et la valeur des biens et services en circulation dans l'économie. Quelle est alors sa signification ? Certains économistes l'interprètent comme le nombre d'unités monétaires (le nombre de francs) nécessaires pour réaliser une unité (un franc) d'échange de biens et de services. Si $k = 0{,}2$ une pièce de 20 centimes (0,2 franc) suffirait pour réaliser 1 franc d'échange du PIB. Cette pièce serait donc, en moyenne, utilisée 5 fois dans l'année. Ce nombre 5 est alors la vitesse de circulation de la monnaie, or c'est l'inverse de 0,2. Par conséquent, ces économistes considèrent que le coefficient k de Marshall est l'inverse de la vitesse de circulation de la monnaie.

Marshall est le premier économiste, avec la partie droite de son égalité, à avoir écrit une fonction de demande de monnaie. Il approfondit ainsi la théorie quantitative en y intégrant les effets d'encaisse. L'équation de Cambridge a aussi permis de préciser la relation entre la masse monétaire et le niveau des prix. En effet, un accroissement de la masse monétaire dans l'économie conduit les agents à recevoir plus de monnaie. Leurs encaisses peuvent alors se trouver supérieures au niveau qu'ils désirent. Ils augmentent leurs dépenses tant qu'ils n'ont pas retrouvé le niveau d'encaisses réelles (M / P) désiré et le niveau des prix dans l'économie augmente. L'inflation s'explique donc par le fait que, si les agents enregistrent une modification de leurs encaisses suite à une augmentation de M, ils cherchent à retrouver le niveau k auquel il sont habitués. Ils augmentent leurs dépenses, ce qui fait s'accroître le niveau des prix, jusqu'à ce que les agents retrouvent entre leur revenu réel (Y / P) et leurs encaisses réelles (M / P) la proportion habituelle k. Pigou, élève de Marshall, définira ainsi le principe de l'effet d'encaisses réelles qui décrit le mécanisme par lequel la hausse du niveau général des prix est la conséquence d'une augmentation de la masse monétaire dans l'économie.

VI. Postérité et influence

Même si Marshall reste très largement méconnu et ignoré en France, son influence est très grande.

Sur le plan institutionnel, il joue un rôle important pour la corporation des économistes puisque c'est lui qui obtient la création de la première filière autonome d'enseignement de l'économie dans une université séparée du droit et des autres sciences humaines et c'est lui qui en écrit le programme. Il est aussi à l'origine du changement d'appellation de la discipline. Elle était couramment nommée *économie politique* depuis les classiques jusqu'à ce que Marshall propose de remplacer ce nom par celui de *science économique* ou d'*économique*.

Sur le plan théorique et pédagogique, son influence est aussi très grande. Jusqu'en 1930, il forme un très grand nombre d'étudiants dont Pigou et Keynes. Ce dernier le considère comme son véritable maître et écrit de lui : « nous sommes tous des élèves d'A. Marshall ». Son admiration pour Marshall transparaît aussi dans de nombreux passages de ses *Essays in Biography.* L'ouvrage de Marshall, *Principes d'économie politique,* est d'ailleurs l'un des plus utilisés depuis plus d'un siècle par les étudiants en sciences économiques du monde entier.

L'économie lui doit nombre de concepts, celui d'équilibre partiel, celui d'élasticité de la demande par rapport au prix, la distinction entre courte période et longue période, la distinction entre économies internes et économies externes. Marshall contribue aussi à la théorie moderne de la consommation avec les notions de demandes conjointes et de demande composite. Le pain répond à un besoin physiologique de l'homme, celui de manger. Les individus expriment ainsi une demande directe de pain. L'augmentation de la demande de pain induit une hausse de la demande de farine, de blé, des services des moulins. Cette demande est indirecte et appelée demande conjointe par Marshall. Si l'on prend maintenant l'exemple de la bière qui exige du houblon et du malt, l'augmentation de la demande de bière induit une demande conjointe de houblon et de malt car ce sont deux biens complémentaires et nécessaires pour produire de la bière.

Par son approfondissement du surplus du consommateur, il a initié les raisonnements faits plus tard par Vilfredo Pareto et Pigou en termes d'économie du bien-être. Sur cette question, Marshall se demande à quelles conditions l'intervention de l'État peut améliorer le bien-être général de la population. Supposons que l'État prélève une taxe T sur les entreprises. L'application de la taxe fait augmenter le prix de vente et donc baisser le surplus du consommateur. Mais elle peut aussi, dans le même temps, contribuer au bien-être de la population en général si le produit de la taxe perçu par l'État finance des interventions publiques qui font augmenter le bien-être de tous d'un montant supérieur à la diminution du surplus des seuls consommateurs. Supposons que les rendements de la production taxée par l'État soient fortement décroissants, le produit de l'impôt a de fortes probabilités de dépasser la baisse du surplus du consommateur. Ensuite, pour juger de la contribution de la taxe au bien-être de la population, il faut savoir si son utilisation lui est favorable. C'est le cas si le produit de la taxe est utilisé à distribuer des subventions qui font augmenter le surplus des agents économiques d'un montant supérieur aux subventions versées. Marshall conseille ainsi de subventionner les entreprises à rendements fortement croissants car la subvention a de fortes probabilités de faire baisser le prix dans des proportions importantes. Au total donc, il propose, pour améliorer le bien-être de la population, que la politique de l'État impose les branches à rendements décroissants et subventionne les branches à rendements croissants. Sur le plan théorique, Marshall est le premier économiste à montrer que le bien-être peut être obtenu autrement que par le laissez-faire. C'est un de ses apports importants à la science économique.

Marshall contribue enfin à l'analyse du monopole. L'intérêt du monopoleur est d'établir un équilibre de l'offre et de la demande tel que le prix lui procure le revenu total net le plus élevé possible. La quantité produite sous un monopole doit donc, en principe, être toujours inférieure et le prix supérieur pour le consommateur par rapport à ce qui se passerait en l'absence de monopole. En conséquence, la concurrence serait une situation meilleure pour le consommateur que le monopole. Mais tel n'est pas toujours le cas selon Marshall. En effet, si les producteurs sont nombreux, ils produisent chacun une quantité trop faible pour réaliser des économies d'échelle importantes, leurs coûts et leurs prix d'offre sont élevés. Par contre, un monopole peut investir beaucoup car il est assuré d'en retirer l'intégralité du profit, ce qui lui permet de baisser les coûts de production et donc les prix payés par les consommateurs. Le monopole peut ainsi se justifier lorsque les rendements sont croissants.

• Éléments de bibliographie

Ouvrages d'Alfred Marshall

The Pure Theory of Domestic Values, London, 1879.

Principes d'économie politique, 1re édition en 1890, Librairie de Droit et de Jurisprudence et Gordon & Breach, tome 1 et 2, 1971.

L'Industrie et le commerce, 1re édition en 1917, Giard, 1934.

Money, Credit and Commerce, Mac Millan, 1923.

Official Papers, Mac Millan, 1926.

Ouvrage d'Alfred et Mary Paley Marshall
The Economics of Industry, Mac Millan, 1879.

Ouvrages sur Alfred Marshall
Économie appliquée, tome XLIII, n° 1, 1990, « Redécouvrir Alfred Marshall ».
Groenewegen Peter, *A Soaring Eagle: Alfred Marshall 1842-1924*, Edward Elgar, 1995.

Joseph Alois SCHUMPETER

I. L'homme dans son temps

• Le parcours de l'économiste

Joseph Alois Schumpeter naît le 8 février 1883 à Triesch en Moravie, une ville qui appartient alors à l'empire austro-hongrois et qui aujourd'hui fait partie de la République tchèque. Quand il a 4 ans, son père, un industriel du textile, décède. Sa mère se remarie en 1893 avec un officier qui est nommé à Vienne. Ce fait s'avère très important pour la formation de Schumpeter et sa découverte de l'économie. En effet, il lui permet de faire ses études dans des établissements prestigieux fréquentés par l'aristocratie autrichienne, puis à partir de 1901 d'être inscrit à la Faculté de Vienne et d'apprendre l'économie dans ce qui est, en ce début du XXe siècle, l'un des plus grands centres de l'enseignement et de la recherche en science économique. Carl Menger (1840-1921) y a enseigné, Friedrich von Wieser (1851-1926) et Eugen von Böhm-Bawerk (1851-1914) y sont professeurs lorsque Schumpeter est étudiant. Outre l'économie, il y apprend la sociologie et l'histoire. De cette formation pluridisciplinaire il gardera toute sa carrière le souci de construire une pensée elle aussi pluridisciplinaire, c'est-à-dire utilisant différentes composantes des sciences de l'homme.

Il est fait docteur en droit en 1906. Juste après, il séjourne longuement en Angleterre, ce qui lui permet de rencontrer Alfred Marshall. C'est aussi l'époque à laquelle il rédige ses premiers textes économiques qui sont fort appréciés de Böhm-Bawerk. Grâce à l'appui de son ancien professeur, il est nommé en 1909 professeur d'économie politique, fonction qu'il occupe jusqu'en 1918, d'abord dans différentes universités d'Autriche-Hongrie puis à New York à l'université de Columbia. Durant ces quelques neuf années, il écrit sur les deux thèmes centraux de son œuvre, l'histoire de la pensée économique et l'analyse de l'évolution économique. Il publie ainsi en 1912 sa *Théorie de l'évolution économique.*

Après la guerre, il quitte l'Université pour la politique et les affaires. Il devient d'abord membre de la Commission de socialisation allemande dont le but est de définir les relations entre l'État et les entreprises. Puis en mars 1919, il est nommé ministre des Finances de la République d'Autriche, fonction qu'il abandonne rapidement dès le mois d'octobre qui suit. Sa participation aux affaires n'est pas plus fructueuse. En 1921, il devient président d'une petite banque, la *Biedermann Bank,* qui fait faillite en 1924, en particulier à cause de la très mauvaise situation économique de l'Autriche et de l'Allemagne de l'époque.

Après cette parenthèse, il reprend la vie universitaire qu'il mène hors de l'Autriche, d'abord en Allemagne puis au Japon, enfin aux États-Unis à Harvard à partir de 1932. Son activité professionnelle est brillante. C'est alors qu'il rédige trois de ses principaux ouvrages qui connaissent immédiatement un très grand succès *Business Cycles* (ouvrage non traduit en français), *Capitalisme, socialisme et démocratie* et *Histoire de l'analyse économique.* Et dans le séminaire qu'il anime à Harvard, il a pour étudiants des futurs prix Nobel d'économie comme Paul Samuelson (né en 1915 et prix Nobel en 1970), Wassily Leontief (né en 1906 et prix Nobel en 1973), James Tobin (né en 1918 et prix Nobel en 1981) et des économistes devenus très célèbres comme John Kenneth Galbraith (né en 1908) et Alvin Hansen (1887-1975), l'un des pères du modèle IS-LM.

Schumpeter décède le 8 janvier 1950 à Taconic dans le Connecticut.

• « L'évolution économique » à l'époque de Schumpeter

La conjoncture des grandes économies capitalistes du XIXe et de la première moitié du XXe siècle se caractérise par une alternance de dépressions et de phases de prospérité. Depuis les débuts de la Révolution industrielle, de nouveaux produits apparaissent, de nouvelles entreprises se forment, de nouvelles industries se créent qui jouent un rôle moteur pendant quelques années ou dizaines d'années, puis elles déclinent, l'économie entre en crise jusqu'à ce qu'elles soient remplacées par d'autres. Les années 1870-1880 marquent ainsi la fin d'une longue dépression aux États-Unis et en Europe et le début d'une phase longue de croissance des productions nationales, des revenus, de la consommation et des prix, et ce jusqu'à la grande crise des années 1930.

Dans ce contexte, Schumpeter peut observer deux faits importants. D'une part, des innovations permettent le développement de nouvelles activités économiques : l'utilisation de l'électricité comme force motrice et d'éclairage, le téléphone, l'automobile...

D'autre part, des industries jouent un rôle d'entraînement tant dans les périodes d'expansion que dans les périodes de récession. L'industrie des machines (machines à vapeur, machines-outils, locomotives, wagons, chaudières), l'industrie des chemins de fer, l'industrie électrique, l'industrie métallurgique sont alors des industries motrices pour toute l'économie.

II. Un auteur hétérodoxe

Malgré l'influence de ses professeurs, Schumpeter rejette les conclusions et les méthodes de l'économie néoclassique car les conditions du modèle de la concurrence parfaite ne lui paraissent pas vérifiées.

Loin de la concurrence pure et parfaite entre entreprises de même dimension et portant sur des produits homogènes, il est le témoin aux États-Unis du développement des très grandes entreprises et du rôle que commencent à prendre la pratique de la différenciation des produits et la stratégie de discrimination des prix.

De même, alors que la théorie expose que l'économie de concurrence tend vers l'équilibre, il observe que la concurrence entre les firmes conduit à l'innovation et ainsi d'une part à la naissance d'industries nouvelles et d'autre part au recul voire à la mort des industries anciennes. La concurrence est donc pour lui un phénomène essentiellement déséquilibrant.

Schumpeter reproche enfin à l'économie de Léon Walras, même si par ailleurs il se dit admirateur de ses formalisations mathématiques, de méconnaître la dynamique, c'est-à-dire de ne décrire qu'un système stationnaire alors que l'économie lui paraît caractérisée fondamentalement par la dynamique.

Schumpeter veut être, comme Karl Marx, l'auteur d'une œuvre pluridisciplinaire. Son objectif est bien sûr d'écrire une économie, mais aussi une histoire, une sociologie du capitalisme. Il considère en effet qu'aucune des sciences de l'homme n'est capable à elle seule d'intégrer toutes les dimensions à étudier, qu'aucune ne peut se prévaloir d'une supériorité sur les autres, que chacune a ses domaines de compétence. Dans son *Histoire de l'analyse économique,* il explique que l'étude d'un phénomène exige d'utiliser tout à la fois l'histoire économique, la statistique, la théorie pure, la sociologie économique et l'économie politique. L'histoire économique est ainsi indispensable pour décrire les évolutions et pour comprendre comment les phénomènes économiques et non économiques sont liés les uns aux autres. Les statistiques sont nécessaires pour mesurer et connaître les faits économiques et sociaux. La théorie sert à produire des schémas simplificateurs, des modèles qui, certes ne reproduisent qu'un aspect de la réalité, mais permettent d'établir des règles, des théorèmes. La sociologie économique permet de connaître les facteurs sociaux et les comportements humains à l'œuvre dans l'économie. Enfin, l'économie politique sert à analyser des phénomènes spécifiques comme la monnaie, le commerce extérieur ou les fluctuations économiques.

III. Le rôle de l'entrepreneur

Schumpeter considère que l'évolution économique, qu'il analyse dans trois de ses ouvrages *La Théorie de l'évolution économique, Business Cycles* et *Capitalisme, socialisme et démocratie,* est la question fondamentale de toute la science économique. Il la définit comme étant à la fois le mouvement à l'intérieur du système économique capitaliste, c'est-à-dire les fluctuations à court, moyen, long terme, et le passage d'un système économique à un autre, par exemple du capitalisme au socialisme.

• Le circuit stationnaire

Pour caractériser l'évolution économique et pour en mettre en évidence les facteurs, la méthode de Schumpeter consiste tout d'abord à construire le modèle d'une économie stationnaire ne connaissant donc ni modification, ni transformation, puis de rechercher le fait qui peut mettre fin à une telle immobilité.

L'économie stationnaire, qu'il appelle circuit économique, correspond à une situation d'équilibre général walrasien. Par hypothèse, le circuit comporte la libre concurrence, la propriété privée, la division du travail entre ses différents agents. Ceux-ci sont de deux types, les ménages et les entreprises. Ils utilisent seulement deux facteurs de production, la terre et le travail, le capital n'étant que de la terre ou du travail immobilisé. Cette économie ne connaît pas d'évolution car les agents prennent leurs décisions à l'image du paysan qui décide de la production qu'il met sur le marché en fonction de son expérience, qui lui apprend quelle quantité il doit produire pour être en mesure de l'écouler. Tous les agents, se conduisant ainsi d'après les données issues de leur expérience, n'ont aucune raison de modifier leurs comportements. Les entreprises produisent selon des méthodes stables, les goûts et les demandes des consommateurs restent les mêmes. Il en résulte que tous les produits sont fabriqués en quantités égales aux possibilités de débouchés qui existent pour eux, qu'ils sont donc tous consommés au cours de chaque période et que chaque offre s'égalise à une demande.

Sous ces conditions, le circuit est une économie qui se reproduit toujours à l'identique comme la reproduction simple décrite par Marx. Schumpeter déduit deux conséquences de ce fonctionnement :
– d'une part, la monnaie ne joue qu'un rôle limité. Elle est certes un instrument de mesure des prix et un moyen d'échange, mais surtout elle n'est qu'un voile qui masque la nature réelle des échanges. En effet, dans le circuit, s'il existe des flux monétaires entre les agents, ils ne sont que la contrepartie, de même valeur et de sens opposé, des opérations réelles qui s'effectuent entre les agents. La masse monétaire est aussi constante de période en période ;
– d'autre part, dans le circuit, la valeur des produits est égale à leur coût de production. La recette globale des producteurs est juste suffisante pour couvrir leurs dépenses, pour rémunérer les facteurs de production, mais elle ne permet pas de dégager de surplus, de quasi-rente au sens marshallien du terme. Donc les producteurs ne peuvent faire ni profit, ni perte. Cette absence de profit ne signifie toutefois pas que la production et sa vente ne permettent pas de rémunérer les producteurs et / ou les actionnaires. Elle veut seulement dire que chaque facteur est rémunéré à son prix, donc que les entrepreneurs perçoivent un revenu pour leur travail de direction et d'organisation.

• Les innovations dans l'évolution économique

Une fois définie cette économie fictive stationnaire dans laquelle aucune évolution ne peut se faire, Schumpeter cherche ce qui peut provoquer la modification du circuit et l'apparition de phénomènes qualitativement nouveaux. Il commence par réfuter que l'accroissement de la population et du capital puisse jouer ce rôle. En effet, il ne conduirait qu'à une augmentation des quantités sans mutation qualitative du circuit. « En fait, l'impulsion fondamentale qui met et maintient en mouvement la machine capitaliste est imprimée par les nouveaux objets de consommation, les nouvelles méthodes de production et de transport, les nouveaux marchés, les nouveaux types d'organisation industrielle, tous les éléments créés par l'initiative capitaliste. » (*Capitalisme, socialisme et démocratie,* partie 2, chapitre 7.) Le facteur qui peut donc faire évoluer l'économie est l'innovation. Schumpeter la définit comme étant « l'exécution de nouvelles combinaisons qui englobe les cinq cas suivants :

1 – Fabrication d'un bien nouveau, c'est-à-dire non encore familier au cercle des consommateurs, ou d'une qualité nouvelle d'un bien.

2 – Introduction d'une méthode de production nouvelle, c'est-à-dire pratiquement inconnue de la branche intéressée de l'industrie ; il n'est nullement nécessaire qu'elle repose sur une découverte scientifiquement nouvelle et elle peut aussi résider dans de nouveaux procédés commerciaux pour une marchandise.

3 – Ouverture d'un débouché nouveau, c'est-à-dire d'un marché où jusqu'à présent la branche intéressée de l'industrie du pays intéressé n'a pas encore été introduite, que ce marché ait existé ou non.

4 – Conquête d'une nouvelle source de matières premières ou de produits semi-ouvrés ; à nouveau peu importe qu'il faille créer cette source ou qu'elle ait existé antérieurement, que l'on ne l'ait pas prise en considération ou qu'elle ait été tenue pour inaccessible.

5 – Réalisation d'une nouvelle organisation, comme la création d'une situation de monopole (par exemple la trustification) ou l'apparition brusque d'un monopole. » (*La Théorie de l'évolution économique,* chapitre 2.)

Ainsi, selon Schumpeter, produire d'autres biens ou autrement, combiner autrement les facteurs de production, créer de nouveaux besoins chez les consommateurs reviennent à introduire l'évolution dans le circuit.

Il distingue l'innovation de l'invention scientifique. D'une part, une innovation n'implique pas nécessairement une invention. C'est le cas, en particulier, quand l'innovation prend la forme de

« l'ouverture d'un débouché nouveau, de la conquête de nouvelles sources de matières premières ou de produits semi-ouvrés, [...] de la réalisation d'une nouvelle organisation ». D'autre part, une invention ne donne pas nécessairement lieu à une innovation. C'est le cas si le produit nouveau n'est pas fabriqué, ni distribué sur une grande échelle. Il distingue de la même façon l'inventeur de l'innovateur. Alors que l'inventeur est un scientifique qui découvre un procédé nouveau, l'innovateur est l'entrepreneur qui réalise, qui met en œuvre ce progrès.

L'innovation n'est pas neutre pour l'économie et crée des modifications par rapport à l'équilibre stationnaire du circuit économique. Déjà, elle crée un nouveau besoin et de nouvelles habitudes pour le consommateur. Ensuite, elle met fin à la routine de l'exploitant qui combinait toujours de la même façon ses facteurs de production. Enfin, et c'est aussi une nouveauté par rapport au fonctionnement du circuit économique, elle permet au producteur de percevoir un surprofit car elle lui donne une position dominante par rapport au consommateur. En effet, lorsqu'une innovation est mise en place, lorsqu'un nouveau produit ou une nouvelle méthode de production sont lancés, celui ou ceux qui en sont à l'origine disposent d'un monopole temporaire ou peuvent produire moins cher que leurs concurrents. Le profit apparaît ainsi avec la vente de nouveaux produits et avec la vente de produits traditionnels lorsque leur fabrication exige une moindre quantité de facteurs de production. Mais il n'est que temporaire. Quand l'innovation se banalise, les prix des produits vendus baissent et avec eux le profit des innovateurs. Autrement dit, le profit est un revenu qui apparaît avec les créations nouvelles puis disparaît avec la hausse de la production. Il échappe à l'entrepreneur dès que sa fonction est remplie. Il n'est donc pas, à la différence du salaire, un revenu continu.

L'innovation n'est pas neutre non plus pour les structures de l'économie. Alors que dans le circuit les offres et les demandes s'égalisent et que les entreprises produisent des quantités identiques de période en période, les combinaisons nouvelles s'ajoutent aux anciennes qui existent déjà et conduisent souvent à leur disparition. En effet, pour que les nouvelles productions puissent se développer, il faut que les innovateurs se procurent des moyens de production, du travail en particulier, ce qu'ils font en les prélevant sur les anciennes structures au fur et à mesure que leurs innovations ruinent par la concurrence les vieilles exploitations. L'innovation signifie donc un emploi différent des moyens de production de l'économie nationale, une mobilité du travail et du capital des activités vieillies vers les activités nouvelles. Schumpeter explique ainsi que c'est par cet emploi différent, et non pas par l'épargne ou l'augmentation des quantités de travail disponible, que l'économie se transforme et se développe.

• L'entrepreneur, agent central de l'économie schumpetérienne

L'innovation est le facteur de l'évolution économique, mais qui est à l'origine des innovations dans l'économie ? C'est l'entrepreneur. Schumpeter se montre ainsi novateur dans sa définition de l'entrepreneur et de l'entreprise. La fonction du premier dans l'économie est d'innover et d'introduire de nouveaux progrès techniques. Quant à l'entreprise, elle est le lieu de l'exécution des nouvelles combinaisons. Si l'agent qui est à la tête d'une firme n'innove pas, il n'est qu'un directeur ou un propriétaire d'entreprise sans rôle économique majeur. Si la firme n'innove pas, elle n'est qu'une exploitation et non une véritable entreprise. Schumpeter distingue donc bien l'entrepreneur de « l'exploitant pur et simple » qui ne fait que faire vivre les combinaisons existantes, qui accomplit son travail dans la routine. Tout chef ou responsable d'entreprise n'est pas un entrepreneur. De même, un entrepreneur qui cesse de mettre en place et d'exécuter de nouvelles combinaisons ne peut plus être qualifié d'entrepreneur. En cela, le concept schumpetérien est plus restrictif que l'acception habituelle. Mais il peut aussi être plus large. En effet, l'entrepreneur n'est pas nécessairement un propriétaire des moyens de production, un capitaliste, mais quiconque qui « brise la routine », qui « révolutionne » l'économie. Il peut être un salarié d'une firme, son directeur ou un technicien par exemple. Le terme d'entrepreneur est donc attaché, non pas à une position, mais à une fonction, celle d'un agent dynamisant de l'économie.

Schumpeter ajoute que l'entrepreneur se caractérise aussi par son attitude. C'est un chef, il a une puissance de commandement et il a la capacité de surmonter les résistances de ses pairs et de son environnement. Être entrepreneur exige ainsi une personnalité et un caractère particuliers. Comme Max Weber (1864-1920), Schumpeter s'intéresse donc à la mentalité, à l'état d'esprit du capitaliste et considère que le capitalisme ne doit pas seulement être étudié sous l'angle économique, mais qu'il doit aussi l'être sous l'angle culturel.

Le capitalisme est une phase nouvelle dans l'histoire économique car, avec lui, les hommes sont contraints de sans cesse rationaliser leur conduite, de sans cesse chercher à la rendre plus efficace. C'est pourquoi avec le capitalisme, la science se met à contribuer au développement de l'économie en étant à l'origine de nombreuses innovations alors que, précédemment, elle se développait à côté d'elle.

Le capitalisme crée aussi une nouvelle attitude mentale. L'entrepreneur est un individu motivé qui veut remporter des succès, qui veut créer des structures nouvelles et qui est indifférent à la consommation des richesses. S'il recherche le profit, ce n'est pas pour en jouir, mais pour l'utiliser à des fins productives. La présentation traditionnelle des économistes qui font du chef d'entreprise un être calculateur et motivé par le seul appât du gain est ainsi moins riche que le portrait que trace Schumpeter. L'entrepreneur n'est pas un *homo economicus* dont la seule action consisterait à calculer pour optimiser sa combinaison productive et maximiser son profit. « L'entrepreneur typique ne se demande pas si chaque effort auquel il se soumet lui promet un excédent de jouissance suffisant. Il se préoccupe peu des fruits hédonistiques de ses actes. Il crée sans répit, car il ne peut rien faire d'autre ; il ne vit pas pour jouir voluptueusement de ce qu'il a acquis. [...] Et la motivation qui permet d'interpréter sa conduite est assez facile à concevoir. Il y a d'abord en lui le rêve et la volonté de fonder un royaume privé, le plus souvent, quoique pas toujours, une dynastie aussi. Un empire qui donne l'espace et le sentiment de la puissance. [...] Puis vient la volonté du vainqueur. D'une part, vouloir lutter, de l'autre vouloir remporter un succès pour le succès même. [...] La joie enfin de créer une forme économique nouvelle. [...] Il peut n'y avoir que simple joie à agir : l'exploitant pur et simple vient avec peine à bout de sa journée de travail, notre entrepreneur, lui, a un excédent de force, il peut choisir le champ économique, comme tous les autres champs d'activité, il apporte des modifications à l'économie, il y fait des tentatives hasardeuses en vue de ces modifications et précisément en raison de ces difficultés. » (*La Théorie de l'évolution économique,* chapitre 2.)

En montrant que l'évolution économique est initiée par les entrepreneurs, Schumpeter conduit une analyse que l'on pourrait rapprocher de celle de Marx qui écrivait que la bourgeoisie joue dans l'histoire un rôle révolutionnaire dans la mesure où elle bouleverse constamment les moyens de production. Mais Schumpeter ajoute que le profit est un revenu transitoire et qu'il est rare qu'un même homme puisse innover pendant une longue période. Pour ces raisons, il considère que la situation des entrepreneurs est non durable et qu'en conséquence, à la différence de ce qu'écrivait Marx, ils ne forment pas une classe sociale.

IV. Innovations et déséquilibre créateur

Du fait des innovations, le capitalisme n'est pas stationnaire comme le circuit économique, mais c'est un mode de transformation permanent de l'économie et de ses structures.

Les innovations sont ainsi à l'origine de changements de la conjoncture. Rappelons que l'une des idées fondamentales de Schumpeter est que l'évolution économique résulte avant tout d'une nouvelle utilisation des facteurs de production. Or, les innovations modifient le poids relatif dans l'économie des entreprises nouvelles et des entreprises anciennes. L'apparition de nouvelles entreprises aux côtés des anciennes toujours existantes est ainsi à la fois un facteur d'accélération de la croissance et un facteur de fragilisation. C'est un facteur d'accélération de la croissance pour les entreprises nouvelles et un facteur de fragilisation pour les entreprises anciennes. C'est pourquoi Schumpeter dit de l'innovation qu'elle est un processus de destruction créatrice : elle crée certes de nouvelles activités, mais en participant à la destruction d'activités anciennes, la réalisation des nouvelles combinaisons ne pouvant se faire que par le prélèvement de facteurs sur les quantités disponibles. L'apparition de nouvelles entreprises apparaît ainsi comme un phénomène déséquilibrant dans l'économie. D'une part, les entreprises produisant de nouveaux biens et / ou utilisant de nouveaux moyens de production connaissent une expansion. D'autre part, les entreprises anciennes connaissent une contraction de leur activité, voire disparaissent. La structure économique se révolutionne donc de l'intérieur par la création de nouvelles structures et de nouveaux emplois et la destruction des structures vieillies et des emplois correspondants. Tant qu'avec les nouvelles entreprises, les quantités produites augmentent plus que ne diminue la production des entreprises anciennes, l'économie est en croissance. L'évolution économique est ainsi non seulement un phénomène d'augmentation du produit, mais aussi et surtout de transformation de l'économie et de ses structures. Donc, le problème clé que doit étudier l'économiste n'est pas la gestion des unités et structures existantes, mais la création et la destruction de ces unités et structures.

L'entrepreneur, étant à l'origine de cette destruction créatrice d'activités, est donc l'acteur de la transformation de l'économie. Et c'est aussi celui de la transformation de la société et des éléments constitutifs de ses classes. Suite à une innovation, l'entrepreneur qui réussit monte dans l'échelle sociale, et avec lui sa famille. En revanche, les individus et les familles qui travaillaient dans des vieilles exploitations peuvent se trouver ruinés. De même, à leur tour, les entrepreneurs d'aujourd'hui pourront voir demain leur situation remise en cause par d'autres innovateurs. Donc, si l'existence des classes supérieures de la société est une constante, leurs membres changent au fur et à mesure des innovations. Schumpeter écrit que « les classes supérieures de la société ressemblent à des hôtels ou des autobus qui, certes sont toujours pleins, mais dont la clientèle change sans cesse. »

V. Progrès technique et croissance : le renouvellement de l'analyse

Dans les présentations qui précèdent, nous avons pu constater que la question de la croissance a d'abord été longuement développée par les économistes classiques, Adam Smith, Thomas Robert Malthus ou David Ricardo, puis négligée par les néoclassiques plus préoccupés par la question de l'équilibre économique. Schumpeter consacre, lui, une très grande partie de ses œuvres à cette question et la traite dans des termes nouveaux.

• Les facteurs de la croissance

Pour Schumpeter, le premier facteur de la croissance est le capital qu'il définit non pas comme un ensemble de biens d'équipement, mais comme un fonds financier ou comme un « fonds de pouvoir d'achat ». Le capital s'exprime donc en monnaie et existe avant même la création de l'entreprise. C'est le moyen qu'utilise l'entrepreneur pour se procurer les biens dont il a besoin pour réaliser des productions nouvelles puis pour faire fonctionner son entreprise. Le capital participe ainsi à la fois à la fondation et à l'exploitation de la firme. C'est pourquoi Schumpeter distingue le capital de fondation ou d'établissement et le capital d'exploitation. À l'aide du premier, l'entrepreneur achète la terre, les bâtiments, les machines et à l'aide du second, il achète les matières premières, le travail.

La croissance exige du capital et le capital, lui, nécessite le crédit. En effet, l'entrepreneur peut posséder une fortune personnelle et l'utiliser pour acheter des moyens de production. Mais Schumpeter fait remarquer que la fonction d'entrepreneur n'est pas en principe liée à la possession d'une épargne préalable. Celui-ci doit donc, le plus souvent, recourir au crédit pour obtenir le pouvoir d'achat nécessaire à la réalisation de son projet. Ainsi, l'innovation exige deux opérations, bien sûr l'achat de nouveaux moyens de production, mais aussi au préalable l'obtention d'un crédit. « On ne peut devenir entrepreneur qu'en devenant auparavant débiteur. S'endetter appartient à l'essence de l'entreprise et n'a rien d'anormal. » (*La Théorie de l'évolution économique,* chapitre 3.)

Le crédit joue donc un rôle essentiel. Il permet à l'entrepreneur d'acquérir les facteurs qui lui sont nécessaires pour concrétiser son innovation et la diffuser sur le marché. Le crédit joue ainsi, en étant à l'origine des nouvelles firmes, un rôle microéconomique. Il joue aussi un rôle macroéconomique majeur. Nous savons que la diffusion de l'innovation exige une nouvelle répartition des facteurs de production. Or, le crédit permet à l'économie nationale de prélever des sommes d'argent, en particulier sur l'épargne existante des producteurs en place, pour les utiliser à des fins de productions nouvelles. Il provoque un déplacement du pouvoir d'achat dans l'économie au profit des entrepreneurs et donc un nouvel emploi des moyens de production.

La fonction économique du banquier consiste ainsi à mettre à la disposition des innovateurs les capitaux dont ils ont besoin pour révolutionner l'ordre économique et le faire évoluer. Autrement dit, le banquier est celui qui rend possible les évolutions de l'économie. Schumpeter observe d'ailleurs que le système du crédit est né du financement des nouvelles combinaisons au fur et à mesure du développement de l'économie capitaliste.

Le banquier peut aussi se transformer en véritable capitaliste. En effet, pour accorder des prêts, il peut mobiliser l'épargne, mais il peut aussi recourir à la création de monnaie. Dans ce cas, le banquier n'est plus un intermédiaire qui fait circuler la monnaie entre les agents à capacité de financement et les agents à besoin de financement, mais un producteur de cette monnaie. Il crée un pouvoir d'achat qu'il concède à l'entrepreneur qui l'utilise pour innover. Le banquier est alors celui qui prend le risque économique et qui subit la perte en cas d'échec. Ce constat permet de compléter le portrait de l'entrepreneur que trace Schumpeter : l'acceptation d'un risque n'est pas un élément inhérent à sa fonction et son profit n'est pas la rémunération du risque pris.

Après le capital et le crédit, l'entreprise géante est un autre moteur du progrès. Alors que la théorie économique traditionnelle enseigne la vertu de la concurrence pure et parfaite et montre les effets pervers des positions dominantes, Schumpeter explique qu'il faut accepter l'entreprise opérant sur une grande échelle comme un mal nécessaire, inséparable du progrès technique et même considérer qu'elle est le moteur le plus puissant du développement sur le long terme. La concurrence pure et parfaite est donc pour lui une situation non seulement irréalisable, mais en plus inférieure en termes d'efficience. Ainsi, elle freine l'introduction de nouvelles méthodes de production et de nouveaux produits. Elle inclut en effet parmi ses conditions d'existence la libre entrée dans la branche. Or lorsque celle-ci est très facile, les quasi-rentes des firmes innovatrices attirent immédiatement des concurrents dont les ventes font chuter les profits des premières et les empêchent de financer leur développement sur un long terme. En outre, Schumpeter ajoute que contrairement à ce qu'enseigne la théorie, une situation de monopole ne conduit pas nécessairement à un prix supérieur et à une production inférieure à ce qu'il en serait en situation de concurrence. Certaines innovations et méthodes de production exigent un capital important et donc ne sont accessibles qu'aux très grandes entreprises et ne le sont pas aux plus petites. Des firmes de grande dimension facilitent ainsi les innovations, contribuent à la baisse des prix de vente et à l'augmentation du volume de la production. Elles sont donc favorables aux consommateurs et constituent un facteur de progrès économique.

• Les phases de l'économie

Schumpeter développe son analyse du déroulement de la croissance et des cycles dans *La Théorie de l'évolution économique* et dans *Business Cycles.* Sa thèse est que l'évolution économique provoquée par l'innovation ne se déroule pas sur un rythme linéaire et régulier, mais en suivant, à l'intérieur d'un cycle, une alternance de phases d'expansion, de crise et de récession, puis une alternance de cycles. Par conséquent, la crise et la récession, au même titre que la croissance, sont des phases normales de l'économie.

Pourquoi donc l'économie ne croît-elle pas régulièrement mais par à-coups et pourquoi des phases tendent-elles à se répéter de façon plus ou moins périodique ? Parce que les innovations ne sont pas également réparties dans le temps. Un cycle démarre lorsque des entrepreneurs veulent utiliser une nouvelle méthode de production ou fabriquer des biens nouveaux. Ils demandent alors à leurs banquiers des crédits qui lui permettent d'acheter de nouvelles machines, de nouveaux moyens de production et d'embaucher une main-d'œuvre supplémentaire. L'innovation est ainsi à l'origine d'un mouvement de croissance. Mais son influence macroéconomique ne s'arrête pas à cette première impulsion. En effet, comme l'innovation permet toujours de réaliser des profits, elle attire de nouveaux producteurs. C'est pourquoi, explique Schumpeter, les innovations ne surviennent jamais de façon isolée, éloignée les unes des autres, mais en groupes. Le lancement réussi d'une innovation provoque toujours « un essaim, une grappe d'imitateurs ». Ainsi quand l'essor apparaît dans une branche ou un nombre limité de branches (le textile, le chemin de fer, la sidérurgie, l'automobile), il provoque l'apparition groupée d'entrepreneurs. La production augmente et l'économie rentre en forte croissance tant qu'un profit existe dans la branche. Outre ce phénomène d'imitation, une autre raison majeure explique que les entrepreneurs n'apparaissent pas de manière discontinue à travers le temps. Nous savons que l'exécution de nouvelles combinaisons est difficile et accessible seulement à des personnes ayant des qualités bien particulières. Or, l'exemple d'innovations réussies crée un climat psychologique optimiste et encourage de nouveaux dirigeants à entreprendre.

L'innovation permet donc de placer l'économie dans une dynamique de croissance. Mais comment ce processus se déroule-t-il ? La croissance apparaît d'abord dans la branche des biens d'équipement grâce à la demande des innovateurs. Les prix des moyens de production augmentent ainsi que leur production. Leurs producteurs sont conduits à embaucher et à distribuer un nouveau pouvoir d'achat qui se diffuse ensuite aux branches productrices de biens de consommation. Donc, la croissance se généralise dans l'économie au fur et à mesure que le pouvoir d'achat passe des innovateurs aux producteurs des moyens de production puis à leurs travailleurs et enfin aux producteurs des biens de consommation et à leurs salariés.

Mais Schumpeter précise que la croissance ne peut pas être permanente car elle contient en elle-même les germes d'une crise future. En dépit de la hausse de la production, trois causes principales entraînent progressivement l'économie dans la récession.

Tout d'abord, la prospérité n'est jamais générale. Parallèlement à l'arrivée des nouveaux produits sur le marché et à l'augmentation des recettes des innovateurs, celles des anciennes exploitations diminuent puisque leurs ventes et les prix de leurs produits chutent suite à la concurrence qu'elles subissent de la part des nouveaux producteurs. Le succès des entreprises nouvelles appauvrit donc les entreprises déjà existantes et les pousse dans la crise.

Ensuite, une fois que la croissance est lancée, les entreprises qui ont innové et donc emprunté se mettent à rembourser les crédits qu'elles ont contractés. Ces remboursements représentent une destruction de monnaie, donc une diminution du pouvoir d'achat disponible dans l'économie et donc aussi une diminution de la demande adressée aux entreprises. Schumpeter qualifie cette situation de « déflation de crédit » ou d'« autodéflation » et en fait un autre facteur de crise.

Enfin, au cours de la phase de croissance, la hausse de la demande des moyens de production fait augmenter leurs prix, ce qui ampute les profits des innovateurs et leur capacité à poursuivre leur croissance.

Donc, au fur et à mesure que la phase de prospérité se déroule, les facteurs de crise deviennent de plus en plus nombreux et finissent par entraîner un retournement de la conjoncture. Il y a une logique à l'alternance des phases du mouvement économique et Schumpeter reprend la phrase de l'économiste français Clément Juglar (1819-1905) : « la seule cause de la dépression, c'est l'essor ».

La récession se déclenche quand les productions des entreprises innovatrices sont devenues excédentaires par rapport aux besoins et à la demande des consommateurs. Lorsque leurs débouchés se mettent à diminuer, ces entreprises stoppent leurs investissements en capital. Après les firmes innovatrices, c'est au tour de celles qui produisent des moyens de production de connaître la surproduction. Le chômage s'y développe, le pouvoir d'achat des ménages se met à diminuer et les entreprises productrices des biens de consommation sont, elles aussi, fragilisées. La récession, la baisse des prix et des profits, la hausse du chômage sont alors générales.

Mais la récession, comme auparavant la croissance, n'est pas permanente. Elle contribue à la reprise future de l'économie dans la mesure où la baisse continuelle des prix qu'elle provoque permettra, à terme, une reprise du pouvoir d'achat du salaire et ainsi une reprise de la consommation qui mettra fin à la surproduction.

Schumpeter présente donc, en première analyse, deux phases du mouvement économique : la prospérité et la récession. Mais, juste après, il explique que l'évolution économique suit, en fait, quatre phases : l'économie connaît d'abord l'expansion, puis la dépression, puis la récession, et enfin la reprise (voir les graphiques p. 240).

Ainsi, au cours de la phase d'expansion, l'optimisme grandit et les banques hésitent de moins en moins à accorder des prêts aux entreprises qui leur présentent des projets risqués. Inévitablement, un certain nombre d'entre eux s'avèrent non rentables. Les entreprises concernées se trouvent ainsi en difficulté, subissent la chute de leurs productions et de leurs prix et peuvent même se trouver en situation de faillite. C'est ce que Schumpeter appelle des « révisions en baisse des valeurs » et des « liquidations anormales ». Quand celles-ci deviennent nombreuses, l'expansion est stoppée et laisse place à une phase nouvelle du mouvement économique : la

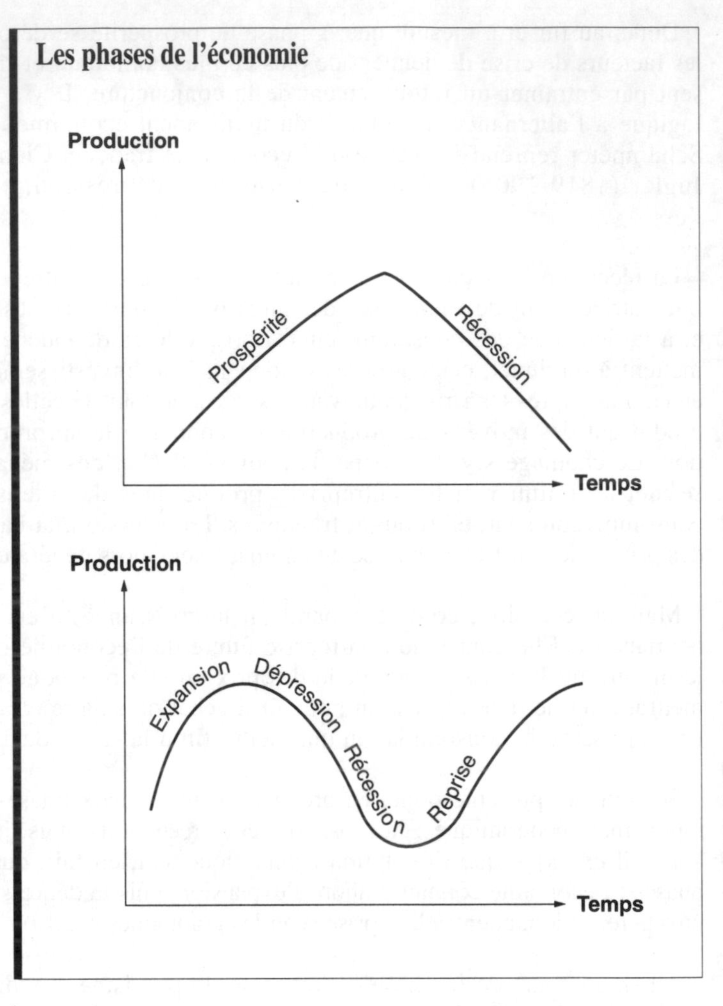

dépression. La dynamique de l'économie change alors car les anticipations se modifient. Elles étaient positives, elles deviennent pessimistes. Les agents envisagent désormais des baisses de prix, de revenus, de production et ils modifient leurs comportements en conséquence en comprimant leur consommation et leurs investissements. L'économie accentue son recul et entre dans une nouvelle phase, celle de la récession. Enfin à l'issue de celle-ci, lorsque la baisse des prix est importante, le pouvoir d'achat des consommateurs redémarre. La dernière phase du mouvement économique commence alors, la reprise, et avec elle les anticipations se modifient à nouveau. Elles redeviennent optimistes et les agents augmentent leurs consommation et investissements.

Les mouvements de l'économie que décrit Schumpeter ne se produisent pas de façon aléatoire. Nous venons de voir qu'ils suivent un certain ordre, de l'expansion à la reprise ; ensuite, ils respectent une certaine périodicité. Il distingue ainsi plusieurs types de cycles de l'économie.

• Les cycles de l'économie

Le cycle court Kitchin (du nom de l'économiste américain Joseph Kitchin) a une durée moyenne de trois à quatre ans et s'explique pour l'essentiel par le mouvement des stocks. Le cycle moyen Juglar d'une durée de six à onze ans et le cycle long Kondratiev (du nom de l'économiste soviétique auteur, en 1926, des *Vagues longues de la conjoncture*) d'une durée de quarante à soixante ans s'expliquent par le fait que les innovations ne sont jamais mises en œuvre en même temps et surtout qu'elles n'ont pas la même importance. Plus une innovation exige des équipements lourds, plus le cycle est long. Par exemple, la production d'automobiles entraîne le développement de garages, de stations-service, la construction de routes et d'autoroutes, elle facilite l'urbanisation, les loisirs, le tourisme. Elle est donc à l'origine d'un mouvement long. De même, les innovations exceptionnelles comme les nouvelles méthodes de production (l'usine mécanisée, l'usine électrifiée), les nouveaux biens (les chemins de fer, les appareils électriques), les nouvelles formes d'organisation (les grandes entreprises) sont des facteurs de mouvements longs. « Pendant que ces nouveautés sont mises en train, la dépense est facile et la prospérité est prédominante – nonobstant, bien entendu, les phases négatives des cycles plus courts superposés à la tendance fondamentale en hausse – mais, en même temps que ces réalisations s'achèvent et que leurs fruits se mettent à affluer, l'on assiste à l'élimination des éléments périmés de la structure économique et la “dépression” est prédominante. Ainsi se succèdent des périodes prolongées de gonflement des prix, des taux d'intérêt, de l'emploi, et ainsi de suite, ces phénomènes constituant autant de pièces du mécanisme de rajeunissement récurrent de l'appareil de production. » (*Capitalisme, socialisme et démocratie,* partie 2, chapitre 5.)

Schumpeter explique ici qu'un cycle de longue durée démarre lorsque les entrepreneurs utilisent une innovation majeure qui engendre une nouvelle production et une hausse de la demande. La hausse de l'emploi et des salaires qui s'ensuit génère, à son tour, une vague secondaire de croissance qui se diffuse dans toute l'économie. Cette première phase cesse lorsque les nouvelles productions ont atteint leur maturité et lorsque la demande nouvelle est satisfaite. L'offre devient excédentaire, les prix baissent. Les entreprises les moins modernes, les moins rentables sont les premières touchées. Leurs difficultés économiques (licenciements, faillites) se répercutent sur l'ensemble de l'économie. C'est la deuxième phase du cycle long, la croissance a laissé la place à la récession. Au cours de celle-ci, la production, les prix et les revenus chutent jusqu'à ce qu'une nouvelle grappe d'innovations majeures se fasse jour.

Dans l'histoire économique de ces deux derniers siècles, Schumpeter retient trois cycles Kondratiev : le premier entre 1780 et 1842 avec la première révolution industrielle et le textile, le deuxième entre 1842 et 1897 avec la machine à vapeur, la sidérurgie, le chemin de fer, et le troisième entre 1897 et les années trente et quarante avec l'électricité, la chimie, le moteur à explosion, l'automobile.

Quant aux cycles intermédiaires, ils sont plus fréquents dans l'économie et Schumpeter les explique aussi par des innovations, mais de moindre importance. Celles-ci se produisent, et avec elles les cycles intermédiaires, à l'intérieur des phases des cycles longs. Une vague longue de prospérité contient donc des mouvements moyens de prospérité puis de récession et une vague longue de la dépression contient des mouvements moyens de dépression puis de reprise. Les cycles s'imbriquent ainsi les uns dans les autres. Un cycle Kondratiev contient plusieurs cycles Juglar et un cycle Juglar contient plusieurs cycles Kitchin. Schumpeter note ainsi qu'un cycle Kondratiev contient en moyenne six cycles Juglar et qu'un Juglar contient en moyenne trois Kitchin.

La sommation des trois types de cycles donne à l'économie une évolution très irrégulière, très heurtée. Pour réduire l'intensité de ces à-coups de la conjoncture, Schumpeter préconise la mise en place de politiques étatiques comme l'amélioration des méthodes de prévision de la conjoncture, l'abandon des entreprises dépassées

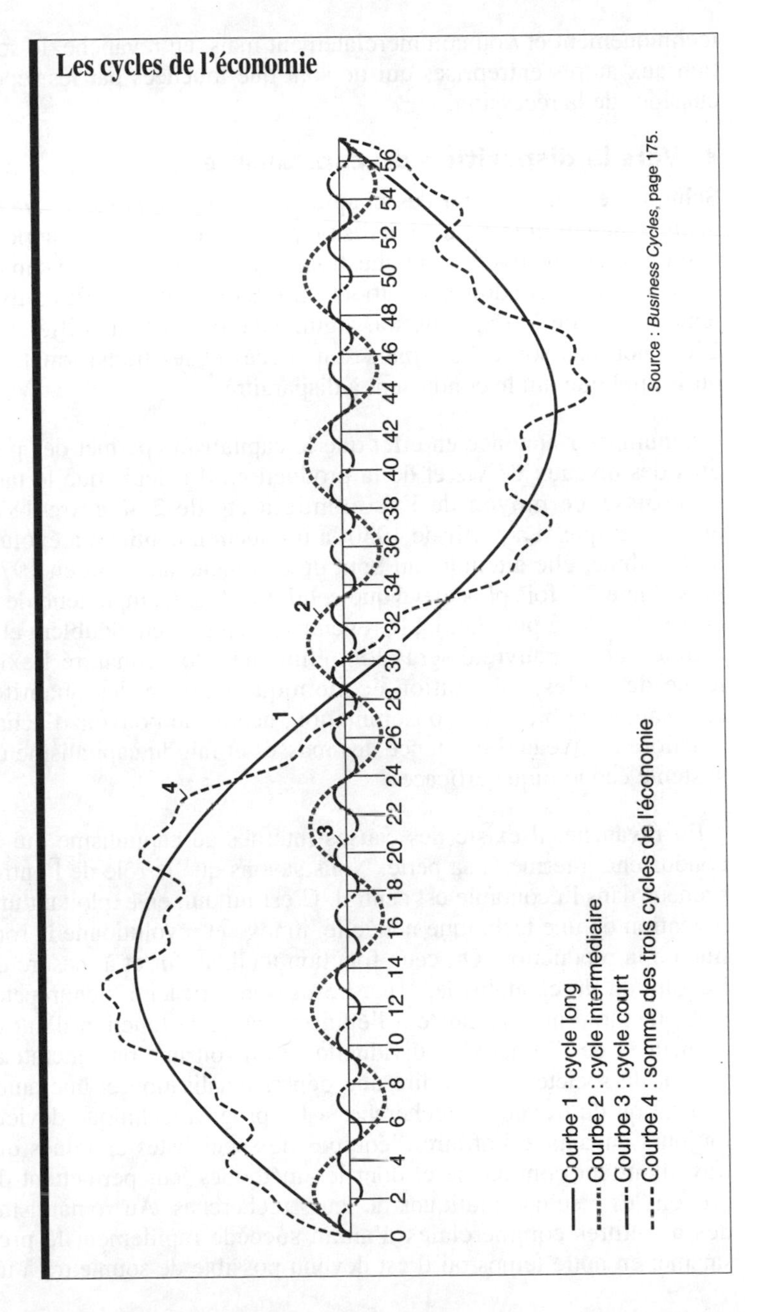
Les cycles de l'économie
0
2
4
6
8
10
12
14
16
18
20
22
24
26
28
30
32
34
36
38
40
42
44
46
48
50
52
54
56
1
2
3
4
Courbe 1 : cycle long
Courbe 2 : cycle intermédiaire
Courbe 3 : cycle court
Courbe 4 : somme des trois cycles de l'économie
Source : *Business Cycles*, page 175.

techniquement et / ou commercialement mais, en revanche, le soutien aux autres entreprises qui ne sont que touchées par les répercussions de la récession.

• Vers la disparition du capitalisme

Schumpeter intitule l'un des chapitres de son *Capitalisme, socialisme et démocratie* « Le capitalisme peut-il survivre ? » et apporte une réponse négative à cette question. Malgré ses succès, le capitalisme est donc conduit à s'autodétruire. Sa conclusion est équivalente à celle de Marx, mais son argumentation est toute différente. C'est non pas son échec, mais son succès et les transformations qu'il implique qui le conduisent à disparaître.

Schumpeter annonce en effet que le capitalisme permet des progrès des niveaux de vie et de la production. Il calcule que le taux de croissance moyen de l'économie a été de 2 % entre 1870 et 1930 et que si à partir de 1930 la production continue à évoluer à ce rythme, elle atteindra au bout de cinquante ans, soit en 1978, un volume 2,7 fois plus élevé que celui de 1928. Compte tenu de la croissance de la population, le revenu moyen par tête doublera et il estime que la pauvreté sera alors éliminée. Donc, malgré l'existence de cycles, l'évolution économique déverse des quantités croissantes de biens de consommation, accroît le pouvoir d'achat, améliore le niveau d'existence des masses et fait du capitalisme un système économique efficace.

En revanche, il existe des causes internes au capitalisme qui le conduisent, à terme, à sa perte. Nous savons que le rôle de l'entrepreneur dans l'économie est central. C'est lui qui, en exploitant une invention ou une technique nouvelle, innove et révolutionne la routine de la production. Or, cette fonction tend, au fur et à mesure de l'évolution du capitalisme, à perdre de son efficacité. Schumpeter parle même d'une tendance à l'épuisement de la fonction d'entrepreneur et de l'initiative individuelle. Il prévoit une bureaucratisation de la société, c'est-à-dire une dépersonnalisation et une automatisation du travail de recherche. « Le progrès technique devient toujours davantage l'affaire d'équipes de spécialistes entraînés qui travaillent sur commande et dont les méthodes leur permettent de prévoir les résultats pratiques de leurs recherches. Au romantisme des aventures commerciales d'antan succède rapidement le prosaïsme, en notre temps où il est devenu possible de soumettre à un calcul strict tant de choses qui naguère devaient être entrevues dans un éclair d'intuition géniale. » (*Capitalisme, socialisme et démocratie,* partie 2, chapitre 12.) Pour illustrer ce changement, Schumpeter prend une métaphore militaire. La technique de la guerre a d'abord été le fait de stratèges géniaux comme Napoléon. Puis elle est devenue le travail d'un état-major qui se contente de calculer les résultats possibles de scénarios différents. Comme l'action militaire, l'action économique ne repose plus sur la personnalité du chef et sur son intuition, ce qui diminue les chances d'innover, de créer des méthodes et des produits nouveaux.

Schumpeter ajoute que « l'évolution capitaliste, en substituant un simple paquet d'actions aux murs et aux machines d'une usine, dévitalise la notion de propriété [...]. Le possesseur d'un titre abstrait perd la volonté de combattre économiquement, politiquement, physiquement pour son usine ». Suite à l'apparition de la couche des dirigeants salariés, il se produit donc un changement de mentalité qui ralentit aussi le dynamisme de l'économie. Ceux-ci privilégient en effet le travail de gestion à la recherche de l'innovation. Être entrepreneur, estime Schumpeter, exige une réelle force de caractère que des salariés n'ont pas. Il faut être capable de sortir de la routine, de résister aux oppositions du milieu économique environnant, de détourner les facteurs de production de leurs usages traditionnels et de les utiliser pour de nouvelles productions. C'est pourquoi il annonce que l'entreprise géante, après avoir éliminé les petites et moyennes entreprises, éliminera l'entrepreneur et avec lui la bourgeoisie comme classe sociale motrice de l'évolution économique. Le progrès de l'économie est alors condamné à progressivement se ralentir au fur et à mesure que tombe ce « crépuscule de la fonction d'entrepreneur ».

En outre, le capitalisme se développe dans une certaine hostilité qui contribue à disqualifier la fonction de l'entrepreneur et à ralentir les innovations. C'est en effet un système qu'il est difficile de défendre et de faire accepter par le plus grand nombre car, s'il est favorable sur le long terme, il crée des menaces et des difficultés quotidiennes. « Pour s'identifier au système capitaliste, le chômeur contemporain devrait faire complètement abstraction de son propre destin et le politicien contemporain devrait faire litière de ses ambitions personnelles [...]. Aux yeux des masses, ce sont les considérations à court terme qui comptent [...]. Un progrès séculaire, considéré comme allant de soi, accouplé à une insécurité individuelle douloureusement ressentie, constitue évidemment la meilleure des huiles à jeter sur le feu de l'agitation sociale. » (*Capitalisme, socialisme et démocratie,* partie 2, chapitre 13.)

Pour toutes ces raisons, Schumpeter prédit l'émergence du socialisme même s'il ne se reconnaît pas dans cette famille de pensée, à la manière d'un médecin qui prédit que son patient va mourir sans que cela signifie bien sûr qu'il souhaite sa mort.

• Le socialisme peut-il fonctionner ?

Schumpeter répond à cette question par l'affirmative. Alors que le capitalisme est conduit à s'autodétruire, il considère que le socialisme peut vivre.

Le socialisme est un système dans lequel les moyens de production sont la propriété d'une autorité centrale et dans lequel la production est organisée dans un secteur public. Au-delà de ces différences organisationnelles, la logique économique du socialisme n'est pas fondamentalement éloignée de celle de l'économie capitaliste car il s'agit, dans les deux systèmes économiques, de régler les mêmes problèmes, à savoir combiner rationnellement les facteurs disponibles pour obtenir la production maximale.

Le socialisme peut fonctionner dans la mesure où il peut être cohérent. Pour cela, il doit reposer sur le travail d'un organe planificateur, le Bureau central de Planification, qui détermine les niveaux de production corrects dans les différentes branches, c'est-à-dire qui s'égalisent avec les différentes demandes. Quant aux prix, ils doivent aussi être fixés de telle sorte que toutes les productions soient écoulées sans pour autant créer de pénuries.

Sous ces conditions, le système socialiste comporte un avantage par rapport au capitalisme, la centralisation de l'économie permettant d'atténuer la nature cyclique de l'activité. En effet, le Bureau central peut étaler dans le temps les innovations qui n'apparaissent plus ainsi en grappes. Le socialisme permet de lever une autre difficulté de la vie économique que l'on trouve dans un système capitaliste, à savoir l'incertitude, l'imprévisibilité des comportements des autres firmes et des consommateurs qui deviennent connus grâce à la planification.

Après avoir montré que sur un plan économique, le système socialiste peut fonctionner, Schumpeter se demande si, sur un plan sociologique, il peut aussi fonctionner. Il fait l'hypothèse que le comportement des travailleurs, des agriculteurs, des employés et des ouvriers ne sera pas modifié par l'instauration du socialisme. Les seules questions qui restent alors posées sont celles de la sélection des élites économiques, c'est-à-dire des cadres dirigeants des entreprises socialistes, celle de leur motivation et celle de leur autorité. Une économie socialiste doit donc être capable, pour réussir, de fixer les critères selon lesquels doivent être sélectionnés ceux qui sont chargés de diriger les entreprises, puis de les motiver.

VI. Postérité et influence

En première analyse, la tentation est grande de relativiser la portée de l'œuvre de Schumpeter dans la mesure où deux de ses prévisions ne se sont pas réalisées, le capitalisme ne s'est pas autodétruit pour laisser la place à une économie de type socialiste et le socialisme n'a pas pu « fonctionner ».

Pourtant, sur de nombreux points, on peut considérer que sa contribution à l'analyse économique est riche et pertinente. Par exemple, sa théorie de l'évolution économique est très utile pour comprendre le phénomène des crises et du chômage. Schumpeter ne considère pas que la tendance structurelle de l'économie capitaliste soit de générer du chômage. En revanche, avec son concept de cycles économiques, il explique qu'il existe des périodes dans lesquelles le chômage est élevé. C'est le cas, à l'époque de Schumpeter, de la période 1930-1945. Mais à ces phases de chômage élevé succèdent nécessairement des phases de croissance, de prospérité et d'emploi élevés. C'est pourquoi, le problème fondamental de l'économie capitaliste est, pour lui, non pas d'agir sur le niveau de l'emploi, mais de financer un fonds suffisant d'allocations-chômage qui ne remette pas en cause le retour ultérieur à la croissance économique.

Schumpeter annonce, parallèlement au développement du capitalisme, la mutation du rôle de l'entrepreneur, de la propriété des firmes et la bureaucratisation de leur fonctionnement. Cette vision a fortement influencé l'un de ses étudiants, Galbraith, qui présente dans *Le Nouvel État industriel* (1967) la prise du pouvoir dans les grandes firmes par les managers au détriment des actionnaires, cette nouvelle couche sociale des cadres et des ingénieurs qu'il appelle la technostructure poursuivant ses propres objectifs. Il faut toutefois noter que contrairement à ce que Schumpeter prévoit, on n'observe pas suite à ces évolutions de recul des possibilités créatrices ou innovatrices des entreprises et économies capitalistes.

Les analyses de Schumpeter sur le rôle des innovations ont aussi contribué aux nombreux développements des théories de la croissance dans la deuxième moitié de ce siècle. Robert Solow, né en 1924 et prix Nobel de sciences économiques en 1987, montre la contribution du progrès technique à la croissance économique. Il réussit à construire un modèle dans lequel le taux de croissance de la production par tête dépend du taux de progrès technologique et dans lequel, sur la longue période, c'est le progrès technique qui est le principal facteur de la croissance et non pas l'accroissement des quantités des facteurs de production utilisés. En effet, le progrès technique permet d'augmenter la production sans avoir à utiliser plus de facteurs de production. Il augmente l'efficacité des facteurs de production. Grâce à lui, un travailleur d'aujourd'hui fait la production de plusieurs travailleurs d'il y a plusieurs années. Le modèle de Solow fait ainsi du progrès technique une variable qui s'ajoute aux deux facteurs de production que sont le travail et le capital. D'autres économistes contemporains rendent endogène le progrès technique dans la théorie de la croissance, autrement dit font du progrès technique un facteur qui s'intègre au travail et au capital. Paul Romer explique que le progrès technique n'est pas extérieur aux comportements des agents économiques puisqu'il dépend du niveau des connaissances des travailleurs, de leur capacité à inventer des produits et des procédés ; Robert Lucas, né en 1937 et prix Nobel en 1995, fait, lui, du capital humain le principal facteur de la croissance. Autrement dit, la capacité innovatrice serait bien une clé de la croissance économique comme Schumpeter l'écrivait il y a plus de soixante ans. Le journal *Le Monde* du 15-16 juin 1997, sous la plume d'Arnaud Leparmentier, explique que les performances de l'Europe et des États-Unis en matière d'emploi sont différentes en adoptant aussi une problématique schumpetérienne : « Si l'Europe ne crée pas d'emploi, c'est parce qu'elle a manqué la révolution technologique que connaissent les États-Unis depuis 10 ans, avec une myriade de P.M.E. high-tech, créatrices de richesses et qui emploient plus de 9 millions de salariés. Avec 100 milliards de francs, la France a traité la reconversion sociale de la sidérurgie et a consolidé un groupe, Usinor-Sacilor, qui vaut 22 milliards de francs en Bourse et emploie 43 000 salariés. Avec deux fois moins d'argent, les Américains ont créé Microsoft, Intel, Cisco, Oracle et Sun Microsystems. Ces cinq entreprises exceptionnelles valent en Bourse 360 milliards de dollars, soit 2 100 milliards de francs, et emploient directement 110 000 salariés. [...] Cette richesse se diffuse ensuite dans le tissu américain et crée des emplois nouveaux. »

L'économiste français contemporain Daniel Cohen, dans son ouvrage *Les Infortunes de la prospérité* (Julliard, 1994), reprend l'analyse schumpetérienne de la destruction créatrice pour décrire le fonctionnement de notre économie : « Dans les années cinquante et soixante, la croissance s'est présentée sous un jour rassurant : celui d'un bien public qui enrichit sans peine la société. Et, de fait, la croissance, au cours de cette époque, a surtout consisté à généraliser les techniques de production tayloriennes mises au point aux États-Unis avant guerre [...]. Le progrès technique s'incarne désormais comme un processus plus difficile à gérer pour une société [...] En même temps qu'il enrichit, le progrès technique détruit, et il semble aujourd'hui que la société doit désormais payer un prix plus lourd pour une croissance moindre. » Daniel Cohen explique ici que le progrès technique agit comme une destruction créatrice ou comme une création destructrice. C'est ainsi qu'il explique la persistance d'un chômage élevé. Une économie caractérisée par un processus de création destructrice connaît à la fois une croissance et du chômage car alors que des emplois sont créés, d'autres sont détruits. « Chaque année, [...] quatre millions d'emplois sont détruits, et un nombre équivalent est créé. Si *plus* de croissance veut dire en réalité *plus* encore de ces transformations, il est possible qu'elle signifie plus de chômage ».

Outre leur influence sur les explications de la croissance, les travaux de Schumpeter restent très souvent utilisés pour rendre compte de la nature cyclique des économies. Ainsi, alors que les Trente Glorieuses semblaient pouvoir faire douter de la pertinence de l'idée de mouvements économiques de longue durée, la crise économique qui débute dans les années soixante-dix suscite un nouvel intérêt pour cette analyse. Il en est de même pour la thèse des innovations comme moteur des cycles longs. Marie-France

Conus, dans la revue *Économies et sociétés,* cite des économistes contemporains, appelés néoschumpetériens, qui cherchent à recenser les différentes catégories d'innovations qui se sont déroulées jusqu'à aujourd'hui pour dater les différentes phases cycliques de l'économie mondiale. Ainsi, l'américain G. O. Mensch identifie trois mouvements cycliques complets de longue durée et deux partiels depuis la fin du XVIIIe siècle jusqu'à nos jours. Le premier (incomplet) débute en 1785 et s'achève en 1825, le deuxième commence en 1810 et s'achève en 1885, le troisième commence en 1865 et s'achève en 1935, le quatrième commence en 1920 et s'achève en 1990, le cinquième (incomplet) aurait commencé en 1970. Il constate donc que chaque cycle commence dix ou vingt ans avant l'achèvement du précédent. Il appelle cette période de coexistence de deux cycles impasse technologique. Au cours de chacune de ces impasses, l'économie mondiale subit une grave crise. Historiquement, elles débutent ainsi en 1825, 1873, 1929, 1974. Les dix années qui suivent se caractérisent par l'arrivée d'innovations majeures : la locomotive, la machine à vapeur, le moteur électrique, la télévision, la voiture... Un autre néoschumpetérien, J. J. Van Duijn, explique le mouvement économique par le cycle de vie des innovations, c'est-à-dire par la naissance, la croissance, la maturité puis le déclin des technologies. Les moteurs de la croissance économique sont constitués des secteurs de pointe. Il distingue ainsi un premier cycle long né en 1782 et s'achevant en 1848 conséquence de l'introduction de la vapeur, un deuxième cycle long entre 1845 et 1892 avec le fer et le chemin de fer, un troisième entre 1892 et 1948 avec l'électricité, la chimie, la naissance de l'industrie automobile, et un quatrième qui débute en 1948. Les retournements peuvent être datés de 1815, 1873, 1929, 1973. Les néoschumpetériens expliquent ainsi les années de forte croissance économique qui ont suivi l'après-Deuxième Guerre mondiale par des innovations majeures dans les biens d'équipement des ménages, dans l'automobile, l'informatique. Et ils expliquent la crise contemporaine par l'essoufflement de ces innovations et l'absence d'innovations de substitution suffisantes pour remettre l'économie dans une phase longue de croissance. L'explosion technologique des industries de la communication sera-t-elle à l'origine d'une nouvelle phase longue de croissance ? S'il est encore impossible de répondre à cette question, on peut toutefois noter qu'en 1996, aux États-Unis, les activités de haute technologie (high-tech) ont contribué à hauteur de 33 % à la croissance du PIB.

• Éléments de bibliographie

Ouvrages de Joseph Alois Schumpeter

La Théorie de l'évolution économique, Dalloz, 1934, 1re édition en 1911. Le dernier chapitre de cet ouvrage a été repris dans la *Revue française d'économie,* volume 2, n° 4, 1987.

Esquisse d'une histoire de la science économique des origines jusqu'à nos jours, Dalloz, 1972, 1re édition en 1914.

Impérialisme et classes sociales, Flammarion, 1984, 1re édition en 1918.

Business Cycles, Mc Graw Hill Books Co, 1re édition en 1939.

Capitalisme, socialisme et démocratie, Payot, 1990, 1re édition en 1942.

Essays on Entrepreneurship, Innovations, Business Cycles and the Evolution of Capitalism, R.V. Clemence, 1951.

Histoire de l'analyse économique, 1re édition en Grande-Bretagne en 1954, édition française en 1983 en 3 tomes, Gallimard.

The Sociology of Imperialisms, Meridian Books, 1955.

Ten Great Economists : from Marx to Keynes, Allen and Unwin, 1951.

The Econonomics and Sociology of Capitalism, R. Swedberg, 1991.

Les ouvrages dont les titres sont en anglais ne sont pas traduits en français.

Ouvrages sur Joseph Alois Schumpeter

Conus Marie-France, « L'héritage de la pensée de J. A. Schumpeter sur les mouvements économiques de longue durée : avancées ou reculs des néoschumpetériens ? », *Économies et sociétés,* n° 7-8 / 1993.

Perroux François, *La Pensée économique de Joseph Schumpeter,* Genève, Droz, 1965.

Quilès Jean-José, *Schumpeter et l'évolution économique,* Nathan (coll. « Circa »), 1997.

John Maynard KEYNES

I. L'homme dans son temps

Généralement considéré comme le plus grand économiste du XXe siècle, John Maynard Keynes n'est pas seulement un brillant théoricien. C'est un acteur qui cherche à peser sur les décisions prises par le pouvoir politique de son pays et qui s'efforce d'apporter des solutions aux grands problèmes économiques de son époque. Son parcours est celui d'un jeune universitaire qui acquiert une stature exceptionnelle.

• De Cambridge à Cambridge

John Maynard Keynes naît à Cambridge le 5 juin 1883, moins de trois mois après la mort de Karl Marx. Il est l'aîné des trois enfants d'une famille bourgeoise aisée dont la généalogie de la branche paternelle remonte à la conquête normande. Guillaume de Cahagnes, compagnon de Guillaume le Conquérant, venait du village du même nom (qui, après plusieurs déformations donnera Keynes) dans l'actuel Calvados. Les Keynes restent pendant des générations une famille de haut rang proche de la cour.

Le milieu familial dans lequel évolue le jeune Maynard contribue largement à réunir les conditions de réussite d'une brillante carrière d'économiste. Son père, John Neville, est universitaire à Cambridge où il enseigne la logique, les sciences morales et l'économie politique. Sa mère, Florence, est engagée dans l'action sociale et n'hésite pas à accepter des responsabilités nouvelles qui la conduiront à être la première femme élue au conseil municipal de Cambridge avant de devenir maire de la ville. De santé fragile, Maynard ne peut rester plus de quelques mois à l'école et suit à la maison un enseignement assuré d'abord pas sa mère puis par un précepteur. Son retour à l'école primaire, à huit ans et demi, est suivi de longues périodes d'absence. La ténacité de son père, qui veille sur les progrès intellectuels de Maynard, est récompensée puisqu'à onze ans il devient le premier de sa classe et obtient ensuite d'excellents résultats.

Toujours soucieux du succès intellectuel de Maynard, ses parents engagent des professeurs privés pour le préparer à l'examen d'entrée au prestigieux collège d'Eton. À quatorze ans, il est reçu dixième sur les vingt candidats admis et est classé premier en mathématiques. Les cinq ans qu'il passe dans cette institution ouverte aux enfants des plus grandes familles anglaises révèlent d'exceptionnelles qualités intellectuelles. Il obtient tous les prix de mathématiques mais excelle aussi dans les études classiques, se classant notamment premier en histoire et en anglais. À ses imposantes capacités intellectuelles s'ajoutent des dons d'orateur et une force de caractère qui lui valent d'être élu au cercle de débats de la *Chamber Pop* ainsi qu'à la *Eton Society,* familièrement appelée « Pop », qui sélectionne des étudiants appelés à exercer des responsabilités dans l'école. Lors de sa dernière année à Eton, Keynes obtient une bourse pour le *King's College,* à l'université de Cambridge. Il répond ainsi d'une éclatante manière au vœu que formulait sa famille dès son entrée à Eton puisque sa bourse lui ouvre à la fois les portes de la section de mathématiques et de celle lettres classiques.

Entré en 1902 à Cambridge où il suit l'enseignement de mathématiques, Keynes déborde d'activité au sein de plusieurs associations débattant de questions littéraires ou politiques. Il intègre aussi la *Cambridge Conversazione Society,* une société secrète désignée comme la société des « Apôtres » ou plus simplement comme « la Société », dont l'objectif est la recherche de la vérité au moyen d'une intégrité intellectuelle absolue. En 1905, il passe avec succès les épreuves du *tripos* de mathématiques qui valident les trois années d'enseignement universitaire.

Quelle voie choisir au terme d'un parcours aussi brillant ? Keynes, après avoir envisagé de passer un second *tripos* en sciences morales ou en économie, renonce pour consacrer sa quatrième année à l'université de Cambridge à préparer le concours de la fonction publique. L'économie étant au programme du concours, il se lance dans l'étude de cette discipline qu'il a déjà commencé à découvrir à travers la lecture de Stanley Jevons et surtout d'Alfred Marshall, professeur à Cambridge et ami de son père. Marshall ne manque pas de relever l'excellent travail de Keynes en économie et le presse d'embrasser une carrière d'économiste. Le jeune candidat bénéficie, pour sa préparation, de l'aide d'Arthur Cecil Pigou, lui aussi économiste à Cambridge, qui devient son tuteur.

Au terme d'une année de travail, entrecoupée d'un voyage en Italie qui le convertit aux plaisirs du tourisme automobile, Keynes passe le concours en espérant accéder à un poste au Trésor ou au Bureau Indien. Reçu deuxième sur cent quatre candidats, il voit le premier choisir le Trésor et il se tourne donc vers le Bureau Indien. Classé premier dans plusieurs épreuves du concours, il a le désagrément d'obtenir de moins bons résultats en mathématiques et en économie, les matières qu'il considère le mieux maîtriser. Il n'hésite alors pas à affirmer qu'il en savait beaucoup plus en économie que ses examinateurs.

Le Bureau Indien, où il reste de 1906 à l'été 1908, n'offre pas à Keynes une activité professionnelle passionnante et encore moins épuisante. Sa première mission consiste ainsi à assurer l'embarquement de dix taureaux pour Bombay. S'il s'en acquitte à la grande satisfaction de ses supérieurs, cette tâche et les autres du même acabit qu'on lui confie ne sont guère de nature à l'enthousiasmer. Elle lui laissent en revanche du temps qu'il occupe à la rédaction d'une thèse sur la théorie des probabilités. Une fois celle-ci achevée, prêt à quitter Londres pour revenir à Cambridge, il pose au printemps 1908 sa candidature à un poste de fellow à King's College. Sa candidature n'est pas retenue mais Marshall l'invite à postuler pour un emploi d'assistant en économie. Keynes voit sa demande acceptée et, en dépit d'une rémunération incertaine et de l'absence de toute assurance de réemploi l'année suivante, il démissionne du Bureau Indien en juin. Il met à profit les mois qui suivent pour remanier sa thèse et, après avoir à nouveau présenté sa candidature, il devient en 1909 fellow de King's College, statut qu'il conserve jusqu'à la fin de sa vie.

• De Cambridge à la reconnaissance internationale

À l'époque où Keynes commence ses cours à Cambridge, le diplôme d'économie est encore récent. Il est créé en 1903 sous l'impulsion de Marshall et la première promotion qui se présente en 1906 ne comporte que six candidats. Keynes, qui traite plus particulièrement des questions monétaires, affirme avoir ouvert son cours « devant un public énorme » en précisant qu'« il devait y avoir au moins quinze personnes » (lettre à Duncan Grant du 19 janvier 1909). Il innove en créant un club d'économie politique qui réunit en sa présence, chaque lundi soir, les meilleurs étudiants dans des séances où chacun est appelé à commenter le texte qui vient d'être lu. Ces séances, qui existeront jusqu'en 1937, permettent à Keynes de tisser des liens étroits avec les étudiants en économie.

Parallèlement à ses activités d'enseignement, Keynes se lance dans un travail de publication. Son premier article important, sur « les récents événements économiques en Inde », paraît dès 1909 dans l'*Economic Journal.* Il écrit un essai sur les indices, mène en 1910 une controverse contre le statisticien Karl Pearson, donne début 1911 une série de conférences sur les finances indiennes à la *London School of Economics,* publie ensuite dans le *British Journal* une critique de l'ouvrage d'Irving Fisher. En octobre de cette même année 1911, il devient rédacteur en chef de l'*Economic Journal,* poste qu'il conservera durant trente-trois ans. En 1913, alors qu'il s'apprête à publier son premier ouvrage, *Indian Currency and Finance,* il est appelé à siéger à la Commission royale sur la finance et la monnaie indienne. Cette intense activité n'empêche pas Keynes de rester ouvert à d'autres domaines en fréquentant un groupe d'artistes et d'intellectuels opposés aux convenances victoriennes désigné sous le nom de Bloomsbury, du nom du quartier de Londres où il se réunit.

Avec la Première Guerre mondiale, Keynes est amené à jouer un rôle de plus en plus officiel. Il devient conseiller du chancelier de l'Échiquier puis entre au Trésor. Les questions financières dont il a la charge le conduisent à quitter Londres à plusieurs reprises pour New York ou Paris. Il profite même de l'un de ses voyages à Paris pour acquérir à bas prix dans une vente aux enchères quelques toiles de maîtres.

Keynes s'est tellement impliqué dans les problèmes financiers posés par la guerre que lorsque celle-ci prend fin, il est tout naturellement conduit à représenter le Trésor à la conférence pour la Paix. Il s'emploie alors à faire assurer l'approvisionnement alimentaire de l'Allemagne vaincue, demande une annulation des dettes interalliées et dénonce la volonté d'affaiblir l'Allemagne en lui imposant le paiement de réparations dont il montre le caractère irréaliste en comparaison avec sa capacité de paiement, alors qu'elle sort du conflit ruinée, amputée d'une partie de son territoire et privée de ses colonies. Ne réussissant pas à faire prévaloir ses vues sur le montant des réparations, il démissionne de la conférence en juin 1919.

De retour en Angleterre, Keynes rédige en deux mois une dénonciation des conditions du traité de paix. *Les Conséquences économiques de la paix* sont publiées fin 1919 et ont un retentissement considérable. L'ouvrage est rapidement traduit en une douzaine de langues et son auteur, qui était déjà célèbre en Angleterre, devient connu dans le monde entier. Il démontre l'incapacité de l'Allemagne à effectuer les paiements exigés d'elle et se montre particulièrement clairvoyant en annonçant qu'en cas d'appauvrissement de l'Europe centrale, « la revanche ne traînera pas ».

• L'envol d'une carrière

L'après-guerre voit Keynes entamer une nouvelle carrière. Il réduit ses activités d'enseignement à Cambridge où les autorités de King's College décident néanmoins d'utiliser ses compétences financières en le nommant second intendant. Il refuse la proposition alléchante de prendre la direction d'une banque scandinave mais accepte la présidence d'une compagnie d'assurances qu'il conserve jusqu'en 1938, ce qui ne l'empêche pas, à partir de 1923, de présider jusqu'à sa mort le conseil financier d'une deuxième compagnie d'assurances. Et surtout, il se lance dans une activité qu'il dénoncera pourtant par la suite : la spéculation. Il s'enrichit rapidement mais, au printemps 1920, ses anticipations sur la baisse du mark allemand sont en fait contredites par une remontée provisoire de cette monnaie. Il perd non seulement la fortune qu'il avait commencé à constituer mais également une importante somme qu'il gérait pour le compte de ses amis. Un emprunt et une avance sur ses droits d'auteur lui permettent d'éviter la faillite. Cette alerte ne le dissuade pas de reprendre ses opérations de spéculation et des choix judicieux assurent une progression régulière de ses avoirs. Sa fortune, qui s'élevait déjà à 60 000 livres en 1924, atteint 500 000 livres en 1937.

Délivré des contraintes financières, Keynes peut se consacrer à ses recherches. Il écrit de nombreux articles de presse, publie en 1921 son *Treatise on Probability,* poursuit ses analyses sur les conséquences économiques de la paix qui donnent lieu à un nouveau livre, *A Revision of the Treaty,* édité en janvier 1922. Il diffuse ses idées en s'adonnant au journalisme, devenant au *Sunday Times* rédacteur en chef d'une série de suppléments spéciaux sur les problèmes économiques et financiers de l'après-guerre, ou participant à la conférence de Gênes comme correspondant du *Manchester Guardian.* Il s'engage aux côtés du parti libéral, rachète en 1923 avec des amis l'hebdomadaire *Nation and Athenaeum* qui en répand les idées, et devient directeur de la publication. Il trouve malgré tout le temps de publier un nouveau livre en décembre de la même année, *A Tract on Monetary Reform,* traduit rapidement en plusieurs langues, notamment en français sous le titre *La Réforme monétaire.*

La dénonciation de l'étalon-or et la mise en garde contre les dangers de la déflation développées dans le *Tract* n'empêchent pas le chancelier de l'Échiquier, Winston Churchill, de mettre en œuvre, en 1925, le retour de la Grande-Bretagne à l'étalon-or à la parité d'avant-guerre. Keynes réagit par la publication d'un pamphlet sur *Les conséquences économiques de M. Churchill,* dans lequel il décrit les difficultés auxquelles la surévaluation de la monnaie expose l'économie britannique. La pénalisation des entreprises ouvertes sur l'extérieur, la baisse des salaires, la longue grève des mineurs de 1926 puis la première grève générale du pays sont autant d'événements dont l'enchaînement donne raison à Keynes.

Si l'année 1925 se révèle désastreuse pour l'économie, elle ne l'est manifestement pas pour Keynes. Alors qu'il avait jusque-là essentiellement entretenu des relations homosexuelles, il épouse en août la danseuse russe Lydia Lopokova. Les jeunes mariés partent en Russie et à son retour Maynard publie plusieurs articles sur le nouvel ordre soviétique. Il donne en 1926 une conférence à Berlin sur la *Fin du laissez-faire.* Il participe à la rédaction du *Liberal Yellow Book* du parti libéral qui paraît en 1928, renonce cependant à être son candidat aux élections de 1928 mais apporte son soutien au programme de lutte contre le chômage en collaborant à la rédaction d'un long pamphlet, *Can Lloyd George do it ?*

Dès le déclenchement de la crise de 1929, le gouvernement met en place une Commission d'enquête sur les finances et l'industrie présidée par Lord Macmillan. Keynes en fait partie et y consacre une grande partie de son temps. Et lorsqu'en janvier 1930 est créé l'*Economic Advisor Council,* une instance consultative en matière de politique économique, il en devient aussi membre. En dépit de ces activités débordantes, auxquelles s'ajoutent divers articles et conférences, il réussit à publier en décembre 1930 son *Treatise on Money* sur lequel il travaille depuis 1924. S'il est bien accueilli, ce *Traité* suscite parfois des critiques, comme celles de Dennis Robertson, lui aussi universitaire à Cambridge, ou de Friedrich von Hayek, avec qui Keynes engage une polémique. Peu après sa publication, un groupe de jeunes économistes de Cambridge décide de se réunir régulièrement pour en discuter le contenu. Ce séminaire, communément appelé le « cirque », auquel Keynes lui-même ne participe pas, regroupe notamment Richard Kahn, James Meade, Piero Sraffa, Joan et Austin Robinson.

En 1931, Keynes donne des conférences à l'université de Chicago sur le problème du chômage. Il écrit en 1933 les *Moyens de la prospérité* à l'occasion d'une conférence mondiale qui se réunit à Londres pour envisager une stratégie collective de lutte contre la dépression. Lors d'une nouvelle visite aux États-Unis, il tente de faire partager ses vues au président Roosevelt sur les meilleurs moyens de renouer avec la croissance. Il mène aussi à bien divers projets comme la construction d'un théâtre à Cambridge qu'il supervise de bout en bout. Et surtout, entre conférences et publication d'articles, il consacre son temps à la rédaction de son œuvre majeure : la *Théorie générale de l'emploi, de l'intérêt et de la monnaie* qui paraît en 1936.

En 1937, Keynes, qui vient d'écrire plusieurs articles, est victime d'un malaise cardiaque. Il reprend néanmoins ses activités, rappelle au président Roosevelt que la dépense est la clé de la relance, prend part à la vie mondaine et politique. Sollicité pour être le représentant de Cambridge au Parlement, alors que les trois principaux partis sont prêts à le soutenir, il refuse l'offre. La guerre le ramène à l'étude des questions financières. Il publie en 1940 *Comment payer la guerre* puis entre dans un conseil consultatif au Trésor où il passe une grande partie de son temps. En septembre 1941, il devient l'un des directeurs de la Banque d'Angleterre. Keynes a à cette époque d'autres motifs de fierté. Plusieurs universités lui décernent des distinctions honorifiques et, en 1942, le roi l'anoblit.

Les relations monétaires et financières internationales absorbent les dernières années de la vie de Keynes. Il retourne à plusieurs reprises aux États-Unis pour négocier une aide financière à la Grande-Bretagne puis pour participer à la construction d'un nouveau système monétaire international. Il bâtit notamment un plan prévoyant la création d'une banque de compensation internationale pour gérer les relations entre banques centrales des différents pays ainsi qu'une monnaie internationale : le bancor. C'est lui qui, à l'automne 1943, conduit la délégation britannique qui rencontre pendant trois semaines la délégation américaine dirigée par Harry

White pour tenter d'aplanir les divergences, sans qu'il réussisse toutefois à imposer son plan face à celui défendu par White. Et en juillet 1944, il dirige l'une des trois commissions de la conférence de Bretton Woods où sont invités les représentants de quarante quatre gouvernements.

Keynes, qui a subi une nouvelle alerte cardiaque à Bretton Woods, accepte néanmoins de repartir aux États-Unis à l'automne 1944 puis en 1945 pour négocier la suite de l'aide financière américaine. En mars 1946, il se déplace une dernière fois en Amérique pour la session d'ouverture du Conseil des gouverneurs du Fonds monétaire international et de la Banque mondiale. Il y subit la plus grave crise cardiaque qu'il ait jamais eue. La suivante lui sera fatale : de retour en Angleterre, il est terrassé par une nouvelle crise le 21 avril 1946.

II. L'analyse des questions monétaires

La compréhension des mécanismes monétaires est une préoccupation constante de Keynes tout au long de sa carrière. Dès son premier article sur « les récents événements économiques en Inde » il prône une intervention pour contrôler les fluctuations de la monnaie plutôt que de compter sur les forces du marché. Dans son premier ouvrage sur *Indian Currency and Finance,* il se prononce pour l'étalon de change or. Entre le *Tract* de 1923 et le *Traité* de 1930 puis la *Théorie générale* de 1936, son approche de la monnaie connaît toutefois une évolution.

• L'approche de la monnaie dans *La Réforme monétaire*

Dans l'ouvrage de 1923, Keynes n'hésite pas à écrire que la théorie quantitative de la monnaie, qui explique l'évolution du niveau des prix par celle de la quantité de monnaie, est « fondamentale » (*La Réforme monétaire,* chapitre 4) et il en établit une présentation qui « suit les lignes générales du Professeur Pigou et du Dr Marshall ».

L'adhésion à la théorie quantitative

L'ancien élève de Pigou reprend son idée selon laquelle « le *nombre* de billets que le public a ordinairement en mains est déterminé par le montant de *pouvoir d'achat* » qu'il souhaite conserver. Keynes mesure « ce montant défini de pouvoir d'achat » par un panier de consommations qu'il désigne comme étant l'« unité de consommation ». Il prend en compte plusieurs variables : k, le nombre d'unités de consommation que le public peut acquérir à l'aide de la monnaie qu'il détient ; n, le montant de l'encaisse monétaire ; p, le prix de l'unité de consommation. Keynes peut alors écrire :

$$n = p\,k$$

L'encaisse monétaire correspond au nombre d'unités de consommation que le public veut être en mesure d'acquérir multiplié par leur prix unitaire. Keynes formule ainsi « la fameuse théorie quantitative de la monnaie ». Tant que k reste fixe, n et p varient de la même façon. Si le montant des espèces en circulation s'accroît ou diminue, « le niveau des prix s'élève ou s'abaisse dans la même proportion ».

Dans cette présentation, l'encaisse monétaire est constituée de billets et de pièces. Keynes intègre néanmoins la monnaie scripturale en notant : k', le nombre d'unités de consommation que le public peut acquérir à l'aide de ses dépôts mobilisables par chèques ; r, la proportion de ces dépôts que les banques conservent en réserve sous forme de billets ou pièces. L'équation devient alors :

$$n = p\,(k + rk')$$

La prise en compte des dépôts à vue ne change rien aux conclusions précédentes. Tant que k, k'et r ne sont pas modifiés, p suit l'évolution de n. Keynes peut ainsi conclure à une « relation directe » entre le montant de l'encaisse monétaire et le niveau des prix. Il précise que cette théorie est probablement vraie dans le long terme. « Mais ce *long terme* est une mauvaise référence pour les affaires courantes. *À long terme,* nous serons tous morts. Les économistes ne se fatiguent pas beaucoup et ils ne servent pas à grand-chose si tout ce qu'ils peuvent dire lorsqu'il y a une période orageuse, c'est que la mer sera calme lorsque la tempête sera passée. » Les autorités monétaires sont d'autant plus incitées à intervenir que les variations de prix ne sont pas sans incidence sur l'activité économique.

L'enjeu de la stabilité des prix

Keynes ne manque pas de rappeler les effets des fluctuations de prix. « L'inflation qui déclenche la hausse des prix est source d'injustices pour les individus et les classes, particulièrement les investisseurs ; elle décourage donc l'épargne. La déflation qui déclenche la baisse des prix est source d'appauvrissement pour les travailleurs et les entreprises car elle incite les entrepreneurs à restreindre la production afin de ne pas subir eux-mêmes de pertes ; elle a donc un effet désastreux sur l'emploi. » (*La Réforme monétaire,* chapitre 1.) Non seulement les variations de prix ont un impact sur l'activité économique, mais la simple « anticipation d'un changement dans le niveau *général* des prix affecte le processus de production ». Si les entrepreneurs anticipent une baisse des prix, ils tentent de s'en préserver en restreignant leurs opérations.

Dès lors, entre les deux objectifs de la politique monétaire que sont la stabilité des prix et la stabilité des changes, c'est le premier qui doit être privilégié si seul l'un des deux objectifs peut être atteint. Keynes développe ainsi dans son ouvrage de 1923 les arguments qui le conduiront à s'opposer par la suite à la prétention des autorités britanniques de stabiliser la valeur de la livre à sa valeur d'avant-guerre, laquelle revient à accepter la déflation pour préserver l'équilibre extérieur. La politique monétaire peut assurer la stabilité des prix en régulant la quantité de monnaie : le contrôle de l'émission des billets et l'action sur les réserves permettent de garantir la stabilité du volume des dépôts à vue.

Dans le *Traité* de 1930, Keynes prend néanmoins ses distances avec cette approche : il revient sur sa formulation de la théorie quantitative et il s'éloigne d'une théorie purement monétaire de l'inflation. Mais c'est surtout dans la *Théorie générale* que Keynes rompt pleinement avec la théorie quantitative. La préférence des individus pour la liquidité les conduit à formuler une demande de monnaie qui participe à la détermination du taux d'intérêt.

• La préférence pour la liquidité

L'individu qui, renonçant à une consommation immédiate, constitue une épargne peut choisir la forme sous laquelle il conserve celle-ci. Soit il laisse son épargne sous une forme monétaire, soit il s'en sert pour effectuer des placements en vue de bénéficier d'une rémunération. Plus vraisemblablement, il conservera une fraction de son épargne en monnaie et utilisera le reste pour acquérir des titres. Ce choix de la répartition de l'épargne entre monnaie et titres reflète la préférence de l'individu pour la liquidité.

L'existence d'une demande de monnaie

L'épargnant effectue un arbitrage entre deux formes de détention de la richesse qui présentent toutes deux des avantages. L'avantage de la conservation d'une épargne sous une forme non monétaire tient au taux d'intérêt qui rémunère le placement effectué. Pour Keynes, le taux d'intérêt n'est pas un élément pris en compte par les individus pour la détermination du montant de l'épargne, mais il les incite à conserver une part plus ou moins importante de cette épargne sous forme liquide. Keynes considère qu'« il est la récompense pour la renonciation à la liquidité pour une période déterminée » (*Théorie générale,* chapitre 13).

En conséquence, une baisse du taux d'intérêt signifie que la renonciation à la liquidité est moins bien récompensée, ce qui peut inciter les épargnants à conserver leurs fonds sous forme de monnaie. Contrairement à l'analyse classique traditionnelle qui envisage la monnaie comme un simple instrument favorisant la réalisation de l'échange, Keynes prend en considération « son usage comme réserve de richesse ». L'épargnant est confronté à des incertitudes, notamment quant à l'évolution du taux d'intérêt et l'usage de la monnaie qu'il peut être amené à faire dans le futur. Plutôt que de placer l'intégralité de son épargne, il choisit volontairement de maintenir une réserve liquide, quitte à supporter un coût d'opportunité. La monnaie est ainsi demandée pour elle-même par des agents qu'un taux d'intérêt ne suffit pas à convaincre d'effectuer des placements. Cette préférence pour la liquidité s'explique par plusieurs motifs.

Les motifs de la préférence pour la liquidité

Keynes explique la demande de monnaie par trois motifs : le motif de transactions, le motif de précaution et le motif de spéculation.

Le motif de transactions correspond au « besoin de monnaie pour la réalisation courante des échanges personnels et professionnels ». Les ménages conservent de la monnaie entre le moment où ils perçoivent un revenu et celui où ils réalisent une consommation, tandis que les entreprises gardent de la monnaie « pour combler l'intervalle entre l'époque où l'on assume les frais professionnels et celle où l'on encaisse le produit de la vente ».

Le motif de précaution est défini comme « le désir de sécurité en ce qui concerne l'équivalent futur en argent d'une certaine proportion de ses ressources totales ». Il renvoie à l'incertitude sur les dépenses qui pourront être engagées dans le futur. La détention de monnaie s'explique par « le souci de parer aux éventualités exigeant une dépense soudaine, l'espoir de profiter d'occasions non prévues d'achats avantageux, et enfin le désir de garder un avoir de valeur nominale immuable pour faire face à une obligation future stipulée en monnaie ». Le motif de précaution sera plus ou moins fort selon le coût et la sécurité avec lesquels les agents économiques pourront se procurer de la monnaie en cas de besoin. En effet, s'ils peuvent facilement bénéficier de facilités comme les découverts ou d'autres formes d'emprunts sur une brève période, ils n'auront pas besoin de détenir des encaisses oisives en prévision des dépenses éventuelles. La monnaie pourra être placée et si des opportunités de dépenses se présentent, celles-ci pourront être assurées grâce aux facilités accordées par les banques. Le motif de précaution sera aussi influencé par le coût relatif de la détention de monnaie. Détenir de la monnaie implique en effet un manque à gagner pour les agents économiques qui auraient pu utiliser les fonds provisoirement immobilisés pour acquérir un actif productif ou effectuer un placement procurant un intérêt.

Le motif de spéculation est « le désir de profiter d'une meilleure connaissance que celle du marché de ce que réserve l'avenir ». Ce motif est particulièrement important parce qu'il permet de comprendre pourquoi un changement de la quantité de monnaie peut influencer l'économie. Alors que l'intensité des précédents motifs est surtout sensible à l'évolution de l'activité économique et du niveau des revenus, celle du motif de spéculation réagit aux variations du taux d'intérêt. Une hausse du taux d'intérêt se traduit en effet par une baisse du cours des obligations. Ce résultat est dû au fait que les nouvelles obligations devenant plus rémunératrices, les épargnants vendent leurs anciennes obligations, ce qui en fait baisser le cours. La faiblesse des cours incite les détenteurs de monnaie à acquérir des titres qui procureront des plus-values lorsque le taux d'intérêt baissera et poussera les cours des obligations à la hausse.

• La détermination du taux d'intérêt

Contrairement aux néoclassiques pour qui le taux d'intérêt égalise l'épargne et l'investissement, Keynes présente le taux d'intérêt comme résultant de la confrontation entre la demande et l'offre de monnaie.

La demande de monnaie

Keynes divise l'encaisse monétaire en deux composantes. Il distingue M_1, le montant de la monnaie que les agents détiennent pour les motifs de transactions et de précaution, et M_2, le montant détenu pour le motif de spéculation. Ces deux composantes de l'encaisse sont déterminées par deux fonctions de liquidité L_1 et L_2. L_1 dépend principalement du montant du revenu (R) et L_2 du taux d'intérêt (i). La quantité totale de monnaie détenue (M) peut alors s'écrire :

$$M = M_1 + M_2 = L_1 (R) + L_2 (i)$$

La progression de M1 suit celle de R, sans que le taux d'intérêt joue le moindre rôle, ce que traduisent les graphiques suivants :

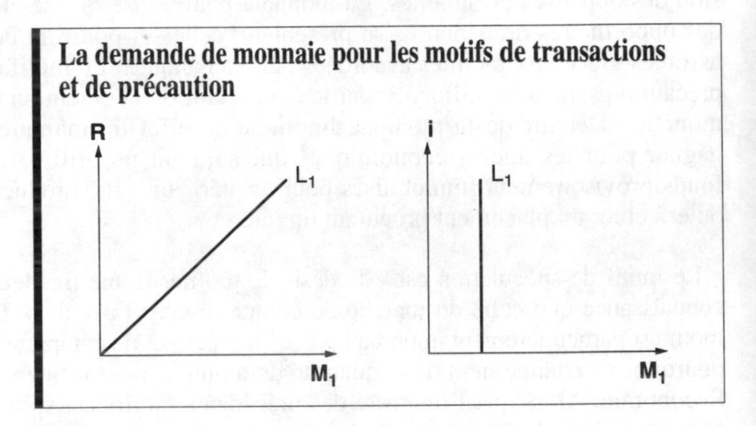

La fonction L_2 (i) rend compte du fait qu'une baisse de i est associée à une augmentation de M_2 :

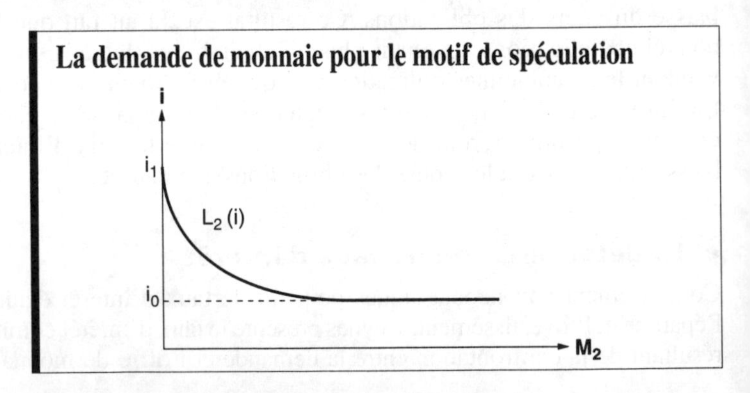

Si le taux d'intérêt est élevé à un point tel que tous les agents économiques ne prévoient pas qu'il puisse s'accroître à nouveau, cela signifie que ces agents estiment que les obligations sont à leur cours le plus bas. Puisque les obligations ne peuvent que connaître une évolution à la hausse, personne ne conservera de la monnaie pour le motif de spéculation. Chacun détiendra son épargne sous forme de titres, considérant que ceux-ci sont promis à une hausse future. La baisse du taux d'intérêt, provoquant l'augmentation du cours de titres, réduit les potentialités de plus-values ultérieures et incite les épargnants à se dessaisir de leur titres. La préférence pour la liquidité s'accroît au fur et à mesure que le taux d'intérêt diminue. Il arrive un moment où ce taux se trouve à un niveau si faible que les épargnants ne prévoient pas qu'il puisse baisser davantage. Le cours des titres est donc considéré comme étant à son maximum. Comme les perspectives de plus-values sont nulles, les épargnants conservent tous leurs avoirs sous forme de liquidité. C'est le phénomène connu sous le nom de « trappe à liquidité ».

La confrontation avec l'offre de monnaie

L'offre de monnaie est exogène, c'est-à-dire qu'elle n'est pas le résultat d'un mécanisme économique. Elle est déterminée par les autorités monétaires. C'est la confrontation entre la quantité de monnaie mise à la disposition de l'économie par les autorités monétaires et la demande de monnaie rendant compte de la préférence de la liquidité qui fixe le niveau du taux d'intérêt. Keynes peut ainsi définir le taux d'intérêt comme « le prix qui équilibre le désir de détenir la richesse sous forme de monnaie et la quantité de monnaie disponible ». Une réduction de la quantité de monnaie disponible peut donc élever le taux d'intérêt tandis qu'une augmentation de celle-ci tend à le faire baisser. La trappe à liquidité limite toutefois ce mouvement puisque lorsque le taux d'intérêt est à son minimum, une offre de monnaie supplémentaire devient sans effet (voir le graphique p. 268).

Si tout au long de sa carrière, Keynes se préoccupe des questions monétaires, l'existence d'un chômage important dans l'entre-deux-guerres l'amène à chercher à expliquer la possibilité d'un équilibre de sous-emploi.

La confrontation entre offre et demande de monnaie

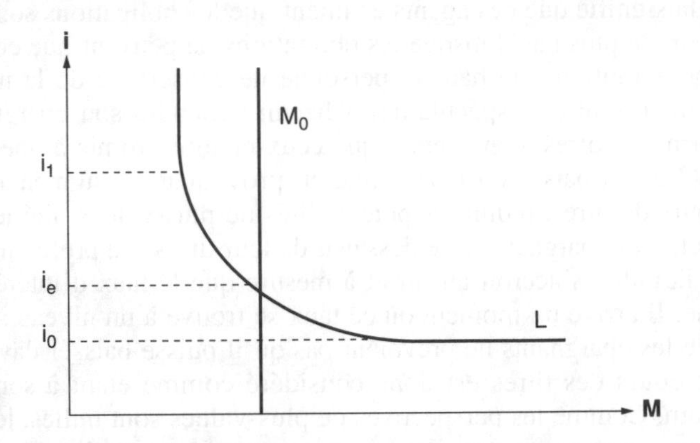

Dans ce graphique, la courbe L de demande totale de monnaie est obtenue par addition de la demande de monnaie pour les motifs de transactions et de précaution telle qu'elle apparaît dans le premier graphique p. 266 et de la demande de monnaie pour motif de spéculation représentée dans le deuxième graphique p. 266. Le point d'intersection avec l'offre de monnaie M_0 détermine le taux d'intérêt d'équilibre i_e.

III. L'équilibre de sous-emploi

Rejetant l'analyse classique du marché du travail, Keynes explique le niveau de l'emploi à partir du concept de demande effective.

• Le rejet de l'analyse classique du marché du travail

Les postulats classiques

Les économistes classiques, que Keynes désigne comme « les successeurs de Ricardo » (*Théorie générale,* chapitre 1) qu'il fait aller jusqu'à Pigou, fondent la théorie de l'emploi sur deux postulats. Le premier est que *« le salaire est égal au produit marginal du travail »* (*Théorie générale,* chapitre 2). Cela signifie que le salaire d'une personne est égal à la valeur qui serait perdue si l'emploi était réduit d'une unité. Dans la courte période, où l'équipement et la technique sont supposés rester constants, « l'industrie travaille normalement avec des rendements décroissants », ce qui fait que la production obtenue grâce à l'embauche d'un travailleur additionnel devient de plus en plus faible. Il s'ensuit « qu'un accroissement de l'emploi ne peut, en général, se produire sans être accompagné d'une diminution des salaires réels. Nous ne contestons pas cette loi primordiale, qu'à juste titre les économistes classiques ont déclarée inattaquable. » Keynes accepte donc ce premier postulat qui revient à affirmer que « si l'emploi augmente, il faut en règle générale que dans la courte période la rémunération de l'unité de travail, exprimée en biens de consommation ouvrière, diminue ».

Le second postulat de la théorie classique est que *« l'utilité du salaire quand un volume donné de travail est employé est égale à la désutilité marginale de ce volume d'emploi »*. Le salaire réel est juste suffisant « pour attirer sur le marché tout le volume de travail effectivement employé ». C'est ce second postulat que rejette Keynes. Associé au premier, il permet aux classiques de déterminer un niveau de l'emploi correspondant au plein-emploi. Le premier postulat revient en effet à affirmer que la demande de travail de la part des employeurs est une fonction décroissante du salaire réel alors que le second conduit à présenter l'offre de travail des salariés comme une fonction croissante du salaire réel. Il existe donc un point d'équilibre déterminant le volume de l'emploi. À ce point, toute l'offre de travail trouve à s'employer au salaire réel en vigueur.

La contestation de Keynes

Keynes oppose deux objections au second postulat de l'économie classique, rejetant ainsi l'idée selon laquelle le volume d'emploi serait nécessairement fixé à un niveau correspondant au plein-emploi. La première objection renvoie à l'expérience courante : la rémunération de la main-d'œuvre n'est pas stipulée en salaires réels, mais en salaires nominaux, c'est-à-dire en salaires exprimés en prix courants. Si, à un moment donné, les salariés ne sont pas disposés à accepter une baisse de leur salaire nominal et se retirent en partie du marché du travail en cas de baisse, cela ne signifie pas que le niveau des salaires réels mesure à ce moment exactement la désutilité marginale du travail, à savoir le supplément de nuisance provoqué par une unité de travail additionnelle. En effet, le pouvoir d'achat des salaires pourrait baisser dans les mêmes proportions à la suite d'un mouvement de hausse des prix et les salariés n'en réduiraient pas nécessairement leur offre de travail pour autant. Autrement dit, « il est possible que dans une certaine limite les exigences de la main-d'œuvre portent sur un minimum de salaire nominal et non sur un minimum de salaire réel ». Si l'offre de travail n'est pas exclusivement fonction du salaire réel, c'est l'analyse classique qui est remise en question. Toute baisse du salaire réel, notamment si elle prend la forme d'une hausse de prix, n'amène pas une diminution de l'offre de travail. « Alors que la main-d'œuvre résiste ordinairement à la baisse des salaires nominaux, il n'est pas dans ses habitudes de réduire son travail à chaque hausse du prix des biens de consommation ouvrière. » Le volume de l'emploi connaît en revanche d'amples variations, comme le montre l'expérience des années 1930, sans qu'il y ait de changements dans les salaires réels réclamés par la main-d'œuvre ou dans la productivité de celle-ci.

Keynes va encore plus loin dans ce rejet de l'hypothèse de salariés qui seraient uniquement sensibles à l'évolution de leurs salaires réels. Il remarque que les salaires nominaux et les salaires réels ne sont pas appelés à varier dans le même sens. Une diminution de l'emploi est susceptible de correspondre à une baisse des salaires nominaux et à une hausse des salaires réels. « La raison en est que, dans la courte période, la baisse des salaires nominaux et la hausse des salaires réels doivent toutes deux accompagner, pour des motifs différents, la diminution de l'emploi ; la main-d'œuvre accepte plus volontiers des réductions de salaire lorsque l'emploi décline et dans les mêmes circonstances les salaires réels ont tendance à croître puisque, si l'équipement reste inchangé, la productivité marginale de la main-d'œuvre augmente à mesure que l'emploi diminue. »

En résumé, si l'on part d'une situation où, au salaire réel en vigueur, toute l'offre de travail ne trouve pas à s'employer, la hausse des prix, qui correspond à un abaissement du salaire réel, peut laisser subsister une offre de travail excédentaire. Dès lors, « les biens de consommation ouvrière équivalents au salaire nominal existant ne mesurent pas exactement la désutilité marginale du travail et le second postulat se trouve en défaut ».

La seconde objection de Keynes à l'encontre de ce postulat porte sur l'idée que les salaires réels dépendraient de négociations entre les employeurs et les salariés. Si ce n'est pas le cas, « il n'y a plus de raison de supposer que le salaire réel et la désutilité marginale du travail s'ajustent spontanément l'un à l'autre ». Or Keynes relève que le niveau du salaire réel n'est guère déterminé par les négociations salariales. La compétition autour des salaires nominaux porte surtout sur la répartition du salaire réel global entre les différents groupes de travailleurs. Ce que les travailleurs de tel ou tel groupe cherchent à protéger, c'est leur salaire relatif, tandis que le niveau général des salaires réels « dépend d'autres forces du système économique ».

Le rejet du second postulat de la théorie classique conduit à reconnaître la possibilité de l'existence d'un chômage involontaire. Au salaire réel en vigueur, toute l'offre de travail ne trouve plus à s'employer. Le déclin de l'emploi est certes associé à une augmentation du salaire réel, consécutive à l'amélioration de la productivité marginale, mais il ne résulte pas d'une exigence des salariés d'un accroissement de ce salaire réel. La faiblesse de l'emploi est à rechercher dans l'insuffisance de la demande effective.

• Le principe de la demande effective

Keynes prend ses distances avec la théorie classique en expliquant la détermination du volume de l'emploi à partir de la demande effective.

La détermination du volume de l'emploi

L'entrepreneur cherche à maximiser son profit quand il fixe le volume d'emploi qu'il propose. Ce volume d'emploi procure un revenu global qui constitue le « produit » (*Théorie générale,* chapitre 3), lequel peut donc être décomposé en coût de facteur et en profit. Keynes considère le « prix de l'offre globale de la production résultant d'un certain volume d'emploi » qu'il définit comme « le "produit" attendu qui est juste suffisant pour qu'aux yeux des entrepreneurs il vaille la peine d'offrir ce volume d'emploi ». C'est ce produit attendu qui détermine l'emploi. En effet, « dans un état donné de la technique, des ressources et du coût de facteur par unité d'emploi, le volume de l'emploi, aussi bien dans les entreprises et industries individuelles que dans l'ensemble de l'industrie, est gouverné par le montant du "produit" que les entrepreneurs espèrent tirer du volume de production qui lui correspond. Car les entrepreneurs s'efforcent de fixer le volume de l'emploi au chiffre qu'il estiment propre à rendre maximum l'excès du "produit" sur le coût de facteur. »

Si l'on note Z le prix de l'offre globale du volume de production correspondant à l'emploi de N personnes, la relation entre Z et N donne la courbe de l'offre globale. De même, si D est le produit que les entrepreneurs comptent tirer de l'emploi de ces N personnes, la relation entre D et N donne la courbe de demande globale. Si, pour un certain volume de l'emploi N, le produit attendu est supérieur au prix de l'offre globale, à savoir si Z est inférieur à D, les entrepreneurs sont incités à accroître l'emploi. Ils le font jusqu'au moment où l'égalité entre Z et D est obtenue. « Ainsi, le volume de l'emploi est déterminé par le point d'intersection de la courbe de la demande globale et de la courbe de l'offre globale ; c'est à ce point que la prévision de profit des entrepreneurs est maximum. Nous appellerons *demande effective* le montant du "produit" attendu D au point de la courbe de demande globale où elle est coupée par celle de l'offre globale. »

Le rejet de la loi de Say

En envisageant une courbe d'offre globale et une courbe de demande globale distinctes, Keynes rompt avec la théorie classique qui veut que, conformément à la loi de Jean-Baptiste Say, l'offre crée sa propre demande. Si c'était le cas, Z et D seraient égaux pour toutes les valeurs de N. Le produit s'ajusterait toujours au prix de l'offre globale. Il n'y aurait donc pas une seule valeur d'équilibre pour la demande effective. L'emploi s'étendrait jusqu'au moment où l'offre globale cesserait d'être élastique, c'est-à-dire jusqu'au point où l'accroissement de la demande effective ne s'accompagnerait plus d'une augmentation de la production. Ce serait le plein-emploi que Keynes peut alors définir comme une situation où « l'emploi global cesse de réagir élastiquement aux accroissements de la demande effective des produits qui en résultent ».

Or, pour Keynes qui rejette la loi de Say, les entrepreneurs peuvent ne plus être incités à développer l'emploi avant même que le plein-emploi soit atteint si la demande effective est trop faible. « Le seul fait qu'il existe une insuffisance de la demande effective peut arrêter et arrête souvent l'augmentation de l'emploi avant qu'il ait atteint son maximum. L'insuffisance de la demande effective met un frein au progrès de la production alors que la productivité marginale du travail est encore supérieure à sa désutilité. » Il y a bien équilibre, puisque l'offre globale est égale à la demande globale, mais il s'agit d'un équilibre de sous-emploi.

D'où peut venir cette insuffisance de la demande effective ? La réponse est à rechercher dans sa composition. La demande effective est formée de deux composantes : « D_1 le montant qu'on s'attend à voir la communauté dépenser pour la consommation et D_2 le montant qu'on s'attend à la voir consacrer à l'investissement nouveau ». Il convient dès lors d'étudier les lois qui déterminent l'évolution de la consommation et de l'investissement.

IV. Consommation et investissement

La mise en lumière des déterminants du volume de l'emploi passe par la recherche des déterminants de la demande globale, formée des sommes dépensées pour la consommation et pour l'investissement. Cette recherche conduit Keynes à consacrer les livres 3 et 4 de la *Théorie générale* (qui en comporte 6) respectivement à la propension à consommer et à l'incitation à investir.

• La propension à consommer

La consommation agit sur la demande globale à travers une loi, la loi psychologique fondamentale, et un mécanisme, le multiplicateur.

La loi psychologique fondamentale

Déterminer la somme qui doit être dépensée pour la consommation lorsque l'emploi est d'un volume donné revient à étudier la relation entre la consommation et le revenu qui correspond à ce volume d'emploi, puisque le revenu est déterminé par le volume d'emploi. Cette relation entre le revenu et la dépense de consommation est la propension à consommer. C'est une fonction stable.

La loi psychologique fondamentale rend compte du fait « qu'en moyenne et la plupart du temps les hommes tendent à accroître leur consommation à mesure que leur revenu croît, mais non d'une quantité aussi grande que l'accroissement du revenu » (*Théorie générale,* chapitre 8). La part du revenu consacrée à la consommation se réduit lorsque le revenu s'élève. Un accroissement du revenu s'accompagne donc « d'un accroissement plus marqué de l'épargne ». Et si l'on raisonne en dehors de toute variation, un haut niveau de revenu se caractérise par un écart important entre revenu et consommation. Keynes considère comme une « loi psychologique fondamentale dans une communauté moderne que, lorsque son revenu réel croît, elle n'accroît pas sa consommation d'une quantité égale en *valeur absolue* de sorte qu'un montant absolu plus grand est nécessairement épargné ». Il s'efforce de montrer que « la stabilité du système économique repose essentiellement sur la prédominance pratique de cette loi. Elle signifie que, si l'emploi et partant le revenu global croissent, l'emploi additionnel ne sera pas *tout entier* requis pour satisfaire les besoins de la consommation additionnelle ». Cette loi revient à affirmer que si la propension à consommer est stable, une progression de l'emploi suppose un accroissement de l'investissement. Le multiplicateur permet de montrer comment ces deux grandeurs sont liées.

Le multiplicateur

Le multiplicateur est un mécanisme mis en avant par Richard Kahn dans un article de 1931. Il définit un rapport entre le revenu et l'investissement et, sous réserve de quelques simplifications, entre l'emploi total et l'emploi directement affecté à l'investissement.

L'utilisation du multiplicateur nécessite la prise en compte de la propension marginale à consommer, rapport entre une variation de consommation et une variation de revenu. Une propension marginale à consommer (c) de 0,8 signifie ainsi que 80 % des revenus additionnels sont consommés et que par conséquent 20 % sont épargnés. Si par exemple un investissement de 100 unités monétaires est réalisé, il donne lieu dans un premier temps à une distribution de revenus pour ce montant. Les agents qui recevront cette somme l'utiliseront ensuite à raison de 20 pour l'épargne et 80 pour leur consommation, fournissant ainsi un revenu à d'autres agents pour ce montant de 80, lequel sera consommé pour 80 %, apportant un revenu à de nouveaux agents qui le consommeront en partie, et ainsi de suite. En définitive, le revenu global distribué à la suite de ces opérations successives de consommation sera un multiple de l'investissement initial. Le multiplicateur k, nombre par lequel il faut multiplier l'investissement initial pour obtenir le revenu global distribué, est égal à $1 / (1 - c)$. Dans notre exemple, l'investissement initial de 100 amène une distribution de revenus de 500, dont 400 sont consommés et 100 épargnés.

Ce multiplicateur, qui est un multiplicateur d'investissement, peut être transformé en un multiplicateur d'emploi mesurant l'impact de l'investissement sur l'emploi. Cet impact dépend de l'importance de la propension marginale à consommer. Plus elle est forte, plus le multiplicateur sera élevé. Si elle est proche de l'unité, une faible variation de l'investissement donnera lieu à une forte variation de l'emploi. Un faible accroissement de l'investissement sera alors susceptible de conduire au plein-emploi. Si elle est proche de zéro, un accroissement considérable de l'investissement sera nécessaire pour aboutir au plein-emploi. « Dans le premier cas, le chômage involontaire est un mal facilement guérissable, mais susceptible de s'aggraver rapidement si on le laisse se développer. Dans le second cas, l'emploi peut être moins instable, mais il tend à se fixer à un faible niveau et à s'y montrer réfractaire à tout remède autre que les plus énergiques. » (*Théorie générale,* chapitre 10.) Lorsque le plein-emploi est atteint, la poursuite de l'effort d'investissement, qui permettait jusque-là d'accroître le revenu réel, se traduit par une hausse des prix.

Plusieurs facteurs sont de nature à affecter le multiplicateur. Son financement, ou la demande supplémentaire de monnaie qu'il induit, peut avoir pour effet d'élever le taux d'intérêt, ce qui finit par ralentir l'investissement. La confiance des agents, à laquelle Keynes attache une importance majeure, peut, si elle est altérée, elle aussi ralentir l'investissement. En économie ouverte, le multiplicateur peut en outre conduire à favoriser l'emploi à l'étranger au détriment de l'économie nationale, si la consommation additionnelle est satisfaite par des importations, sauf si cette fuite est compensée par les répercussions favorables du supplément d'activité à l'étranger.

Le mécanisme du multiplicateur montre que l'accroissement du taux d'épargne a pour conséquence de réduire le revenu global distribué, et par là même de pénaliser l'emploi. Cet effet montre que Keynes attribue à l'épargne une place différente de celle que lui affectent les auteurs classiques.

Le statut de l'épargne

L'analyse de Keynes diffère tout d'abord de celle des économistes classiques pour ce qui est de la détermination de l'épargne. Alors que pour ceux-ci elle est une fonction croissante du taux d'intérêt, elle est pour Keynes une fonction croissante du revenu. La divergence ne porte pas uniquement sur le facteur déterminant de l'épargne. Elle porte aussi sur les effets qui lui sont attribués.

Les économistes classiques voient dans l'épargne une vertu qui permet d'assurer le financement de l'investissement. L'épargne d'aujourd'hui correspond à une promesse de richesse supplémentaire demain. Keynes rejette cette approche. « Un acte d'épargne individuelle signifie – pour ainsi dire – une décision de ne pas dîner aujourd'hui. Mais il n'implique pas nécessairement une décision de commander un dîner ou une paire de chaussures une semaine ou une année plus tard, ou de consommer un article déterminé à une date déterminée. Il déprime donc l'activité consistant à préparer le dîner d'aujourd'hui sans stimuler une activité pourvoyant à quelque acte futur de consommation. » (*Théorie générale,* chapitre 16.)

Si Keynes prend le contre-pied des classiques sur les conséquences de l'épargne, c'est bien sûr parce qu'elle agit comme un frein dans le mécanisme du multiplicateur. Mais c'est aussi parce que la prise en compte de ce multiplicateur revient à inverser la relation de causalité que les classiques établissaient entre l'épargne et l'investissement. Alors que pour les classiques l'épargne initiale permettait de financer un investissement pour le même montant, pour Keynes c'est l'investissement réalisé qui, au cours du processus de multiplication, conduit à constituer une épargne équivalente. Dans l'exemple précédent d'un investissement de 100 unités monétaires, c'est parce qu'un investissement a été réalisé qu'à l'arrivée les agents ont dégagé une épargne globale de 100.

Quant au taux d'intérêt, dont la hausse agit, selon les classiques, favorablement sur l'épargne, Keynes montre que son influence va à l'encontre de ce qui est communément admis. L'épargne globale est en effet déterminée par l'investissement global. Or l'investissement est affecté par une hausse du taux d'intérêt. Le moindre investissement agit défavorablement sur le revenu et par là même sur le montant global de l'épargne qui s'ajuste à l'investissement à un niveau plus faible. Cet effet du taux d'intérêt sur l'activité économique via l'investissement nous amène à nous arrêter sur l'incitation à investir.

• L'incitation à investir

Le comportement d'investissement de l'entrepreneur résulte d'une confrontation entre le taux d'intérêt et l'efficacité marginale du capital. Si la propension à consommer est stable, c'est ce comportement d'investissement qui détermine le niveau de l'emploi.

L'efficacité marginale du capital

L'entrepreneur qui réalise un investissement en attend une série de revenus. Le rendement attendu est à mettre en relation avec le prix d'offre du capital qui peut être assimilé à son coût de remplacement. « La relation entre le rendement escompté d'un capital et son prix d'offre ou coût de remplacement, *i. e.* la relation entre le rendement escompté et le coût de production d'une unité supplémentaire de ce capital, nous donne l'*efficacité marginale de ce capital.* Plus précisément nous définirons l'efficacité marginale d'un capital comme étant le taux d'escompte qui, appliqué à la série d'annuités constituée par les rendements escomptés de ce capital pendant son existence entière, rend la valeur actuelle des annuités égale au prix d'offre de ce capital. » (*Théorie générale,* chapitre 11.) L'efficacité marginale du capital, qui correspond au concept de « taux de rendement par rapport au coût » utilisé par Irving Fisher, est donc un indicateur de la rentabilité anticipée d'un investissement.

Une augmentation de l'investissement s'accompagne d'une baisse de l'efficacité marginale du capital. « D'abord le rendement escompté de ce capital diminue lorsque sa quantité augmente. Ensuite la compétition autour des ressources servant à le produire tend normalement à faire monter son prix d'offre. » L'entrepreneur qui investit voit donc décroître la rentabilité de l'investissement additionnel. Il est néanmoins incité à continuer à investir tant que l'investissement additionnel rapporte plus qu'il ne coûte, c'est-à-dire tant que l'efficacité marginale du capital reste supérieure au taux d'intérêt. Lorsqu'elle rejoint le taux d'intérêt, l'entrepreneur cesse d'investir. Keynes peut ainsi écrire que « le flux effectif de l'investissement courant sera grossi jusqu'à ce qu'il n'y ait plus aucune catégorie de capital dont l'efficacité marginale soit supérieure au taux de l'intérêt courant. En d'autres termes, le flux de l'investissement sera porté au point de la courbe de la demande de capital où l'efficacité marginale du capital en général tombe au niveau du taux d'intérêt du marché. »

On voit ainsi comment une action sur la monnaie est susceptible de se répercuter sur l'activité économique lorsqu'il n'y a plus d'incitation à l'investissement. Une augmentation de l'offre de monnaie permet d'abaisser le taux d'intérêt si celui n'est pas à son minimum. Le taux d'intérêt devient alors inférieur à l'efficacité marginale du capital, ce qui incite les entrepreneurs à investir. La demande globale s'élève, ce qui a une incidence favorable sur l'emploi. Le niveau de l'emploi, loin de dépendre du salaire réel, résulte donc du comportement d'investissement.

Comportement d'investissement et niveau de l'emploi
L'impact de l'investissement sur la demande et ses répercussions sur l'emploi conduisent Keynes à affirmer que « ce n'est donc pas la désutilité marginale du travail, exprimée en salaires réels, qui détermine le volume de l'emploi » (*Théorie générale,* chapitre 3). L'analyse classique, pour qui les variations du salaire réel assurent le plein-emploi, est à rejeter. « Ce sont la propension à consommer et le montant de l'investissement nouveau qui déterminent conjointement le volume de l'emploi et c'est le volume de l'emploi qui détermine de façon unique le niveau des salaires réels – et non l'inverse. Si la propension à consommer et le montant de l'investissement nouveau engendrent une demande effective insuffisante, le volume effectif de l'emploi sera inférieur à l'offre de travail potentiellement disponible au salaire réel en vigueur et le salaire réel d'équilibre sera supérieur à la désutilité marginale du volume d'équilibre de l'emploi. »

Plus la communauté est riche, plus le risque d'insuffisance de la demande effective est important. En effet, dans une telle communauté, la propension marginale à consommer est faible, et par conséquent l'impact de l'investissement sur le revenu et sur l'emploi est réduit. En outre, « du fait que le capital accumulé est plus considérable, les occasions d'investissement supplémentaire sont moins attrayantes ».

Il est dès lors de la responsabilité de l'État, en cas de sous-emploi, de relancer l'investissement. « La politique la plus avantageuse consiste donc à faire baisser le taux de l'intérêt par rapport à la courbe de l'efficacité marginale du capital jusqu'à ce que le plein-emploi soit réalisé. » (*Théorie générale,* chapitre 24.) La réduction du chômage passe ainsi par « l'euthanasie du rentier ».

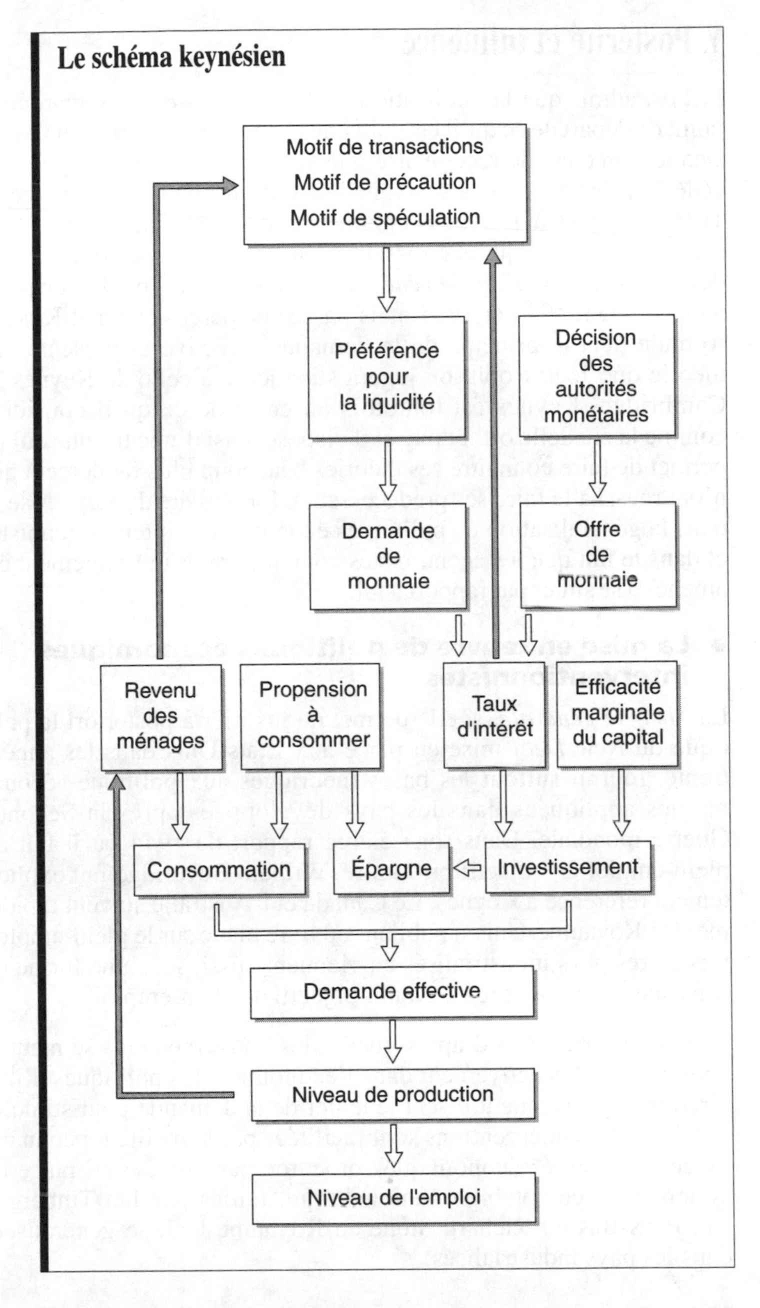
Le schéma keynésien
Motif de transactions
Motif de précaution
Motif de spéculation
Préférence pour la liquidité
Décision des autorités monétaires
Demande de monnaie
Offre de monnaie
Revenu des ménages
Propension à consommer
Taux d'intérêt
Efficacité marginale du capital
Consommation
Épargne
Investissement
Demande effective
Niveau de production
Niveau de l'emploi

V. Postérité et influence

S'il est admis que la publication de la *Théorie générale* marque le point de départ de ce qu'il est convenu d'appeler la révolution keynésienne, force est de reconnaître que Keynes a été quelque peu précédé dans les conclusions auxquelles il aboutit dans son ouvrage de 1936. De 1931 à 1934, l'économiste suédois Gunnar Myrdal présente des travaux qui aboutissent à plusieurs résultats que Keynes développe dans la *Théorie générale.* Dans des textes publiés en polonais en 1933, 1934 et 1935 mais passés inaperçus, Michal Kalecki formule déjà le principe de la demande effective et présente une théorie que Joan Robinson jugera supérieure à celle de Keynes. À Cambridge, Keynes est toutefois au cœur de ce qu'il considère comme la citadelle orthodoxe et il dispose ainsi d'une tribune qui lui permet de faire connaître ses théories beaucoup plus facilement que n'ont réussi à le faire ses prédécesseurs. La réussite de Keynes se lit dans la généralisation de politiques économiques interventionnistes et dans le fait que les économistes contemporains ont largement été amenés à se situer par rapport à lui.

• La mise en œuvre de politiques économiques interventionnistes

La *Théorie générale,* si elle permet de justifier a posteriori la politique du *New Deal* mise en place aux États-Unis dans les années trente, fournit surtout les bases théoriques aux politiques économiques appliquées dans les pays développées après la Seconde Guerre mondiale. Dans son célèbre rapport de 1944 où il fait du plein-emploi un objectif prioritaire, William Beveridge fait explicitement référence à Keynes. Le Canada et l'Australie suivent rapidement le Royaume-Uni en publiant un livre blanc sur le plein-emploi. Les autres pays industrialisés en viennent aussi, sous une forme ou sous une autre, à mettre en avant l'objectif de plein-emploi.

Dans les décennies d'après-guerre, les gouvernements se mettent à intervenir plus activement dans l'économie. Des politiques d'inspiration keynésienne utilisent le levier de la demande pour stimuler l'activité. Ces interventions sont facilitées par la meilleure connaissance des réalités économiques procurée par la mise en place de systèmes de comptabilité nationale qui, initiés par Jan Tinbergen aux Pays-Bas ou Richard Stone au Royaume-Uni, se généralisent dans les pays industrialisés.

Dans les années soixante-dix, la détérioration de la situation de l'emploi qui suit le premier choc pétrolier incite les gouvernements des principaux pays développés à recourir aux recettes keynésiennes pour tenter de relancer la croissance et réduire le chômage. Aux États-Unis, le président Carter adopte une politique destinée à assurer une croissance forte tirée par les dépenses sociales et une baisse des taux d'intérêt. Au Royaume-Uni, les travaillistes pratiquent une politique de déficit budgétaire. L'Allemagne, le Japon et la France en viennent aussi à utiliser l'arme budgétaire pour relancer l'activité. Les résultats mitigés de ces politiques conduisent toutefois à une remise en question des politiques keynésiennes dans les années quatre-vingt.

• Synthèse néoclassique, postkeynésiens et nouveaux keynésiens

La démarche de Keynes relève du holisme. Par opposition à l'individualisme méthodologique, qui part des comportements individuels pour expliquer les phénomènes étudiés, le holisme consiste à raisonner directement sur des grandeurs globales. C'est la démarche de la macroéconomie à laquelle Keynes donne son essor.

Le prolongement des travaux de Keynes ne tarde pas à suivre la publication de la *Théorie générale.* Dès 1937, John Hicks tente de concilier l'analyse de Keynes et celle des « classiques », vocable sous lequel Keynes rassemble tous ses prédécesseurs acceptant la loi des débouchés. Hicks montre, en construisant ce qui deviendra le célèbre graphique IS-LM, que pour un certain niveau de taux d'intérêt et de revenu, il existe un équilibre simultané sur le marché des biens, où l'investissement (I) est égal à l'épargne (S), et sur le marché de la monnaie, où l'offre (L) est égale à la demande (M). Cette représentation est reprise en 1949 par l'économiste américain Alvin Hansen, qui lui donne le sigle IS-LM sous lequel elle est désormais connue et contribue largement à la populariser. Paul Samuelson désigne sous le nom de « synthèse néoclassique » cette approche qui va constituer le cœur de la macroéconomie keynésienne pendant des décennies.

Si des aspects essentiels de la *Théorie générale,* comme la fonction de consommation, ont donné lieu à d'amples prolongements, c'est aussi vrai de certaines intuitions de Keynes. Dans le chapitre qu'il consacre à la théorie des prix, il indique notamment que l'accroissement de la production peut engendrer des tensions inflationnistes avant que le plein-emploi ne soit atteint. Ce problème du risque inflationniste associé aux politiques de recherche du plein-emploi deviendra une préoccupation essentielle des économistes. En 1960, la relecture de la courbe de Phillips (qui lie la variation du salaire nominal à celle du taux de chômage) par Paul Samuelson et Robert Solow revient à présenter l'inflation comme le prix à payer pour la réduction du chômage. La politique économique semble alors confrontée à un dilemme qui la conduit à accepter un arbitrage entre inflation et chômage.

La synthèse néoclassique, si elle représente le courant dominant, ne constitue pas le seul prolongement des idées de Keynes. Des économistes, habituellement désignés comme postkeynésiens, ont vu dans la synthèse néoclassique une trahison la pensée de Keynes. Le keynésianisme de la synthèse leur paraît en effet réduit à une hydraulique qui exclut notamment l'incertitude en dépit de l'importance que lui attachait Keynes. On trouve parmi ces auteurs des économistes de Cambridge, comme Joan Robinson ou Nicholas Kaldor, ou des contemporains de Keynes comme Michal Kalecki. Les postkeynésiens se sont donnés les moyens d'exprimer leurs idées avec, au Royaume-Uni, la fondation du *Cambridge Journal of Economics* par Richard Goodwin, Luigi Pasinetti et Joan Robinson en 1977 et, aux États-Unis, du *Journal of Post Keynesian Economics* par Paul Davidson et Sidney Weintraub en 1978.

Les années 1980 voient se développer un courant qui prend le nom de « nouvelle économie keynésienne ». Son ambition est de donner à la macroéconomie keynésienne des fondements microéconomiques rigoureux. Il s'agit principalement d'expliquer la rigidité des prix et des salaires et d'en montrer les incidences, notamment le maintien du chômage à un niveau élevé.

Cette nombreuse descendance pourrait tendre à confirmer la formule lancée par Frank Knight en décembre 1950 dans le mensuel *Fortune* et reprise en 1968 par Milton Friedman selon laquelle « nous sommes tous des keynésiens ». Ce n'est toutefois pas l'avis des auteurs monétaristes et des théoriciens de la nouvelle macroéconomie classique qui apportent la principale contestation à l'hégémonie que l'analyse keynésienne a réussi à asseoir sur la macroéconomie.

• Éléments de bibliographie

Ouvrages de Keynes

Les *Collected Writings of John Maynard Keynes* ont été publiés pour la *Royal Economic Society* en trente volumes à partir de 1971 par Macmillan. Les principaux ouvrages économiques de Keynes sont publiés dans les premiers volumes.

I. *Indian Currency and Finance* (1913).
II. *The Economic Consequences of the Peace* (1919).
III. *A Revision of the Treaty* (1922).
IV. *A Tract on Monetary Reform* (1923).
V-VI. *A Treatise on Money* (1930).
VII. *The General Theory of Employment, Interest and Money* (1936).

Plusieurs ouvrages sont traduits en français :
Théorie générale de l'emploi, de l'intérêt et de la monnaie, Payot, 1996.
La Réforme monétaire, Simon Kra, 1924.
Essais sur la monnaie et l'économie, Payot, 1971.
Comment payer la guerre, L'Harmattan, 1996.

Ouvrages sur Keynes

Les ouvrages en français sur Keynes sont particulièrement nombreux. On pourra se reporter aux ouvrages généraux suivants :
Cartelier Jean, *L'Économie de Keynes,* De Boeck, 1995.
Henry Gérard Marie, *Keynes,* Armand Colin (coll. « U »), 1997.
Herland Michel, *Keynes et la macroéconomie,* Economica, 1991.
Hession Charles, *John Maynard Keynes,* Payot, 1984.
Maurisson Patrick (études présentées par), *La « Théorie générale » de John Maynard Keynes : un cinquantenaire, Cahiers d'économie politique,* n° 14-15, L'Harmattan, 1985.
Orio Lucien, Quilès Jean-José, *L'Économie keynésienne, un projet radical,* Nathan (coll. « Circa »), 1993.
Poulon Frédéric, *Les Écrits de Keynes,* Dunod, 1985.

Friedrich von HAYEK

I. L'homme dans son temps

Friedrich August von Hayek naît le 8 mai 1899 à Vienne dans une famille de scientifiques. Son grand-père est biologiste, son père et ses frères sont professeurs, respectivement de botanique, de médecine et de chimie. Pourtant, c'est à la Faculté de droit de Vienne qu'il s'inscrit et qu'il suit, comme avant lui Joseph Alois Schumpeter (1883-1950), les cours des économistes célèbres qui y enseignent alors comme Carl Menger (1840-1921) et surtout Friedrich von Wieser (1851-1926).

Sa carrière professionnelle est brillante et très rapide. Sur la recommandation de von Wieser, il est d'abord embauché dans un organisme gouvernemental chargé d'étudier les conséquences économiques du Traité de Saint-Germain-en-Laye, l'un des traités qui suit la fin de la guerre de 1914-1918. Puis, à l'âge de 28 ans, il est nommé directeur de l'Institut Autrichien de Recherche Économique.

Tout aussi rapidement, il acquiert une grande notoriété qui lui vaut quatre années plus tard, en 1931, d'être nommé professeur-invité à la célèbre *London School of Economics.* C'est là qu'il formule, juste après le début de la dépression des années 1930, la première analyse de la « grande crise ». Par ailleurs, en 1938, il prend la nationalité anglaise.

Jusqu'en 1945, ses écrits suscitent de grandes polémiques, en particulier avec John Maynard Keynes (1883-1946) dont il est alors l'unique rival. Entre eux la polémique est acharnée. Ainsi, Keynes n'hésite pas à dire de l'ouvrage que Hayek a consacré à l'analyse des crises, *Prix et production,* que c'est « le plus horrible mélange que j'ai jamais lu ».

Or les années qui suivent la Seconde Guerre mondiale voient la victoire des idées keynésiennes. Aussi, après que ses thèses ont été très remarquées et discutées dans les années trente et quarante, Hayek tombe dans l'oubli, victime du succès de la *Théorie générale* et de son auteur. Découragé, il abandonne un temps l'enseignement de l'économie pour se consacrer aux autres sciences humaines, la psychologie qu'il aborde dans *The Sensory Order,* puis le droit qui est le thème de *Droit, législation et liberté.* En 1952, après vingt et une années passées à la *London School of Eco-*

nomics, il obtient la chaire de Sciences sociales et morales de l'université de Chicago. Enfin, en 1962, il s'installe en Allemagne et travaille à l'université de Fribourg.

Comme la crise des années 1930 avait donné le succès à Hayek, celle qui débute en 1973-1974 permet à ses idées d'être à nouveau lues avec intérêt. De nombreux économistes, et particulièrement les économistes libéraux, voient dans cette nouvelle phase de l'économie la confirmation des analyses hayekiennes et le désignent comme le représentant le plus marquant du renouveau libéral des années soixante dix - quatre vingt. Il obtient le prix Nobel en 1974 conjointement avec Gunnar Myrdal (1898-1987).

C'est donc avec une renommée retrouvée qu'il termine sa vie et qu'il décède le 23 mars 1992 à Fribourg-en-Brisgau dans la Forêt Noire.

II. L'école de Vienne

Nous l'avons dit, Hayek est formé par des économistes de l'université de Vienne. Ceux-ci, parce qu'ils adoptent des raisonnements proches, forment une école de pensée qui, avec l'école de Lausanne de Léon Walras (1834-1910) et l'école de Cambridge d'Alfred Marshall (1842-1924), constitue l'une des branches de la théorie économique néoclassique. On l'appelle aussi l'école autrichienne de la même façon que l'école de Cambridge est parfois appelée l'école anglaise. Elle a été fondée par Carl Menger puis animée par Eugen von Böhm-Bawerk (1851-1914) et Wieser.

• La question de la valeur

Une des questions les plus étudiées par les économistes de l'école de Vienne est celle de la valeur. Ils rejettent la théorie des classiques selon laquelle la valeur d'un bien est égale à son coût de production ou à la quantité de travail qu'il incorpore. La valeur n'est pas une caractéristique objective des biens, mais une appréciation portée sur les biens par les individus.

La démonstration est menée en deux temps. Tout d'abord, les individus sont capables de classer hiérarchiquement leurs besoins, sinon de façon cardinale en attribuant à chacun une certaine valeur, du moins de façon ordinale en les classant du plus utile au moins utile. Ensuite, l'intensité des besoins d'un individu diminue avec la quantité de biens et services qu'il consomme. Menger et surtout Wieser développent donc l'idée de la décroissance de l'utilité marginale. La valeur d'un bien se mesure par l'intensité du dernier besoin satisfait. Autrement dit, elle est égale à l'utilité de la dernière unité consommée.

Ils développent aussi une théorie de la valeur des facteurs de production. Pour Menger, la valeur des facteurs employés pour produire un bien de consommation provient de la valeur de celui-ci. Elle est donc déterminée par le degré d'utilité des besoins satisfaits. Il distingue ainsi les biens de premier rang qui satisfont directement les besoins et les biens de second rang qui ne tirent leur valeur que de l'utilité qu'ils représentent pour produire des biens de premier rang. Puis Wieser affine la mesure de la valeur des facteurs de production en calculant la part de la production imputable à chacun des facteurs utilisés pour obtenir une production.

- **La structure de production**

Un autre apport important de l'école de Vienne à la théorie économique est le lien entre la longueur du processus de production et son efficacité. Ainsi, Böhm-Bawerk crée la notion de détour de production. Pour en illustrer la signification, il cite l'exemple, devenu très célèbre, d'un paysan qui vit loin d'une source. Pour se désaltérer, il peut, à chaque fois qu'il a soif, se déplacer jusqu'à la rivière et boire. Il peut aussi prendre la décision de fabriquer un seau pour économiser ses déplacements. Il peut enfin fabriquer une canalisation qui apporte l'eau jusqu'à chez lui. Par conséquent, notre paysan pourra d'autant plus facilement satisfaire son besoin qu'il aura consacré un temps long à la fabrication préalable d'instruments (le seau ou mieux encore la canalisation).

La production capitaliste consiste ainsi à d'abord utiliser du travail de façon détournée pour produire des moyens de production, puis seulement des biens destinés à la consommation. « On réussit mieux en produisant les biens d'usage de manière détournée qu'en les produisant directement » (Böhm-Bawerk, *La Théorie positive du capital,* 1889). Plus le détour de production est important, plus la production de biens de production est importante, et plus l'augmentation de la production pourra elle-même être importante.

• Les méthodes en sciences sociales

Menger adopte une méthodologie individualiste pour analyser les phénomènes économiques et sociaux. Il considère en effet que les individus sont à l'origine de l'ordre social dans la mesure où leurs actes ont toujours un caractère intentionnel. Ils cherchent à réaliser ce qu'ils pensent être leur intérêt. Mais, quand ils agissent ainsi, les individus n'ont ni la conscience ni la volonté de créer le social. Ils sont seulement mus par leurs propres préoccupations. En conséquence, si l'agrégation des actions individuelles conduit à l'apparition des phénomènes économiques et sociaux globaux, ce n'est pas intentionnellement. Donc, les conduites intentionnelles au niveau individuel génèrent non intentionnellement les faits collectifs que nous pouvons observer. C'est pourquoi, pour étudier un phénomène collectif, il faut rechercher quels sont les actes individuels qui en sont à l'origine. Par exemple, l'analyse de la consommation et de la production doit se faire par l'analyse du comportement du consommateur et du producteur individuels.

Cet individualisme des économistes de Vienne les éloigne des formalisations mathématiques de leurs collègues néoclassiques de Lausanne et de Cambridge car ils considèrent qu'elles ne peuvent pas rendre compte de la complexité des motivations individuelles. C'est pour cette raison qu'ils jugent le modèle walrasien non satisfaisant et qu'ils ont tous très peu recours aux outils mathématiques.

III. L'individualisme méthodologique

Comme chez Menger, la méthodologie occupe une place importante dans l'œuvre de Hayek. Il y consacre en particulier un ouvrage, *Scientisme et sciences sociales*.

• Le rejet du holisme et de la macroéconomie

Hayek, lui aussi, considère qu'il faut partir de l'individu pour comprendre les phénomènes globaux. Quels qu'ils soient – le niveau de la production, le niveau des prix ou de l'emploi – ils sont toujours le produit des actions des individus. Hayek en tire deux conséquences. D'une part, la seule méthode scientifique utilisable dans les sciences de l'homme et de la société est l'individualisme.

D'autre part, les sciences humaines en général et la science économique en particulier ne peuvent prétendre analyser les phénomènes collectifs en tant que tels. C'est pourquoi il rejette le holisme, cette méthode d'analyse des faits économiques et sociaux selon laquelle il existe des touts, des agrégats que l'on peut étudier comme des réalités objectives. Hayek refuse une représentation des structures sociales comme des « êtres » collectifs autonomes. Il refuse donc la macroéconomie. L'économiste ne doit pas et ne peut pas raisonner en termes d'agrégats comme le PIB, le niveau de l'emploi ou des prix. Il peut seulement mesurer à un instant t le résultat de l'agrégation du comportement des agents. Mais il lui est impossible d'en déduire que ces agrégats entretiennent entre eux des relations stables car ce serait supposer que le comportement des individus est invariant. Il rejette ainsi le raisonnement keynésien et l'utilisation d'outils comme la propension moyenne ou la propension marginale à consommer. Si l'économiste observe une relation statistique entre le revenu et la consommation, il ne peut en déduire que tel ou tel accroissement du revenu se traduira dans telle ou telle proportion par un accroissement de la consommation. De la même façon, il juge inopérant pour l'économiste de raisonner en termes de niveau général des prix. Pour lui, seuls comptent les prix individuels des biens et services et les rapports qu'ils entretiennent entre eux, à savoir les prix relatifs.

• Le comportement des individus

Puisque le holisme conduit à une impasse scientifique, seule l'étude des comportements des agents individuels est alors possible.

Il peut sembler complexe de caractériser les comportements des individus dans les écrits de Hayek. En effet, ses analyses divergent selon qu'il adopte un point de vue strictement économique ou ouvert sur les différentes sciences humaines et sociales.

Ainsi, dans des travaux économiques comme son étude de l'équilibre intertemporel (1928) et des fluctuations économiques (1931), il considère que les individus sont parfaitement rationnels et se comportent comme des *homo economicus*. Si des déséquilibres apparaissent dans l'économie, ils ne sont pas imputables à une incapacité des agents à correctement anticiper, mais à des chocs exogènes comme l'augmentation des crédits et de la masse monétaire.

En revanche, dans ses travaux de philosophie sociale, sa conception de l'individu diffère de celle des néoclassiques et peut être dite subjectiviste. B. Caldwell, dans un texte de 1988 publié dans *History of Political Economy,* fait ainsi part d'une « transformation de F. Hayek » qui prend naissance dès les années 1930 avec la publication de deux articles importants (*« Prices Expectations, Monetary Disturbances and Malinvestments »,* 1933 ; *« Economics and Knowledge »,* 1937). Pour Hayek alors, les individus agissent certes en fonction de ce qu'ils savent, mais aussi en fonction de ce qu'ils croient, de ce qu'ils désirent. En outre, leur intelligibilité et leur capacité à construire l'économique et le social sont très limitées. Il considère en effet que l'information des agents est toujours imparfaite et que leurs choix sont ainsi faits à partir d'éléments plus ou moins erronés et / ou subjectifs. Les comportements humains se caractérisent aussi par leur imprévisibilité et leur instabilité. En effet, au fur et à mesure que l'agent agit et apprend, il modifie ses anticipations et ses réactions. Le chercheur en sciences sociales ne peut donc pas prévoir le comportement des individus. Et ce d'autant plus, explique Hayek dans *Scientisme et sciences sociales,* qu'à la différence du physicien, l'économiste ne peut multiplier les observations et encore moins les expérimentations. Il est ainsi condamné à une connaissance limitée de la réalité économique et sociale.

• L'ordre spontané

Hayek oppose deux types de systèmes sociaux : les systèmes résultant d'un ordre spontané qu'il appelle *kosmos* et les systèmes volontairement construits par les individus qu'il appelle *taxis*. Les structures, les institutions, les règles de l'économie capitaliste comme le marché, la libre entreprise, la concurrence ou la propriété privée n'ont pas été mises en place *ex nihilo* par les hommes. Elles ne sont pas le résultat d'un dessein, ni d'une volonté. Aussi l'économie et la société libérales, à la différence du socialisme, relèvent du kosmos. Elles constituent un « ordre spontané ».

C'est aussi parce qu'il considère que les individus ne se caractérisent pas par une omniscience, mais plus vraisemblablement par une connaissance limitée, qu'il critique ce qu'il appelle le constructivisme des intellectuels et le planisme des marxistes selon lesquels les institutions de l'économie et de la société peuvent être bâties consciemment par des hommes prométhéens pour organiser leurs activités et leurs relations. Pour qu'il puisse en être ainsi, il faudrait en effet, explique Hayek, que ces hommes connaissent parfaitement tous les faits, tous les comportements, toutes les actions, tous les besoins et désirs de l'ensemble de leurs semblables. Or, nous savons qu'il juge impossible que les hommes aient une connaissance aussi parfaite de ce qui existe à un moment donné : « aucun esprit ne pourrait embrasser l'infinie variété des besoins divers d'individus qui se disputent les ressources disponibles et attachent une importance déterminée à chacune d'entre elles » (*La Route de la servitude,* chapitre 5). En outre, ajoute Hayek, même si les individus parvenaient à réunir suffisamment d'informations pour planifier leurs activités, pour que ces dernières soient efficaces et conduisent à une allocation optimale des ressources, il faudrait qu'il existe entre tous les membres de la société un accord parfait sur les valeurs, les besoins, les préférences des uns et des autres. En effet, si les individus n'ont pas les mêmes besoins et préférences, le planificateur se révélera incapable de construire un système assurant le bien-être de tous et donc de remplir sa tâche. Il devra choisir telle ou telle option et il placera, *de facto,* sous la contrainte ou sous la pénurie certains groupes de la société.

En conséquence, la seule forme sociale durable et susceptible de conduire au bien-être est la société capitaliste car elle est un ordre spontané. C'est pour cette raison que Hayek utilise – après R. Whately au XIXe siècle et comme Ludwig von Mises dans son *Traité de l'action humaine* de 1949 – le mot *catallaxie* qui lui paraît plus approprié que celui d'économie. En effet, économie signifie étymologiquement gestion d'une maison. Ce mot sous-entend donc une organisation consciente de la part d'un ou plusieurs individus. En revanche, le mot catallaxie désigne l'ordre inconscient et donc spontané engendré par l'ajustement du comportement des différents individus composant une société ou un groupe social.

Si l'économie est un ordre spontané, quelle est l'origine de ses règles et de ses structures ? D'où viennent-elles ? Comment et par qui sont-elles créées ? Hayek expliquent qu'elles ne sont pas inventées, mais vraisemblablement découvertes au hasard puis sélectionnées et conservées quand les individus leur trouvent une certaine supériorité par rapport à d'autres modes de fonctionnement. Donc, les règles que les individus considèrent comme étant de juste conduite et les principes d'organisation de l'économie et de la société qui existent à un moment donné sont celles qui sont jugées efficientes alors que d'autres, jugées non efficientes, ont disparu. L'ordre ou l'équilibre de l'économie et de la société ne sont pas des construits volontaires. « Les institutions sont le produit de l'action des hommes et non de leur dessein ». L'action des individus engendre l'apparition d'un ordre social et, en retour, ses règles deviennent des éléments d'orientation des actions des individus. Hayek raisonne ainsi en termes de « causalité circulaire ». L'individu crée la société et la société oriente l'action des individus.

Dans l'affirmation de cette thèse, on retrouve différentes influences intellectuelles. D'abord, celle de Charles Darwin (1809-1882) puisque Hayek décrit dans la société un processus de sélection proche de celui que Darwin décrit dans la nature : de la même façon que seuls ceux qui sont le mieux adaptés à leur milieu naturel peuvent survivre et assurer la perpétuation de l'espèce, Hayek considère que la société conserve et perfectionne les institutions qui se révèlent être les mieux adaptées aux besoins de ses membres. Rappelons que le grand-père de Hayek était biologiste, que son père était botaniste et ajoutons que l'un de ses fils deviendra biologiste.

L'analyse hayekienne révèle aussi l'influence d'économistes classiques et néoclassiques. Elle est d'abord utilitariste. Une nouvelle règle, une nouvelle institution perdurent quand elles sont jugées utiles par les membres de la société. Elle est enfin libérale et rappelle la problématique de la main invisible d'Adam Smith (1723-1790) et celle de la fable des abeilles de Bernard de Mandeville (1705). Les hommes, comme les abeilles, édifient un ordre, une organisation sans en avoir ni la volonté, ni la conscience.

IV. Une nouvelle analyse du marché

Un thème central des ouvrages de Hayek – en particulier de *Individualism and Economic Order,* un ouvrage non traduit en français, et de *Droit, législation et liberté* – est la défense du marché, mais avec des arguments originaux par rapport à ceux des économistes qui l'ont précédé.

• Les limites de l'analyse néoclassique du marché

Dans la pensée néoclassique traditionnelle, chaque agent économique est censé connaître ses préférences, ses contraintes, ses objectifs et prend ses décisions de sorte à maximiser sa satisfaction.

Hayek juge ce modèle irréaliste dans la mesure où les éléments qui servent de données aux agents et à partir desquels ils doivent faire leur calcul économique de maximisation, c'est-à-dire leurs besoins, les utilités apportées par les différents biens et services ainsi que les coûts et les prix, ne sont pas des données exogènes et donc objectives. Les besoins, les coûts, les prix se forment par les interactions entre les agents. Par exemple, les effets de mode, les effets de démonstration, les effets d'apprentissage jouent un grand rôle dans les décisions de consommation. C'est en se promenant et en regardant les vitrines des boutiques que le consommateur apprendra l'existence de tel ou tel bien nouveau et ressentira tel ou tel besoin. C'est parce que des amis ou des personnes auxquelles il s'identifie consomment tel ou tel bien qu'il se mettra à ressentir le besoin de les imiter. Hayek décrit le même processus interactif du côté de l'offre. C'est en cherchant à écouler ses produits que le producteur prendra conscience de l'existence d'une surproduction ou d'une pénurie sur son marché et des innovations de ses concurrents. En effet, des difficultés de vente assorties de la nécessité de baisser les prix sont le signe d'une surproduction, de même qu'une rotation rapide des stocks et la possibilité de vendre à prix élevés sont le signe d'une forte demande.

Le marché est donc fondamentalement un lieu sur lequel circulent certes des produits, mais surtout des informations entre les consommateurs et les producteurs. Donc au-delà de sa fonction classique d'échange des biens et services entre les agents, le marché est une procédure de diffusion de l'information.

• L'efficience du marché

L'ordre social est, rappelons-le, la résultante de décisions décentralisées de la part des agents. Il nécessite donc pour être cohérent un mécanisme d'ajustement des actions des uns et des autres. Ce mécanisme est précisément le marché grâce au prix qui joue le rôle de *médium* qui informe les agents et ajuste l'ensemble de leurs décisions.

Ainsi, les modifications des prix apprennent aux producteurs et aux consommateurs quels sont les besoins, les désirs, les manques, les surplus qui existent dans une économie et, ce faisant, elles permettent la régulation des déséquilibres. Une hausse de prix est le signal que l'offre est insuffisante et qu'elle doit être augmentée. Une baisse de prix est le signal que l'offre devient excédentaire et qu'elle doit être réduite et / ou réorientée. Les hausses et baisses des prix font donc évoluer les offres et les demandes dans un sens qui les rend compatibles même si les offreurs et les demandeurs ne connaissent pas les situations des uns et des autres.

La libre variation des prix permet aussi une allocation optimale des facteurs de la production. L'apparition du chômage dans l'économie fait baisser le prix de la main-d'œuvre. Les entrepreneurs sont alors incités à substituer du travail au capital. Ainsi, le marché contribue à la fois au bien-être des consommateurs qui peuvent satisfaire leurs besoins aux prix les plus bas et à celui des travailleurs qui retrouvent le plein emploi. On reconnaît le mécanisme de la main invisible de Smith.

Enfin le marché, par la concurrence qu'il engendre, impose aux producteurs de sans cesse rechercher les solutions les plus efficaces pour satisfaire les besoins. Son libre fonctionnement permet de susciter, d'encourager des innovations. Hayek développe ces effets dynamiques et créatifs de la concurrence dans un article, *« Competition as a Discovery Procedure »*, de ses *New Studies in Philosophy, Politics and Economics.*

Puisque le marché est efficient, l'intervention de l'État est dangereuse. La multiplication de ses réglementations modifie le mécanisme d'information des agents et leurs comportements. Les signaux qu'ils reçoivent sont biaisés et ils ne peuvent plus, avec autant d'efficacité, ajuster leurs comportements. L'économie entre dans un cercle vicieux car il apparaît alors des dysfonctionnements que l'on interprète comme étant dus à une insuffisance d'organisation de la part de l'État, ce qui le conduit à élargir ses domaines d'intervention et ainsi à générer de nouveaux dysfonctionnements.

V. La théorie des crises

Hayek donne son interprétation des crises dans *Prix et production.* Fidèle à ses principes méthodologiques, il ne raisonne pas en termes macroéconomiques. En revanche, il insiste sur le rôle des prix relatifs.

Notons que son analyse des fluctuations économiques est très liée à sa théorie monétaire, les cycles réels de l'économie étant engendrés par des causes monétaires. Aussi, le lecteur intéressé par l'analyse hayekienne des cycles pourra passer immédiatement de la fin de ce V au VII.

• Les concepts de l'analyse hayekienne

Hayek désigne par production « toutes les opérations nécessaires pour amener les biens entre les mains du consommateur ». La production est obtenue grâce à l'emploi de différents types de biens. Il distingue ainsi les *moyens originels de production* que sont la terre et le travail, les *facteurs de production* que sont la terre, le travail et le capital, les *biens de production* ou « tous les biens existant à un moment quelconque qui ne sont pas des biens de consommation, c'est-à-dire tous les biens qui sont directement ou indirectement utilisés dans la production des biens de consommation » (*Prix et production,* 2e conférence). Ces derniers regroupent donc aussi bien les moyens originels de production que les facteurs de production et tous les biens semi-finis qu'il appelle aussi *produits intermédiaires*.

Hayek place ensuite ces différents biens de l'économie dans une relation d'ordre correspondant aux différents stades de la production, depuis les moyens originels jusqu'aux biens de consommation finale destinés aux ménages. Il appelle cette relation d'ordre la *structure de production.* Chaque produit est ainsi défini par ses utilisations et est classé dans un ou différents stades de la production au cours duquel ou desquels il peut être utilisé. Les biens qui ne peuvent être employés qu'à un stade unique de production sont appelés des biens spécifiques, tandis que ceux qui peuvent être utilisés pour des usages multiples sont appelés des biens non spécifiques. La structure de production représente alors la répartition du capital productif entre les différents stades de production. Elle dépend donc des techniques de fabrication qui sont décidées par les producteurs.

• La formation des structures de production

Pour expliquer comment se forme et se déforme une structure de production, Hayek reprend un thème important de l'école de Vienne, à savoir l'allongement du processus de production dans une économie de type capitaliste. « À tout moment, la part des moyens originels de production disponible employée pour obtenir des biens de consommation dans un futur plus ou moins lointain est beaucoup plus importante que celle qui est utilisée pour satisfaire des besoins immédiats. Ce mode d'organisation de la production permet, en allongeant le processus de production, d'obtenir une plus grande quantité de biens de consommation à partir d'un montant donné de moyens originels de production. » (*Prix et production,* 2e conférence.)

Pour illustrer son propos, Hayek construit une représentation de la structure de production en empruntant à William Stanley Jevons (*Theory of political economy,* 1911) son idée d'un graphique en forme de triangle (voir graphique p. 298). Ce graphique a pour but d'illustrer « les utilisations successives des moyens originels de production nécessaires à la fabrication courante de biens de consommation par l'hypoténuse d'un triangle rectangle. » (*Prix et production,* 2e conférence.) Plus précisément, l'axe horizontal ou la base du triangle mesure la valeur de la production des biens de consommation. L'axe vertical, lu de haut en bas, mesure l'utilisation des biens intermédiaires qui sont nécessaires pour assurer la production. L'hypoténuse mesure l'utilisation croissante de biens de production. La surface du triangle représente, elle, la totalité des stades de production successifs par lesquels passent les diverses unités des moyens originels de production avant de devenir consommables pour les ménages.

Hayek nous montre donc que le montant des produits intermédiaires (à lire sur l'axe vertical de haut en bas) nécessaires pour réaliser une production donnée de biens de consommation augmente avec la longueur du détour de production (que nous lisons sur l'hypoténuse).

Quand celle-ci augmente, la production devient plus capitalistique, et il s'écoule une durée plus longue entre l'utilisation des moyens originels de production et l'obtention des biens de

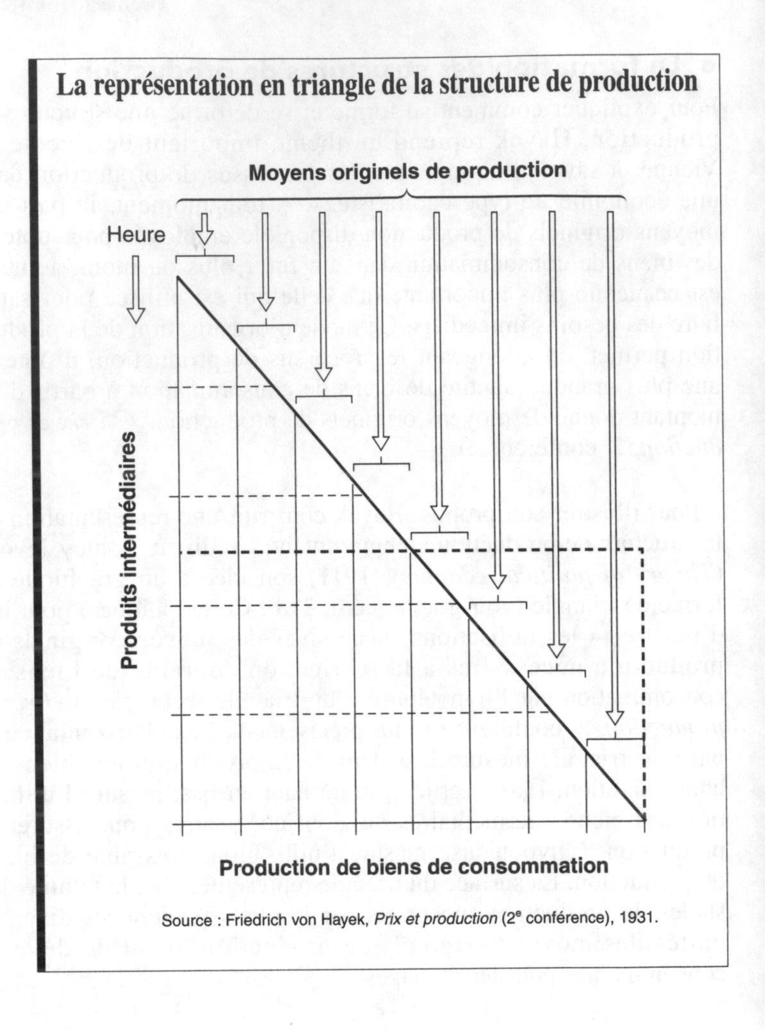

Source : Friedrich von Hayek, *Prix et production* (2e conférence), 1931.

consommation. Autrement dit, si les techniques de production les plus capitalistiques sont les plus efficaces dans la mesure où elles permettent d'obtenir une production supérieure, elles sont aussi les plus longues dans la mesure où la production des biens de consommation est retardée. L'adoption d'une technique de production plus capitalistique entraîne ainsi une baisse temporaire de la production de biens de consommation, puis une hausse de cette production quand le processus de production devient plus efficace. Il se produit donc, dans un premier temps, une substitution de la production de biens de production à celle des biens de consommation. C'est une séquence fondamentale pour comprendre la dynamique de la croissance et de la crise chez Hayek.

Après ce premier graphique en triangle, Hayek passe à une représentation, dite discontinue (voir le graphique p. 300), dans laquelle il divise « le processus continu en périodes distinctes », ce qui lui permet de « supposer que les biens circulent de façon intermittente et à des intervalles de temps égaux, d'un stade de production à l'autre [...]. Chacun des blocs hachurés successifs du schéma représente ainsi le produit du stade correspondant lorsqu'il est transmis au stade suivant, tandis que les différences de longueur des blocs successifs indiquent la quantité des moyens originels de production utilisés au stade suivant. Le rectangle blanc de la base du triangle représente la production de biens de consommation de la période. » (*Prix et production,* 2e conférence.)

Le rapport entre la surface blanche du graphique et la somme des surfaces hachurées, c'est-à-dire 40 / 80, représente le rapport entre la production des biens de consommation et la production des biens intermédiaires qui ont dû être utilisés, ou entre la consommation et l'investissement. Pour obtenir une production de biens de consommation de 40, il faut utiliser, compte tenu de la longueur du détour de production, des biens de productions d'une valeur totale de 80. Le sens des flèches indique que les biens se déplacent de haut en bas du graphique. La monnaie, elle, se déplace de bas en haut au fur et à mesure qu'elle passe des mains des consommateurs jusqu'à celles des producteurs des biens intermédiaires puis à celles des propriétaires des facteurs de production.

Comment un entrepreneur choisit-il sa structure productive et comment peut-il être amené à la modifier ? Hayek explique que c'est en fonction de sa rentabilité. La rentabilité d'un investissement dépend d'une part des prix des facteurs de production concernés, des prix des moyens originels de production et des produits intermédiaires, et d'autre part des prix payés et obtenus pour le produit final. Le choix de l'intensité en capital du processus productif dépend donc des prix comparés de l'ensemble de ces biens. Ainsi, ce sont les prix relatifs qui expliquent le choix des méthodes de production. C'est la deuxième idée fondamentale pour comprendre la dynamique de la crise chez Hayek.

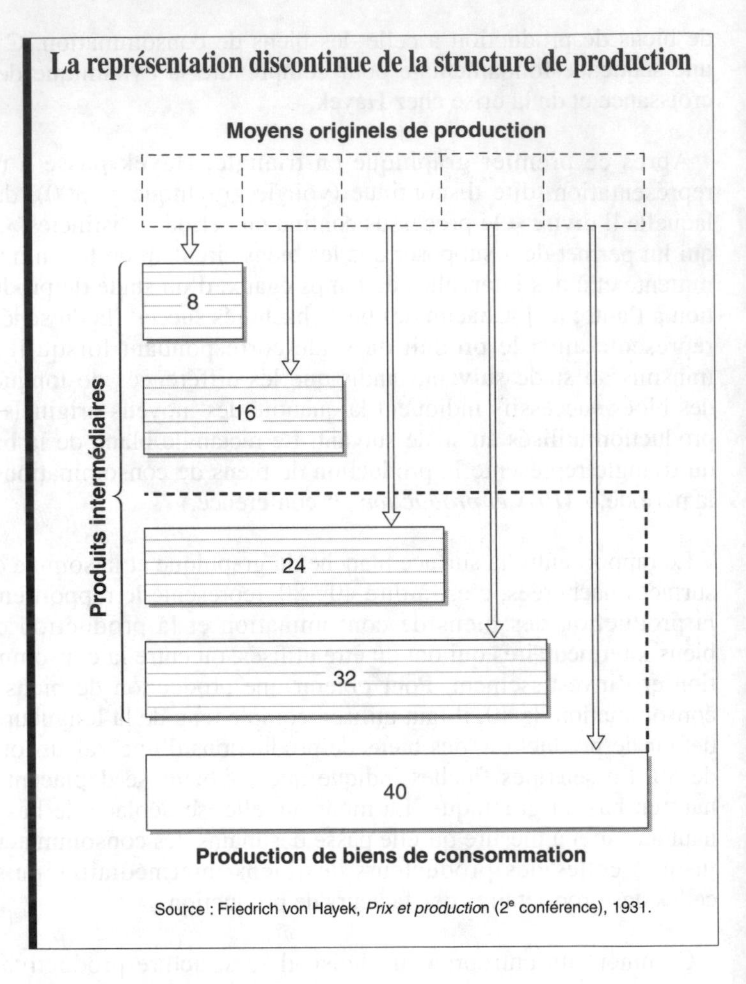

• La déformation des structures de production

Si la demande de biens de production augmente (ou diminue) par rapport à celle de biens de consommation, le prix relatif des biens de production augmente (ou diminue) par rapport à celui des biens de consommation et l'entrepreneur utilise une méthode de production moins détournée (ou plus détournée) car la rentabilité de la structure productive initiale est modifiée.

Pour l'illustrer, Hayek envisage différents scénarios. La structure de production peut se modifier « soit à la suite de variations du volume de l'épargne volontaire (ou de l'épargne involontaire), soit à la suite d'une variation de la quantité de monnaie qui modifie le montant des fonds dont disposent les entrepreneurs pour l'achat de biens de production » (*Prix et production,* 2e conférence). Deux faits (parmi d'autres) sont donc susceptibles de se traduire par un allongement du détour de production : une augmentation de l'épargne ou une création monétaire. Mais Hayek montre que ces deux situations ne sont pas équivalentes, le premier type d'allongement est durable car il résulte d'un nouveau comportement des épargnants alors que le second n'est que provisoire et après une déformation, la structure de production retrouve son état d'origine et l'économie plonge dans la crise.

Supposons d'abord une augmentation de l'épargne. Hayek présente l'exemple suivant. Les consommateurs épargnent et investissent un quart de leur revenu de la période et leur demande de biens de consommation, relativement aux autres biens, diminue. Le rapport entre la demande de biens de consommation et la demande de biens intermédiaires ou entre la consommation et l'investissement diminue. Il passe, à titre d'illustration, de 40 / 80 à 30 / 90, soit de 1/2 à 1/3.

La production devient plus capitalistique et le détour de production s'allonge. Graphiquement, il apparaît une augmentation des stades successifs de production de 4 à 6 (voir le graphique p. 302). Comme la demande de biens intermédiaires s'accroît par rapport à celle de biens de consommation, les prix relatifs des biens intermédiaires par rapport aux biens de consommation s'améliorent. Il en résulte alors, pour les producteurs de biens de consommation, une réduction de leur marge bénéficiaire. La production de biens de consommation étant devenue moins rentable, ils déplacent une partie de leurs facteurs de la production de biens de consommation vers la production de biens intermédiaires qu'ils jugent plus rémunératrice. Qu'en résulte-t-il pour l'économie ? Rappelons que l'origine de cette séquence est la hausse de l'épargne et la diminution de la demande de consommation. La baisse de la production de biens de consommation à laquelle elle conduit est compatible avec le nouveau comportement des agents économiques. Par conséquent, après une première modification des prix relatifs, ceux-ci se stabilisent. La déformation de la structure de production est durable et l'économie n'est pas en crise. La demande et l'offre de produits intermédiaires augmentent ; la demande et l'offre de biens de consommation diminuent.

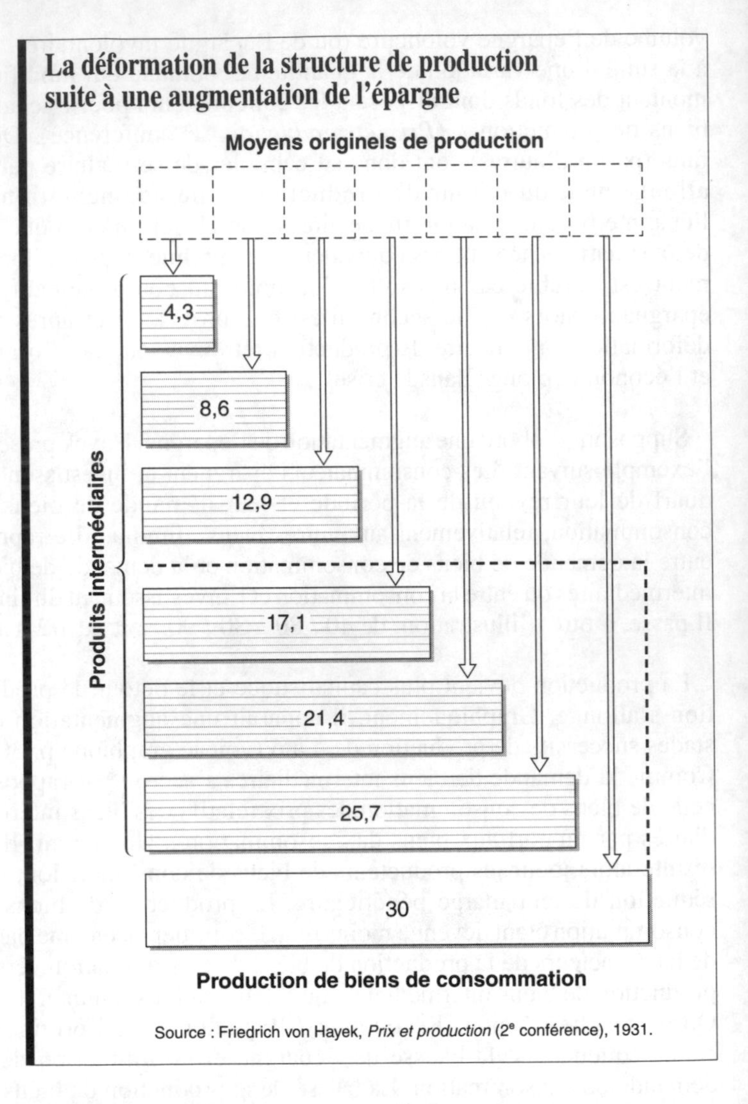

Il en va tout autrement si l'allongement du détour de production est le résultat d'une augmentation de la quantité de monnaie, elle-même due, par exemple, à une augmentation des crédits accordés aux producteurs par les banques. Ces nouveaux crédits augmentent la demande de biens intermédiaires par rapport à celle des biens de consommation. La structure de production devient donc à court terme plus capitalistique et, au

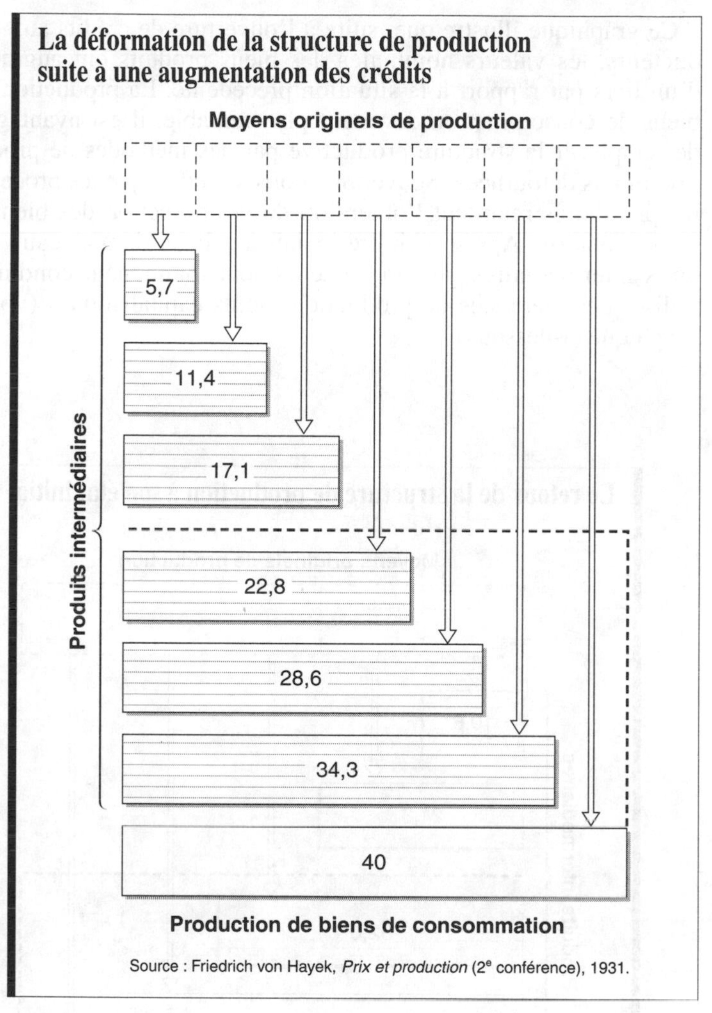

Source : Friedrich von Hayek, *Prix et production* (2e conférence), 1931.

fur et à mesure que le détour de production s'allonge, les prix relatifs des biens intermédiaires s'améliorent. Mais, contrairement à l'exemple précédent dans lequel les agents limitaient volontairement leur consommation, la demande de biens de consommation est restée importante. La substitution de la production de biens intermédiaires à la production de biens de consommation crée une pénurie de ces derniers et donc une nouvelle modification des prix relatifs, à savoir une hausse des prix relatifs des biens de consommation (voir le graphique ci-dessus).

Ce graphique illustre que, suite à l'ouverture de crédits aux producteurs, les valeurs nominales des biens produits ont augmenté d'un tiers par rapport à la situation précédente. La production des biens de consommation devenant plus rentable, il est avantageux de remplacer la structure productive par des méthodes de production moins détournées. Souvenons-nous, en effet, que les processus les plus longs retardent l'obtention de la production des biens de consommation. Après avoir été incités à acheter de nouveaux produits intermédiaires, les producteurs sont maintenant conduits à utiliser des méthodes de production moins capitalistiques (voir le graphique ci-dessous).

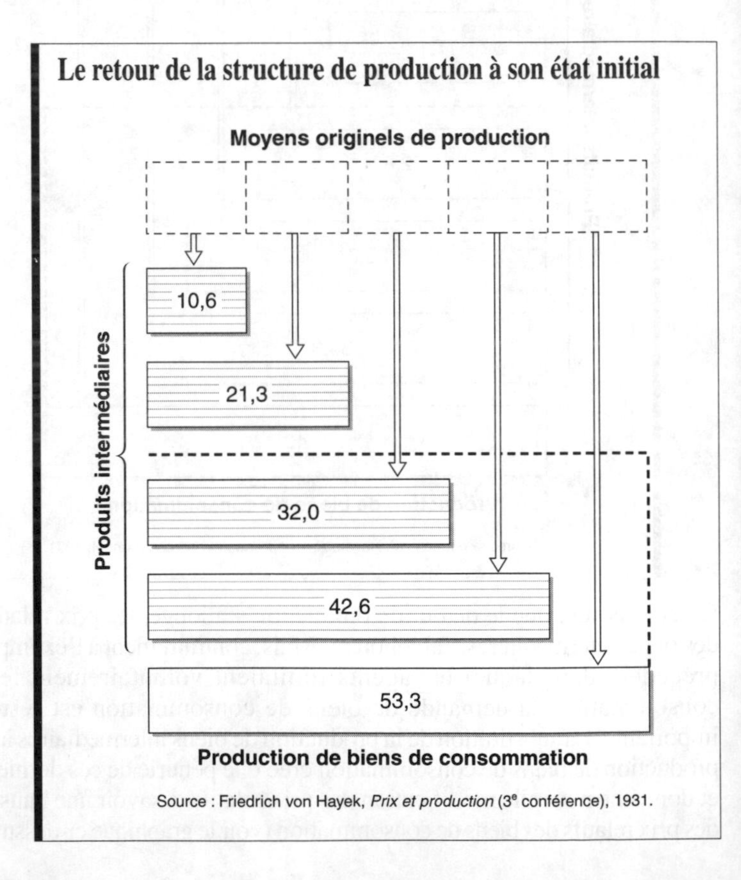

Source : Friedrich von Hayek, *Prix et production* (3e conférence), 1931.

La structure de production redevient alors ce qu'elle était. Ceux qui ont dépensé leurs crédits et augmenté leurs équipements ne peuvent plus continuer à utiliser tous ces biens et doivent modifier leurs méthodes productives. Des investissements qui ont été faits s'avèrent non rentables et doivent être abandonnés. L'économie se retrouve en situation de surcapacité de production de biens intermédiaires. La nouvelle structure de l'économie est inadaptée : elle produit trop de biens intermédiaires et insuffisamment de biens de consommation. Hayek cite l'image suivante : « La situation serait semblable à celle de la population d'une île qui, après avoir construit une énorme machine capable de répondre à tous les besoins, s'apercevrait qu'elle a épuisé toute son épargne et tout le capital libre disponible avant que la nouvelle machine puisse fournir son produit. Elle n'aurait alors pas d'autre solution que de cesser provisoirement d'utiliser la nouvelle machine et de consacrer tout son travail à la production de la nourriture quotidienne sans le moindre capital. » (*Prix et production,* 3e conférence.)

• Les conditions d'équilibre de l'économie et la régulation des crises

Nous venons de voir qu'il y a crise quand des décisions erronées en matière de production sont prises, en particulier lorsque le recours au crédit est facile dans l'économie. Hayek en déduit les conditions de l'équilibre de l'économie. Celles-ci résident dans la compatibilité de la production des biens de consommation et de celle des biens de production. Pour éviter la crise, il faut que se maintienne une cohérence entre l'évolution de la demande de biens de production et l'évolution de la demande de biens de consommation. Autrement dit, il faut que, parallèlement à l'augmentation de la demande et de l'offre de biens intermédiaires, la demande de biens de consommation diminue. C'est ce qui se produit, par exemple, lorsque l'allongement de la structure productive suit une épargne volontaire des agents.

Cette analyse conduit à des recommandations de politique économique très éloignées de celles que développe Keynes dans la *Théorie générale de l'emploi, de l'intérêt et de la monnaie.*

D'une part, la crise ne résulte pas d'une consommation insuffisante. En effet, le maintien de l'équilibre de l'économie exige que la substitution de la production de biens de production à la production de biens de consommation résulte d'une épargne volontaire des agents qui, ce faisant, restreignent leurs consommations. Donc, pour Hayek, c'est une insuffisance de l'épargne, et non pas son excès comme le pensait Keynes, qui est à l'origine de la crise de l'économie. Il écrit ainsi que le mécanisme de la production capitaliste ne peut fonctionner que si les ménages ne souhaitent consommer que ce que l'organisation de la production leur permet de consommer.

D'autre part, si des déséquilibres surviennent, seule la crise permet le réajustement de l'économie. Hayek se prononce ainsi contre tout interventionnisme étatique qui, loin de réguler la situation, ne contribuerait qu'à contrarier l'autorégulation de l'économie. Nous avons vu que si l'augmentation de la demande de biens intermédiaires se fait sans baisse de la demande de biens de consommation, il se produit une hausse nominale des prix des biens de consommation qui pousse au raccourcissement de la structure de production et donc au sous-emploi d'une partie des investissements réalisés. Si, dans ce cas, l'État consent plus de crédits aux consommateurs pour remédier à la dépression, il ne fera que l'aggraver car la hausse des prix relatifs des biens de consommation qui s'ensuivra accélérera la recherche de structures productives moins détournées. « Si le rapport déterminé par les libres décisions des agents est modifié par la création d'une demande artificielle, cela doit indiquer qu'une partie des ressources disponibles est à nouveau mal affectée et qu'un ajustement déterminé et durable est encore différé. » Lorsque la crise est commencée, il n'est pas possible de l'arrêter avant son terme naturel et il faut attendre qu'elle se résorbe d'elle-même. L'État ne peut pas être régulateur, mais seulement déséquilibrant.

VI. Le libéralisme de Hayek

Outre cette démonstration de l'effet pervers de la régulation étatique, Hayek aborde dans son œuvre d'autres sujets qui illustrent son libéralisme.

• Le refus d'un salaire minimum

La fixation d'un salaire minimum et l'action des syndicats sur les salaires sont analysés dans *La Constitution de la liberté* (chapitre 18) comme un moyen pour exclure ceux qui ne pourraient être embauchés qu'à un salaire moindre. Le combat syndical, explique Hayek, vise avant tout à tenter de faire progresser les salaires, ce qui certes profite aux titulaires d'un emploi, mais empêche le retour sur le marché du travail des chômeurs. En effet, les syndicats bloquent la flexibilité à la baisse des salaires lorsque l'offre de travail est supérieure à la demande et ainsi l'autorégulation du marché du travail. Le fonctionnement de ce marché devient alors inefficient et l'action des syndicats – même si ce résultat n'est pas celui qui est recherché – ne profite qu'à un groupe déterminé de salariés au détriment des autres et crée un certain niveau de chômage. Elle provoque d'autres effets pervers car, en accentuant la rigidité des salaires, elle ne rend pas nécessaire la mobilité du travail, empêche ainsi une affectation optimale des facteurs de production, réduit la productivité moyenne de l'économie et le niveau de bien-être de la population. Notons que si Hayek critique le pouvoir coercitif des syndicats, il ne s'oppose toutefois pas à leur existence. Il reconnaît qu'ils peuvent être fort utiles, par exemple en se comportant comme des « associations d'entraide », en aidant leurs membres à se prémunir, à s'assurer contre les risques inhérents à leur activité professionnelle.

• Les effets de la fiscalité

Une autre expression du libéralisme de Hayek est son analyse des effets de la fiscalité. L'impôt sur le revenu repose sur le principe de la progressivité des taux d'imposition avec la hausse des revenus. Plus un revenu est élevé, plus il est imposé à un taux élevé. Ce système est, selon Hayek, porteur d'effets pervers, particulièrement pour l'affectation des ressources dans l'économie. « L'emploi qui sera fait d'une ressource donnée dépend de la rémunération nette des services pour lesquels on l'aura employée, et si l'on veut que les ressources soient employées efficacement, il est important que les rémunérations relatives des services particuliers telle que les déterminent les marchés ne soient pas modifiées par l'impôt. L'impôt progressif suscite ce genre de modification en faisant que la rémunération nette d'un service donné dépende des autres gains du contribuable [...]. Non seulement des services qui, avant impôt, reçoivent la même rémunération peuvent rapporter des bénéfices inégaux, mais quelqu'un qui reçoit pour un service donné un paiement relativement important peut en définitive se retrouver avec moins d'argent qu'un autre qui reçoit un paiement moindre. [...] Le problème n'est pas tant que les gens pourraient au total travailler moins assidûment, mais que la modification de la rémunération nette des diverses activités détournera souvent leurs énergies vers des domaines où elles seront moins utiles. » (*La Constitution de la liberté,* chapitre 20.) C'est pourquoi il se prononce pour un système de proportionnalité de l'impôt, c'est-à-dire d'imposition à un taux unique, quels que soient les revenus des individus. Un tel système est en effet neutre : il ne modifie pas les revenus relatifs des différentes activités et ne vient pas contrarier la libre affectation des ressources.

• Les effets pervers de la politique sociale

Dans un autre ouvrage, *La Route de la servitude,* Hayek explique que la recherche de la justice sociale peut, elle aussi, conduire à des effets pervers et même à la mise en danger de la liberté des individus. Il explique tout d'abord que dans une économie de marché, les gains des agents sont fonction de l'utilité que leur activité représente pour les autres et non de leurs propres mérites. En effet, si la demande pour telle ou telle production est forte, ceux qui exercent cette activité voient leurs gains augmenter. En revanche, si les besoins évoluent et font qu'une production devient délaissée par les consommateurs, leurs producteurs risquent de perdre leur activité et leur revenu, quel que soit leur mérite personnel. C'est pour rendre supportables ces tendances naturelles de l'économie que, explique Hayek, l'État-providence a été créé : c'est pour protéger tous ceux qui subissent un risque de perte ou d'amputation de leurs revenus. Une telle assurance peut sembler légitime à la population, mais Hayek avance que procurer une sécurité sociale à certains conduit inévitablement à fragiliser la situation d'autres membres de la société. Par exemple, effectuer des prélèvements sur les revenus pour financer une redistribution conduit à amputer les gains de ceux dont l'activité se révèle avoir la plus grande utilité pour la société. Leur motivation risque de se trouver fragilisée. La recherche de la justice sociale conduit alors à un véritable effet pervers : en voulant améliorer le sort de la majorité, on risque de le dégrader. En outre, cet effet pervers risque de diminuer le degré de liberté des individus et de les conduire sur « la route de la servitude ». En effet, s'il devient impossible par les libres variations des revenus induites par le jeu du marché d'obtenir une affectation optimale des moyens de production et un redéploiement de ces facteurs vers les activités les plus utiles socialement, il faudra que l'État organise lui-même l'activité économique. Ce ne seront plus alors les individus, par le jeu agrégé de leurs demandes sur les marchés, qui orienteront les productions, mais l'État. Or, selon Hayek, un État ne peut pas effectuer cette tâche avec autant d'efficacité que le marché. On retrouve ici sa croyance en la supériorité du *kosmos* sur le *taxis*. La justice sociale conduit donc à une socialisation de l'économie qui débouche sur un moindre bien-être et sur la disparition des libertés.

C'est pour ces raisons que Hayek s'oppose à ceux qui pensent possible d'opérer une redistribution des revenus pour parvenir à une plus grande justice sociale. « La controverse entre les planistes modernes et leurs adversaires n'est donc pas une controverse sur la question de savoir si nous devons choisir intelligemment entre les diverses organisations de la société possibles ; il ne s'agit pas de savoir si nous devons faire preuve de prévoyance et penser systématiquement le plan de nos activités communes. La controverse porte sur le meilleur moyen de le faire. La question qui se pose, c'est de savoir si, dans ce but, il vaut mieux que le gouvernement se borne à créer des conditions offrant les meilleures chances aux connaissances et à l'initiative des individus, en sorte de leur permettre, à eux individus, de faire les meilleurs plans possibles ; ou si l'utilisation rationnelle de nos ressources requiert une direction et une organisation centrales de toutes nos activités, conformément à une épure délibérément élaborée. » (*La Route de la servitude,* chapitre 3.)

Au terme de ces démonstrations sur les dangers de l'intervention étatique, Hayek en est donc conduit à définir le rôle que doit tenir l'État. « L'État devrait se limiter à établir des règles adaptées aux conditions générales, aux situations-types et garantir à l'individu la liberté d'action dans toutes les circonstances spécifiques, car seul l'individu peut connaître parfaitement ces circonstances particulières et régler sa conduite en conséquence. » (*La Route de la servitude,* chapitre 6.) Hayek se prononce ainsi pour un laissez-faire dans lequel l'État n'est toutefois pas absent puisque d'une part il doit agir pour définir des règles à respecter et d'autre part il doit veiller à ce que ces règles ne favorisent pas les intérêts d'une certaine catégorie de personnes au détriment des autres. L'État remplit le rôle que lui confère Hayek si son action est compatible avec cette phrase de Kant : « l'homme est libre aussi longtemps qu'il n'obéit à personne sauf aux lois ».

VII. La monnaie dans l'économie

Après d'autres d'économistes libéraux comme Alfred Marshall et Arthur Cecil Pigou, Hayek s'intéresse aux effets de la monnaie dans l'économie. Son analyse repose bien sûr sur l'utilisation de l'individualisme méthodologique. Il reproche ainsi aux théories traditionnelles de la monnaie de n'étudier que les tendances globales qui affectent le niveau général des prix et d'omettre d'étudier les variations des prix relatifs. Or, selon lui, seuls les prix relatifs importent pour la compréhension des phénomènes économiques car leurs variations jouent « un rôle dominant dans la détermination du volume et de l'orientation de la production » (*Prix et production,* 1re conférence) et peuvent engendrer la crise et le chômage. Il réfute ainsi la thèse, pourtant souvent admise par les libéraux, de la neutralité de la monnaie. La monnaie n'a pas que des effets sur la sphère nominale de l'économie, mais aussi sur sa sphère réelle.

• Prix, monnaie et taux d'intérêt

La démonstration de Hayek fait appel à l'analyse de Wicksell qui distingue le taux d'intérêt naturel, déterminé par l'égalisation de la demande et de l'offre d'épargne, et le taux d'intérêt courant ou nominal tel qu'il apparaît réellement dans une économie monétaire. Tant que le taux d'intérêt courant reste égal au taux naturel, il est neutre dans ses effets sur les prix des biens. Selon Wicksell, il n'y a en effet pas d'inflation quand les deux taux d'intérêt sont égaux car la demande de capitaux est alors égale à l'épargne disponible. En revanche, si les banques abaissent le taux courant en dessous du taux naturel et augmentent les prêts qu'elles accordent aux agents à un niveau supérieur aux dépôts qu'elles reçoivent, elles contribuent à faire augmenter la demande et donc les prix. L'inflation est ainsi provoquée par l'infériorité du taux courant par rapport au taux naturel et les agents propagateurs de l'inflation sont les banquiers puis les entrepreneurs quand ils dépensent la monnaie prêtée par les banques. Wicksell peut alors distinguer la « vraie monnaie » définie sur la base de l'équilibre de l'économie et la « fausse monnaie » correspondant au crédit bancaire au-delà de l'épargne.

Hayek approfondit ces idées et montre que la disparité des taux et la création monétaire des banques agissent comme un moteur des fluctuations économiques. La crise peut naître d'une baisse des taux d'intérêt. Celle-ci commence par favoriser la rentabilité des industries productrices des biens d'équipement et des industries fortement consommatrices de capital. Leur développement se traduit par des embauches, par des distributions de salaires, donc par une hausse du pouvoir d'achat et de la consommation. Il s'ensuit, de la part des agents qui en bénéficient, une hausse de leur demande en biens de consommation et une hausse du prix de ces biens. Les taux de rentabilité des différents secteurs de la production sont alors à nouveau modifiés avec cette fois un avantage à celui des biens de consommation après celui vécu par le secteur des biens de production. Des projets d'investissement qui ont été faits en fonction d'anticipations de rentabilité s'avèrent inutiles. Les entreprises du secteur des biens d'équipement connaissent la surproduction et la crise commence. « Presque toutes les variations de la masse monétaire, qu'elles aient ou non une influence sur le niveau général des prix, ont toujours nécessairement une influence sur les prix relatifs. Et, comme il ne fait guère de doute que ce sont les prix relatifs qui déterminent le volume et la structure de la production, presque toutes les variations de la masse monétaire doivent nécessairement aussi influencer la production. [...] Le problème n'est jamais d'expliquer "une valeur absolue" de la monnaie mais seulement de savoir comment et quand la monnaie influe sur les valeurs relatives des biens et à quelles conditions elle n'affecte pas ces valeurs relatives ou, pour reprendre une expression heureuse de Wicksell, quand la monnaie est neutre par rapport aux biens. » (*Prix et production,* 1re conférence.)

• Le rôle de la politique monétaire

De la même façon que Hayek s'oppose à la politique keynésienne de relance de la consommation, il s'oppose à la conception keynésienne de la politique monétaire. Plus précisément, il condamne la position des économistes keynésiens qui analysent le chômage comme, entre autres, la conséquence de salaires réels trop élevés. Comme il leur paraît impossible et trop coûteux socialement de faire baisser les salaires nominaux, ils préconisent une baisse des salaires réels par une baisse de la valeur de la monnaie ou par une accélération de l'inflation. Autrement dit, ils recommandent une augmentation de la masse monétaire pour rendre les salaires réels compatibles avec le plein emploi.

Hayek, lui, considère qu'une telle politique ne peut s'avérer efficace qu'à court terme. « La situation ne dure néanmoins que jusqu'au moment où les gens commencent à compter sur une hausse des prix se poursuivant au même taux. Une fois qu'ils sont persuadés que dans tant de mois les prix auront monté de tant de pour cent, ils poussent les prix des facteurs de production qui déterminent les coûts [...], les profits retombent à leur niveau habituel [...] et comme pendant la période de profits anormalement élevés, beaucoup restent sur le marché qui auraient dû sans cela changer d'activité, la proportion des entreprises déficitaires dépasse la normale. Les effets stimulants de l'inflation ne jouent donc que tant que celle-ci est imprévue ; dès qu'elle entre dans les prévisions, seule sa poursuite à un taux plus prononcé peut maintenir le même degré de prospérité. » (*La Constitution de la liberté,* chapitre 21.) L'inflation n'exerce donc à terme aucun effet positif dans l'économie dans la mesure où elle induit des erreurs, par exemple des profits plus élevés que prévus et des investissements trop nombreux. Quand les agents se rendent compte de leurs erreurs, ils corrigent leurs comportements et l'économie entre en crise. Les emplois qui ont été créés par l'expansion monétaire sont alors détruits.

C'est pourquoi Hayek se prononce pour une neutralité de l'offre de monnaie et de la politique monétaire. Mais alors comment obtenir cette neutralité de la monnaie ?

On pourrait considérer qu'est neutre une offre de monnaie invariable et donc se donner pour objectif de rendre la monnaie non-élastique aux variations de la production. Pour atteindre un tel objectif, il faudrait que la monnaie ne varie pas avec le montant des échanges à financer, que la banque centrale ne règle pas, par sa politique monétaire, le volume de la monnaie pour l'ajuster au volume des échanges. Hayek reconnaît qu'y parvenir est très improbable. En effet, la masse monétaire n'est pas composée que de pièces et de billets. Elle est aussi faite de dépôts bancaires, donc de monnaie scripturale. Or, le crédit est susceptible, à tout moment, de faire varier la masse monétaire.

Par conséquent, il propose de réaliser la neutralité de la monnaie en faisant en sorte qu'elle n'exerce aucune influence sur la formation des prix. Hayek présente, pour cela, quelques recommandations de politique monétaire : la mise en place d'un contrôle de l'octroi de crédits par la banque centrale et l'action sur la quantité de monnaie en circulation pour, le cas échéant, pouvoir compenser toute variation de la vitesse de circulation de la monnaie qui équivaut à permettre à un volume donné de masse monétaire d'effectuer un nombre plus ou moins important de transactions.

Dans *The Denationalization of Money : an Analysis of the Theory and Practice of Concurrent Currencies,* il va encore plus loin en proposant la mise en place de systèmes monétaires privés et concurrentiels. En effet, pour que la monnaie soit véritablement neutre, il ne faut pas qu'elle puisse être manipulée par le pouvoir politique. Pour y parvenir, il faut supprimer le monopole de l'émission et du contrôle de la masse monétaire. Autrement dit, il faut dénationaliser la monnaie, c'est-à-dire permettre son émission par des agents privés. S'il en est ainsi, plusieurs banques émettront leur propre monnaie. Et pour que les agents utilisent leur monnaie et non pas celle des autres, chacune de ces banques aura intérêt à ce que sa valeur soit la plus stable possible. Elles détermineront donc leur politique de crédit et d'émission de façon à stabiliser la valeur, c'est-à-dire le taux de change de leur monnaie. La dénationalisation est ainsi le moyen le plus sûr de parvenir à la neutralité de la ou des monnaies dans l'économie.

VII. Postérité et influence

Hayek est à la fois l'un des plus grands acteurs et des plus grands théoriciens du libéralisme en général et du renouveau libéral de cette fin de XXe siècle en particulier. Il contribue dès 1947 à la création et à l'animation d'une association internationale d'intellectuels libéraux, la Société du Mont Pèlerin du nom d'un village suisse proche du lac Léman, et qui réunit des universitaires comme l'Autrichien Karl Popper (né en 1902), le Hongrois Michael Polanyi, les Américains Milton Friedman (né en 1912 et prix Nobel en 1976) et Fritz Machlup (1902-1983) ainsi que des Français dont Jacques Rueff (1896-1978) et Maurice Allais (né en 1911 et prix Nobel en 1988). Puis, dans les années 1980, ses idées sont à l'origine de ce que l'on appelle les révolutions conservatrices et / ou libérales des États-Unis et du Royaume Uni ainsi que des politiques économiques dites de l'offre fondées sur le recul de l'État-providence, les privatisation ou la dérégulation.

Sur un plan théorique, son influence est aussi toujours réelle en matière de méthodologie des sciences sociales. Ainsi, les utilisateurs contemporains de l'individualisme méthodologique, comme le sociologue français Raymond Boudon (né en 1934), se réfèrent aux travaux de Hayek. Boudon, par exemple, pour étudier le problème de l'articulation entre les actions microsociales des individus et les phénomènes macrosociaux, reprend à son compte l'idée de la non-intentionnalité des effets macrosociologiques produits. Les actions individuelles agrégées entraînent des conséquences qui ne sont pas toujours celles qui sont attendues par les agents individuels. C'est pourquoi il raisonne en termes d'effets pervers pour caractériser les situations dans lesquelles les conséquences rétroagissent négativement sur leurs auteurs au regard de leurs intentions initiales. Ainsi, malgré les progrès de l'égalité des chances au sein de l'école, il note que la mobilité sociale est toujours limitée car avec l'augmentation du nombre des diplômés, il se produit une perte de valeur, une dévalorisation de ceux-ci. Il faut donc, pour parvenir à une position sociale élevée, investir de plus en plus dans les études, ce qui est relativement plus coûteux et moins intéressant pour les élèves issus de familles modestes.

Hayek, avec Mises, a fortement contribué à une théorie autrichienne des fluctuations. Les fluctuations sont causées par une variation de l'offre de monnaie. Dans la mesure où celle-ci n'est pas neutre, elle affecte les prix relatifs et déforme la structure de production. Le développement de l'inflation dans les années soixante et soixante dix et les dérèglements qui en ont résulté ont suscité un regain d'intérêt pour l'analyse autrichienne. Des économistes contemporains, comme Roger Garrison (né en 1944 et professeur à l'université d'Auburn), défendent la pertinence du schéma hayekien.

L'influence de Hayek reste aussi forte sur des développements récents de la pensée économique comme la Nouvelle économie classique (NEC) ou les analyses des fondements microéconomiques des déséquilibres macroéconomiques. Ainsi, les économistes de la NEC – même si leur point de vue est par ailleurs très éloigné du subjectivisme – rejoignent Hayek par leur volonté de se démarquer de la macroéconomie keynésienne et de montrer l'inefficacité des politiques de relance de la demande. En effet, expliquent-ils, une telle action ne peut avoir d'effet qu'à court terme, lorsque les agents sont surpris par la décision de l'État. En revanche, à plus long terme, les agents apprennent qu'une relance n'a pas d'effet sur l'emploi, mais seulement sur le niveau des prix qu'elle fait augmenter, si bien que leurs anticipations deviennent de plus en plus rationnelles et ils ne répondent plus aux politiques de l'État qui deviennent ainsi complètement inefficaces.

• Éléments de bibliographie

Ouvrages de Friedrich von Hayek

Hayek a écrit des ouvrages de différente nature, économiques bien sûr, mais aussi philosophiques, psychologiques et son œuvre est très importante. Sa bibliographie est ainsi considérable : Philippe Némo cite le travail de recensement effectué par un économiste américain, John Gray, qui a dénombré « 18 livres, 25 pamphlets, 16 ouvrages édités, 235 articles ». Ses ouvrages les plus connus sont *Prix et production* et *La Route de la servitude.* Ils ont, en outre, l'avantage d'être traduits en français à la différence de nombre de ses écrits.

Prix et production, Calmann-Lévy, 1975, 1re édition en 1931.
Profits, Interest and Investment : and other Essays on the Theory of Industrial Fluctuations, Routledge and Kegan Paul, 1939.
The Pure Theory of Capital, Routledge and Kegan Paul, 1941.
La Route de la servitude, PUF, 1993 coll. « Quadrige », 1re édition en 1944.
Individualism an Economic Order, Routledge and Kegan Paul, 1948.
The Sensory Order : an Inquiry into the Fundations of Theoretical Psychology, Routledge and Kegan Paul, 1952.
Scientisme et sciences sociales : essai sur le mauvais usage de la raison, Plon, 1953, réédition en 1986, 1re édition en 1952. Cet ouvrage, traduit en français, est extrait d'un ouvrage plus volumineux intitulé *The Counter-Revolution of Science.*
La Constitution de la liberté, Litec, 1994, 1re édition en 1960.
Studies in Philosophy, Politics and Economics, Routledge and Kegan Paul, 1967.
Droit, législation et liberté, t. 1, *Règles et ordre,* t. 2, *Le mirage de la justice sociale,* t. 3, *L'ordre politique d'un peuple libre,* PUF, 1980, 1982, 1983, 1re édition en 1973, 1976, 1979.

The Denationalisation of Money : an Analysis of the Theory and Practice of Concurrent Currencies, Institute of Economics Affairs of London, 1976.
New Studies in Philosophy, Politics and Economics, Routledge and Kegan Paul, 1978.
Money, Capital, and Fluctuations : Early Essays, Routledge and Kegan Paul, 1984.
Economic Freedom, Basil Blackwell, 1991.

Ouvrages sur Friedrich von Hayek

La Théorie sociale de F. A. Hayek, Commentaire, Julliard, 1983.
Dostaler Gilles, Ethier Diane, *Friedrich Hayek : philosophie, économie et politique,* Economica, 1989.
Lepage Henri, *Demain le libéralisme,* Hachette, 1980.
Némo Philippe, *La Société de droit selon F. A. Hayek,* PUF, 1988.
Régniez Jacques, « Contre le subjectivisme hayekien », *Revue française d'économie,* volume III, 4, automne 1988.

Sur le regain actuel d'intérêt pour l'économie autrichienne, on pourra lire :

Snowdon Brian, Vane Howard, Wynarczyk Peter, *La Pensée économique moderne,* Ediscience international, 1997.

Milton FRIEDMAN

I. L'homme dans son temps

• Une brillante carrière universitaire

Milton Friedman naît le 31 juillet 1912 à Brooklyn, un quartier de New York, dans une famille d'immigrants juifs d'Autriche-Hongrie. Ses parents sont très pauvres et ses conditions de vie deviennent encore plus difficiles quand son père meurt alors qu'il n'est qu'adolescent. Pour aider sa mère à subvenir aux besoins d'une famille de quatre enfants, il exerce toutes sortes de petits travaux en même temps qu'il continue ses études et qu'il obtient de très bons résultats scolaires. C'est grâce à cette excellence qu'il décroche une bourse d'abord à l'université de Rutgers dans le New Brunswick puis à celle de Chicago. En 1932, il termine ses études en obtenant un double diplôme de mathématiques et d'économie. Il reçoit alors une autre bourse, toujours auprès de l'université de Chicago, mais cette fois-ci pour financer ses premiers travaux de recherche. Cette même année, il se lie avec une assistante en économie, Rose Director, avec qui il se marie en 1938 et avec qui il va écrire certains de ses ouvrages. Ce sera, selon ses dires, sa plus précieuse collaboratrice. Après Chicago, Friedman devient assistant à l'université de Columbia quand celle-ci lui offre une bourse supérieure. Il travaille alors avec Wesley C. Mitchell sur les cycles dans le monde des affaires.

En 1935, il quitte le monde universitaire, part pour Washington et intègre les services du *New Deal.* Il y est chargé des statistiques sur la consommation. Puis en 1937, il devient l'assistant de Simon Kuznets (1901-1985 et prix Nobel en 1971) au *National Bureau of Economic Research* (NBER). Il y étudie les revenus des travailleurs indépendants. C'est avec ces données qu'il rédige sa thèse de doctorat qu'il achève en 1941. La guerre en retarde la publication et c'est seulement en 1946 qu'il est fait docteur en sciences économiques. C'est aussi au NBER qu'il commence à étudier la dimension monétaire des cycles économiques aux États-Unis, thème qu'il approfondira tout au long de sa carrière. En 1941, il découvre un autre thème qui lui sera cher, la lutte contre l'inflation sur laquelle il travaille dans le cadre du département du Trésor qui l'emploie alors comme conseiller économique.

Après la guerre, Friedman commence véritablement sa carrière universitaire en devenant professeur à l'université de Chicago et en publiant sur ses thèmes privilégiés, soient l'influence de la monnaie et l'inflation. Sa notoriété démarre d'ailleurs avec son *Histoire monétaire des États-Unis de 1867 à 1960* rédigée en collaboration avec Anna J. Schwartz. Il devient aussi rapidement le chef de file des économistes libéraux grâce aux textes qu'il publie pour démontrer l'influence néfaste des interventions discrétionnaires de l'État, tant sur le plan fiscal que sur le plan monétaire. En effet, il considère que si des politiques conjoncturelles peuvent avoir des effets transitoires à court terme sur les variables de l'économie, elles sont complètement inefficaces à long terme. Il devient ainsi un économiste engagé et crée un véritable courant de pensée, que l'on nomme l'école de Chicago, contre l'économie keynésienne.

Parallèlement à sa carrière universitaire, Friedman continue de manifester son intérêt pour la chose publique : en 1950, il participe à la mise en place du plan Marshall et dans les années 1960, il est conseiller du président Richard Nixon. Il collabore aussi jusqu'en 1981 au *National Bureau of Economic Research.*

En 1976, il reçoit le prix Nobel de sciences économiques. Il abandonne alors l'enseignement pour se consacrer uniquement à ses recherches. Il est ainsi depuis directeur de recherche à la *Hoover Institution* de l'université de Standford.

• Les influences méthodologiques

Pour Friedman, l'économie doit être une science positive dont les résultats peuvent être confirmés (ou non infirmés) par des faits. Il considère que seules sont pertinentes les théories qui permettent de faire des prévisions qui seront validées par la réalité économique. Il retient donc comme critère de scientificité la concordance entre les prévisions que l'on peut faire avec une théorie et les faits économiques eux-mêmes : une théorie doit avoir une capacité de prédiction. Dans sa volonté de confronter les modèles aux faits, Friedman est proche des recommandations de Karl Popper (né en 1902). Ce dernier a renouvelé l'analyse des critères de scientificité en considérant que seules sont scientifiques les propositions à portée limitée pouvant faire l'objet d'une vérification et donc d'une réfutabilité : « Le critère de la scientificité d'une théorie réside dans la possibilité de l'invalider, de la réfuter ou encore de la tester », écrit-il dans *La Logique de la découverte scientifique* (1934). Une théorie doit donc être soumise à des expérimentations. Peut alors être considérée comme exacte une théorie réfutable et non réfutée. Les progrès de la connaissance scientifique se font ainsi au rythme de l'infirmation des théories existantes et de leur remplacement par d'autres plus conformes aux faits.

Les publications de Friedman reposent sur des observations empiriques qu'il utilise pour réfuter les analyses en vigueur et pour leur substituer des explications compatibles avec ses observations. C'est avec ce souci méthodologique qu'il conduit ses travaux sur la monnaie et sur la fonction de consommation.

• Le contexte économique

Friedman est le contemporain, entre 1945 et 1974, d'années de croissance exceptionnelle de l'économie. L'économiste français Jean Fourastié a ainsi pu parler, pour les désigner, de « trente glorieuses ».

Il est vrai que le rythme de croissance alors enregistré est sans précédent dans l'histoire économique. Paul Bairoch dans *Victoires et déboires* (Folio, 1997, tome 3, partie 4, chapitre 25) calcule que « dans l'ensemble des pays développés, de 1950 à 1973, le volume du PNB par habitant croît à un rythme annuel de 3,9 %, ce qui signifie qu'en 23 ans il a été multiplié par un peu plus de 2,4. Or, au cours de la période qui a précédé la Seconde Guerre mondiale, il a fallu quatre-vingts ans pour assister à une évolution similaire. [...] Si l'on recherche dans l'avant-guerre la période de vingt-trois ans durant laquelle la croissance a été la plus rapide, celle-ci se place entre 1890 et 1913. Or, durant cette période, la croissance du PNB par habitant des pays développés n'a été que de 1,6 %, soit près de deux fois plus faible que de 1950 à 1973. » Bairoch calcule aussi que les vingt-huit années qui séparent 1945 de 1973 correspondent en termes de croissance à plus d'un siècle de croissance d'avant 1945.

L'autre caractéristique de l'évolution économique de ces « trente glorieuses » est la stabilité de la croissance. Celle-ci s'opère avec des fluctuations cycliques très faibles. Bairoch établit que la production des pays développés de 1947 à 1973 « se révèle être sept à huit fois plus stable que celle de 1921 à 1939, et même trois fois plus stable de celle de 1884 à 1913. » La notion de crise perd alors de son intérêt dans la mesure où la production ne connaît pas de baisse, mais seulement un ralentissement du rythme de sa croissance.

Ces faits s'expliquent en partie par le progrès de la connaissance des mécanismes de la régulation de la demande permis par l'analyse keynésienne et la courbe de Phillips. C'est l'époque où se développent, avec une réelle efficacité, les politiques conjoncturelles, budgétaires et monétaires pour lutter alternativement contre le risque d'inflation et contre le risque de chômage. C'est l'âge d'or des politiques keynésiennes, du « cruel dilemme » entre l'inflation et le chômage et de l'arbitrage entre ces deux maux.

Malgré ce contexte, Friedman développe des analyses qui critiquent les interventions discrétionnaires des États dans l'économie et annonce leur inefficacité à venir.

II. Le monétarisme

Friedman a renouvelé la théorie quantitative traditionnelle de la monnaie, telle qu'elle a été formalisée par Irving Fisher (1887-1947) et Alfred Marshall (1842-1924). Aussi parle-t-on à son sujet de néoquantitativisme. Celui-ci repose sur trois points principaux : l'empirisme avec l'observation de corrélations entre l'évolution de la masse monétaire et différents agrégats économiques ; l'établissement d'une relation entre la masse monétaire et le niveau général des prix ; la recommandation de la stabilité de la croissance de la masse monétaire pour stabiliser les prix.

• Quelques leçons de l'histoire monétaire des États-Unis

Friedman entend, nous l'avons vu, s'appuyer sur des faits pour formuler des explications aux phénomènes économiques. Il utilise ainsi les données de l'histoire monétaire pour savoir quels liens unissent la monnaie et les autres grandeurs de l'économie.

Le graphique p. 322 représente d'une part l'indice, base 100 en 1967, de la quantité de monnaie par unité de production, soit le rapport entre la masse monétaire et le PNB, et d'autre part l'indice, base 100 en 1967, des prix à la consommation. Malgré quelques écarts de courte durée, la corrélation apparaît très forte. De la même façon, le rythme de l'inflation est lié à la politique monétaire pratiquée par les autorités. Lorsque celles-ci favorisent, comme cela a été régulièrement le cas après les différentes guerres (la révolution, la guerre de 1812, la guerre de Sécession et les deux guerres mondiales), un bas niveau des taux d'intérêt, celui-ci alimente la création monétaire et le développement de l'inflation. Friedman en conclut que le niveau des prix s'ajuste à la quantité de monnaie en circulation dans l'économie américaine, même si la recherche d'une telle corrélation sur la même période dans d'autres pays s'avère moins parfaite, en particulier au Royaume-Uni et au Japon. Ces constats le conduisent à amender le quantitativisme des économistes du début du XXe siècle : il n'existe pas une stricte proportionnalité entre les variations de la quantité de monnaie et celle des prix, mais simplement une forte corrélation entre la quantité de monnaie et le rythme de l'inflation.

Masse monétaire et prix : États-Unis (1964-1973)

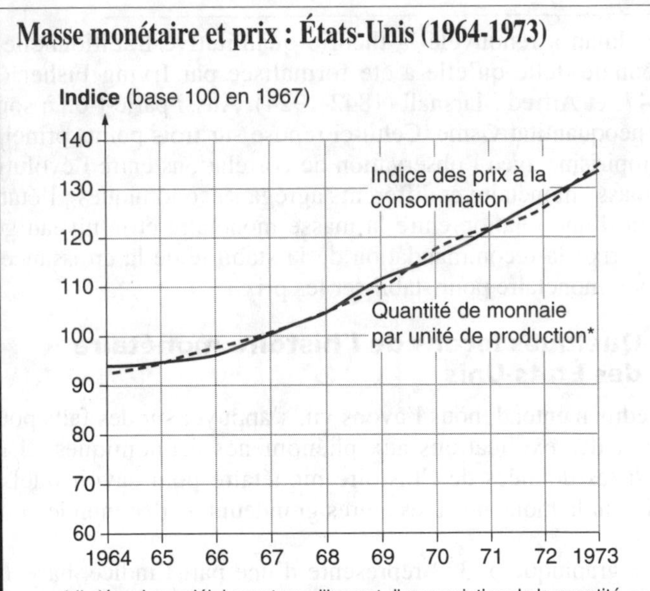

* Il s'écoule un délai avant que l'impact d'une variation de la quantité de monnaie se fasse sentir. C'est pourquoi l'indice de la monnaie mesure la quantité de monnaie (M1) pour l'année fiscale qui se termine au 30 juin, tandis que la production (PNB) se mesure sur l'année calendaire.

Source : Milton Friedman, *Inflation et syst mes mon taires*, Calmann-Lévy, 1976, p. 68.

Les évolutions de la masse monétaire sont-elles corrélées avec d'autres agrégats économiques ? Friedman observe sur les séries statistiques que « le taux de variation de la quantité de monnaie, évalué en pourcentage annuel, présente une étroite corrélation avec le taux de variation du revenu nominal, du revenu réel et des prix. La corrélation avec le revenu nominal est plus étroite qu'avec les prix ou la production (entendus séparément). Elle vaut à la fois sur la durée des mouvements cycliques et sur une période plus longue que le cycle d'affaires habituel. » (*Inflation et systèmes monétaires,* partie 1, chapitre 4.) Précisément, le coefficient de corrélation entre la variation de M2 et celle du revenu nominal est de 0,88, il est de 0,70 avec celle du revenu réel et il est de 0,79 avec celle du niveau des prix. Donc, une hausse de la masse monétaire doit se traduire par une hausse du revenu nominal, par une accélération de l'inflation et avec une moindre probabilité par une hausse du revenu réel. L'influence de la masse monétaire sur les variables réelles de l'économie (demande, production, emploi) est trop faible et trop incertaine pour que, selon Friedman, une manipulation de la masse monétaire puisse être utilisée à des fins de politique économique. Il en déduit que la monnaie présente un véritable paradoxe : elle a des effets puissants sur les variables nominales de l'économie – une augmentation de la masse monétaire provoque une accélération des prix et des revenus – mais pas sur ses variables réelles.

Friedman retient aussi de l'histoire monétaire que l'accélération de l'inflation représente un danger pour l'économie car elle se traduit par une détérioration des prix intérieurs par rapport aux prix mondiaux et par une détérioration des échanges extérieurs. Ce mécanisme s'observe particulièrement lorsque les taux de change sont fixes et qu'ils ne peuvent pas s'ajuster pour compenser le différentiel d'inflation.

L'étude des statistiques monétaires montre enfin à Friedman que la masse monétaire a un caractère exogène. Autrement dit, l'offre de monnaie ou la quantité de monnaie en circulation ne sont pas liées à la demande des agents, mais résultent des décisions des autorités monétaires. Celles-ci, par les opérations d'open market, sont à même de réguler la création monétaire des banques et ainsi la masse monétaire. Il note que, par ce canal, elles peuvent être responsables d'une dégradation de la situation économique, si à un moment donné elles mènent une politique erronée. Il impute ainsi la grande crise des années 1930 à une erreur de la part des autorités monétaires fédérales qui, en menant une action restrictive, ont gravement accentué la dépression.

• La demande de monnaie

La théorie quantitative de Friedman est avant tout une théorie de la demande de monnaie. Son principal apport est de considérer la monnaie comme un moyen parmi d'autres pour un agent économique de détenir de la richesse, appelée W. Notons qu'il adopte une définition large de la richesse puisqu'elle inclut, outre les encaisses détenues par un agent, les obligations, les actions, les biens matériels et le capital humain qu'il peut posséder. Par conséquent, la demande de monnaie est vue comme un problème d'allocation. Comme la monnaie est un actif parmi d'autres, sa demande obéit aux règles du choix entre différents actifs telles qu'elles sont théorisées par l'analyse néoclassique. Friedman suppose que l'agent recherche la composition optimale de son patrimoine et que pour y parvenir, il substitue les actifs les uns aux autres en préférant ceux qui lui offrent un haut rendement au détriment de ceux qui n'offrent pas un rendement élevé. Le demande de monnaie d'un agent dépend donc, certes de sa richesse et de ses préférences, mais aussi du rendement comparé de la monnaie avec celui des autres actifs, les obligations, les actions, les biens matériels et le capital humain. Si on appelle r_e le rendement des actions, r_b le taux d'intérêt des obligations, w le capital humain de l'agent, u ses goûts, W / P sa richesse totale exprimée en termes réels et dP / Pdt le taux de variation des prix, sa demande de monnaie en termes réels s'exprime alors de la façon suivante : $Md / P = f(r_e, r_b, dP / Pdt, u, W / P, w)$.

• La théorie quantitative de la monnaie : la reformulation de Friedman

Comment le concept de demande de monnaie permet-il à Friedman de justifier l'influence de la masse monétaire sur le niveau des prix ? Il explique que la confrontation entre la demande de monnaie des agents et l'offre de monnaie par les autorités monétaires conduit à un effet d'encaisses réelles et de richesse. En effet, une modification de la quantité de monnaie en circulation dans l'économie conduit les agents à revoir la composition de leur patrimoine entre les différentes catégories d'actifs. Leur demande pour les éléments de patrimoine autres que la monnaie (biens, actions, obligations) varie et ils opèrent des substitutions entre les actifs.

Pour l'illustrer, supposons qu'à un moment donné la masse monétaire augmente plus vite que ne le désirent les agents économiques, ils ramènent alors la quantité de monnaie au niveau précédent en achetant d'autres actifs et / ou en remboursant des dettes, donc en diminuant leurs encaisses. L'agrégation de ces comportements crée dans l'économie une tendance à la hausse de la demande et des prix. À l'opposé, si la masse monétaire augmente moins vite que ne le désirent les agents économiques, ceux-ci disposent alors de trop peu d'encaisses et se procurent la monnaie qui leur manque en vendant des actifs et / ou en empruntant. Il apparaît ainsi dans l'économie une tendance à la baisse des prix. Donc, une hausse de la masse monétaire conduit par une accélération de l'inflation et une baisse de la masse monétaire à une déflation.

Friedman en déduit que la politique monétaire, c'est-à-dire la manipulation de l'offre de monnaie, a des effets à la fois sur l'économie réelle et sur l'économie nominale. En courte période, l'augmentation de la masse monétaire engendre une hausse de la production puisque les agents augmentent leur consommation. Il s'écarte ainsi des anciennes théories dans lesquelles était affirmée la seule proportionnalité entre la quantité de monnaie en circulation et le niveau des prix. En revanche, à long terme, l'augmentation de la masse monétaire n'affecte plus que l'inflation car les producteurs adaptent leurs prix à la nouvelle situation d'augmentation des dépenses des consommateurs. Aussi, et c'est l'une de ses affirmations les plus célèbres, Friedman peut écrire : « La cause immédiate de l'inflation est toujours et partout la même : un accroissement anormalement rapide de la quantité de monnaie par rapport au volume de la production. » (*Inflation et systèmes monétaires,* chapitre 1.)

• L'inflation et la politique monétaire

L'inflation est-elle une chose souhaitable pour les économies et faut-il la combattre ?, se demande-t-il dans *Inflation et systèmes monétaires.*

L'inflation a des conséquences négatives dans la mesure où elle agit comme un véritable impôt sur les encaisses. Si les prix augmentent de 5 % par an, le particulier qui conserve ses encaisses perd 5 % de son pouvoir d'achat, chaque unité monétaire perdant 5 % de sa valeur par l'inflation. L'inflation est donc bien une taxation des encaisses. Et comme tout impôt, elle a des effets : certains agents sont lésés, d'autres non. Sont lésés ceux qui ont des revenus fixes. Sont favorisés ceux qui ont des dettes et ceux qui ont des revenus indexés. Elle produit donc des transferts de revenus entre les agents économiques. Mais il est toujours possible de se protéger contre ces effets par l'indexation des revenus. Par conséquent, en matière de hausse des prix, le problème n'est pas tant le niveau de l'inflation, mais plutôt la variation du taux d'inflation. Vivre avec un taux permanent d'inflation de 30 % par an n'est pas, pour lui, un problème car il suffit alors que les contrats contiennent des clauses adaptées à ce niveau pour que les agents n'en souffrent pas. En revanche, la variation des taux d'inflation est inévitablement déséquilibrante car elle brouille les anticipations des agents.

Comment alors stabiliser le taux d'inflation de l'économie ? Cette question se pose d'autant plus que si elles sont laissées libres, les autorités monétaires et gouvernementales n'adoptent pas spontanément des politiques non-inflationnistes. Leur interventionnisme crée même des cycles de la conjoncture. Il note ainsi que de 1960 à 1966, la politique monétaire et fiscale est inflationniste avec une hausse des dépenses, une baisse des impôts et une hausse rapide de la masse monétaire. Il en résulte une accélération de l'inflation qui passe d'un rythme annuel de 1 % à un rythme annuel de 3,5 %. Face à cette situation, en 1966, les autorités monétaires décident de ralentir la progression de la masse monétaire et l'inflation retombe à 2,5 %. En revanche, l'économie connaît une récession. Une nouvelle relance est alors décidée, la récession disparaît, mais l'inflation se développe et atteint 7 % en 1969. Un nouveau freinage est mis en place, l'inflation recule au niveau de 4,5 % en 1971. Enfin, une nouvelle relance porte l'inflation à 12 % en 1974. Ainsi, de relance en relance, l'inflation s'accélère et passe de 1 % en 1960 à 3 % entre 1966 et 1967, puis à 4,5 % en 1971 et à 12 % en 1974. C'est pourquoi, en paraphrasant une formule de Raymond Poincaré (1860-1934), président du Conseil dans les années 1920 et artisan du retour à la convertibilité-or du franc, Friedman écrit dans *Inflation et systèmes monétaires :* « La monnaie est une chose trop importante pour être laissée entre les mains des banques centrales. » (Partie 2, chapitre 2.)

Pour contraindre les banques centrales à pratiquer une politique monétaire non-inflationniste, trois solutions existent : « la première réside dans l'institution d'un bien comme référence monétaire, à l'exclusion, en théorie du moins, de toute intervention gouvernementale ; la seconde consiste à charger une banque centrale "indépendante" du contrôle de la monnaie ; la troisième revient à faire voter à chaque législature un ensemble de règles strictes, limitant par avance la marge d'initiatives dont peuvent disposer les autorités monétaires. » (*Inflation et systèmes monétaires,* partie 2, chapitre 2.)

Un système d'étalon, comme l'étalon-or, est un système en principe idéal car il supprime toute intervention gouvernementale : les variations de la masse monétaire ne sont déterminées que par la production du bien étalon. Mais dans les faits, un système d'étalon pur et parfait ne se trouve pas. Historiquement, pour économiser des efforts de production pour obtenir le bien étalon, les sociétés ont dû utiliser un moyen moins onéreux, la circulation de monnaies fiduciaires. Comme ce sont les banques centrales qui sont maîtresses de leur émission, elles peuvent en émettre trop et ainsi alimenter l'inflation.

La deuxième solution est celle de l'indépendance de la banque centrale. Mais elle aussi se heurte à des objections. Des objections politiques car dans la réalité la banque centrale serait tributaire des personnes placées à sa tête et ne pourrait jouir d'aucune indépendance par rapport au pouvoir politique qui nomme ses responsables. Les banquiers centraux pourraient aussi subir l'influence des autres banquiers et choisir de favoriser le crédit et la création monétaire. Objection politique encore car elle pourrait conduire à la dispersion des responsabilités en matière de politique économique avec les autorités gouvernementales. Enfin, elle se heurte à une objection économique car, malgré son indépendance, une banque centrale ne peut pas mener une politique monétaire autonome lorsque les taux de change sont fixes car elle doit alors agir pour les maintenir dans les limites autorisées.

La troisième solution est celle que retient Friedman. Elle consiste dans l'institution d'un dispositif réglementaire fixant l'évolution de la masse monétaire à l'intérieur d'une fourchette donnée. Elle aurait l'avantage d'être démocratique en donnant aux citoyens un contrôle sur la politique monétaire par l'intermédiaire de l'élection de leurs représentants. En revanche, elle n'est pas parfaite dans la mesure où elle n'écarte pas le risque que les objectifs ainsi fixés soient trop ambitieux eu égard aux moyens à la disposition des autorités monétaires, ainsi que celui de la dilution des responsabilités.

III. Le retour des libéraux

Les recommandations monétaires de Friedman illustrent son rejet de l'interventionnisme qu'il applique aussi à d'autres domaines de l'économie.

• La notion de revenu permanent

Le revenu permanent est un concept qui permet à Friedman de remettre en cause l'analyse keynésienne de la consommation.

Les données empiriques mettent en évidence une contradiction dans le lien monnaie-revenu suivant qu'il est mesuré sur des périodes courtes ou sur des périodes longues : la corrélation est faible et irrégulière en courte période alors qu'elle est stable en longue période. Friedman, pour l'expliquer, fait alors l'hypothèse que la consommation ne dépend pas du revenu courant que perçoit l'agent à l'instant t. Celui-ci raisonne sur un horizon plus long en essayant de prendre en compte l'évolution à moyen et long terme des revenus qu'il s'attend à percevoir. Il est capable de connaître et d'évaluer son revenu permanent, c'est-à-dire la moyenne pondérée des revenus futurs qu'il anticipe pour les périodes à venir. Ce revenu permanent est donc une fonction de la richesse actualisée de l'agent. Si on appelle W la richesse totale ou la valeur actuelle de toutes les sources de revenus d'un agent, R_p le revenu permanent et r le taux d'intérêt, on peut écrire $R_p = r. W$.

Le raisonnement en termes de revenu permanent permet d'expliquer la faible corrélation de court terme entre le revenu et la consommation par le fait que les détenteurs de monnaie ajustent leurs avoirs en fonction non des prix et des revenus en vigueur, mais en fonction des revenus et prix qu'ils s'attendent à avoir dans le futur. Il permet aussi de comprendre pourquoi, dans la longue période, la corrélation entre le revenu et la consommation devient forte car alors il y a confusion entre les données mesurées et les données anticipées.

Lorsque les agents anticipent un avenir stable, c'est-à-dire, avec peu de variation de leurs revenus, de l'emploi, des taux d'intérêt et d'inflation, ils éprouvent un moindre besoin de conserver une partie importante de leurs avoirs sous forme de monnaie et peuvent augmenter leur consommation. Il en va bien sûr autrement s'ils anticipent une forte instabilité. Aussi pour un revenu que perçoit l'agent à un moment donné, sa consommation peut être très différente en fonction de l'évaluation qu'il fait de son revenu permanent. La consommation courante de l'agent n'est pas déterminée par son revenu courant car si ce dernier varie de façon transitoire, le revenu permanent ne s'en trouve que peu affecté. Ce faisant, Friedman critique la fonction de consommation keynésienne. S'il n'y a pas de lien stable entre les variations du revenu courant et celles de la consommation courante, il n'est pas possible de prévoir les conséquences d'une relance budgétaire. Si la propension marginale à consommer à court terme n'est pas stable, le multiplicateur d'investissement ne peut pas être utilisé car il devient indéterminé et les politiques économiques keynésiennes perdent leur fondement théorique.

• La remise en cause du rôle de l'État

Dans l'œuvre de Friedman, on peut trouver différentes illustrations de l'action déstabilisatrice de l'État. Ironiquement, dans *Inflation et systèmes monétaires,* il se demande comment créer des pénuries et des excédents dans l'économie. Et sa réponse est : que l'État intervienne dans le système de prix ! Ainsi pour provoquer une pénurie de n'importe quel produit, il suffit que l'État fixe et impose un prix maximum légal qui soit inférieur à celui qui se serait fixé sur le marché par la libre confrontation de l'offre et de la demande. Un contrôle des loyers, par exemple, aboutit à une pénurie de logements car il décourage les propriétaires de mettre leurs logements en location. À l'inverse, pour provoquer un excédent de n'importe quel produit, il suffit que l'État fixe et impose un prix minimum légal supérieur à celui qui se serait fixé sur le marché par la libre confrontation de l'offre et de la demande. Les excédents agricoles sont ainsi causés par des prix élevés qui encouragent les producteurs à produire et découragent les acheteurs de consommer plus. C'est la même chose pour le chômage des jeunes qui s'explique par l'impossibilité, pour les entreprises qui souhaiteraient les embaucher, de les rémunérer à un salaire inférieur au salaire minimum. Donc, si l'État fixe les prix, les problèmes apparaissent alors que s'il laisse les prix se fixer, les déséquilibres disparaissent d'eux-mêmes.

Que doit donc faire l'État dans l'économie pour que son action ne soit ni déstabilisante ni inefficace ? Déjà, répond Friedman, il doit créer l'environnement le plus stable possible pour ne pas perturber les anticipations des agents. C'est ainsi qu'il doit assurer une croissance régulière de la masse monétaire, qu'il doit mettre en place une indexation généralisée des revenus pour que la prise de décisions longues des agents ne soit pas perturbée.

Ensuite, il doit faire respecter l'ordre et régner la loi. « De même qu'un bon jeu exige des joueurs qui acceptent ses règles et l'interprétation et l'application qu'en fait l'arbitre, de même une bonne société exige que ses membres soient d'accord sur les conditions générales qui gouverneront les relations entre eux, sur certains moyens d'arbitrer entre les différentes interprétations de ces conditions, et sur certains dispositifs qui imposent l'obéissance aux règles généralement acceptées. » (*Capitalisme et liberté,* chapitre 2.) Le pouvoir politique doit être « dispersé », c'est-à-dire qu'il doit s'exercer à l'échelon le plus proche des citoyens. Friedman justifie son rejet du centralisme par le souci, bien sûr de l'efficacité, mais aussi par celui de la préservation de la liberté. La liberté est ainsi, pour lui, un concept à la fois économique et politique. Plus exactement, la liberté politique n'est pas qu'un problème de science politique et le bien-être économique n'est pas qu'un problème de science économique. « Dans une société libre, le dispositif économique joue un double rôle. D'une part, la liberté économique est elle-même une composante de la liberté au sens large, si bien qu'elle est une fin en soi. D'autre part, la liberté économique est indispensable comme moyen d'obtenir la liberté politique. » (*Capitalisme et liberté,* chapitre 1.) La liberté de travailler, de produire, d'entreprendre, d'échanger, de se déplacer sont ainsi des composantes de la liberté au sens large. Quant à la deuxième partie de son affirmation, Friedman la justifie en faisant observer que l'histoire économique montre que toute société reposant sur la liberté politique a aussi recours à la liberté économique. Il n'y a en effet que deux manières d'assurer la coordination des individus : la direction centralisée et planifiée de l'économie qui impose inévitablement une certaine coercition et la technique du marché qui permet, elle, une coopération volontaire des individus. La préservation de la liberté économique impose d'éliminer les risques de coercition. Le marché y participe donc. Le capitalisme serait ainsi une condition nécessaire de la liberté politique. Mais il n'en est pas une condition suffisante.

Son libéralisme ne le conduit toutefois pas à nier tout rôle économique à l'État. Celui-ci peut même mener une politique redistributive. Friedman prend ainsi position en faveur de l'impôt négatif ou impôt sur le revenu négatif. Si un individu dispose de ressources inférieures à un seuil de pauvreté, l'État doit lui verser une allocation différentielle, égale à la différence entre le seuil de pauvreté et le montant de ses ressources. Ainsi, tout individu, quelle que soit sa situation de départ, aurait des ressources au moins égales au seuil de pauvreté.

• Les systèmes monétaires internationaux

Friedman, de par l'intérêt qu'il porte à la monnaie, étudie les conséquences du fonctionnement des différents systèmes monétaires internationaux existants et adopte, encore une fois, un point de vue très libéral et anti-interventionniste.

Il montre, en particulier, les avantages d'une monnaie unifiée. Une monnaie unifiée n'est pas un ensemble de monnaies distinctes et liées entre elles par des taux de change fixes, mais une même monnaie circulant dans un espace donné comme le dollar américain aux États-Unis ou la livre sterling au Royaume-Uni. Au niveau international, un étalon-or est une monnaie unifiée, même si les monnaies nationales continuent à exister et à circuler car elles ne désignent que des appellations différentes d'une même quantité d'or. Avec ce système, il ne peut y avoir de déséquilibre de la balance des paiements : le déficit de la balance des paiements se traduit par des sorties d'or, donc par une réduction de la masse monétaire, donc par une déflation qui améliore la compétitivité-prix des produits nationaux et résorbe le déficit initial. À l'inverse, une économie à la balance excédentaire voit sa masse monétaire augmenter par les entrées d'or, l'inflation se développe, la compétitivité-prix des produits nationaux se détériore et l'excédent initial disparaît. Aucun pays ne peut donc être confronté à des problèmes pour assurer ses paiements internationaux.

En revanche, des problèmes de balances des paiements se posent si les monnaies sont différentes et s'il existe entre elles des taux de change fixes auxquels les banques centrales doivent veiller. En effet, pour sauvegarder la parité de leur monnaie, elles peuvent prendre des mesures comme la limitation des sorties de devises, l'instauration d'un contrôle des changes, la restriction des importations, la variation des taux d'intérêt. Mais ainsi elles créent des déséquilibres dans l'économie interne. Pour les éviter, les banques centrales peuvent toujours dévaluer ou réévaluer leurs monnaies en cas de déséquilibres persistants des paiements extérieurs. Mais le nouveau taux de change risque fort de se trouver trop élevé ou trop faible par rapport à ce que le marché aurait librement fixé. Un taux de change trop élevé abaisse les prix des produits importés et encourage les agents à les consommer ; il élève les prix des produits nationaux et décourage les exportations. La balance des échanges devient de plus en plus déficitaire et il s'avère tôt ou tard impossible de couvrir ces déficits en puisant dans les réserves de change qui progressivement s'épuisent. La fixité des taux de change conduit donc inévitablement à des déséquilibres structurels de la balance des paiements.

À la différence des taux de change fixes, les taux de change variables constituent un processus d'ajustement. « Supposons que, dans un tel système, à un cours de 2,80 la livre, la quantité de dollars que les gens veulent utiliser pour acheter des livres (afin de les dépenser, de les prêter ou de les distribuer) soit plus importante que celle que les détenteurs de livres souhaitent s'approprier. Les acheteurs les plus empressés offriront de payer davantage, et le prix de la livre enchérira. À mesure que son cours s'élèvera, les acheteurs de livres seront découragés – l'élévation du cours de cette devise signifiant une augmentation des prix des biens achetés à l'étranger, traduits en termes de dollars – et les vendeurs de livres seront encouragés – cette hausse signifiant pour eux qu'ils peuvent acheter davantage de biens et services américains avec un montant donné de livres. À un cours quelconque, disons 3,08 dollars, le nombre de dollars offerts correspondra au nombre de dollars demandés. Cette hausse de 10 % du prix de la livre infléchira le coût des produits américains et anglais pour les deux nations respectives, exactement comme l'aurait fait une baisse des prix de 10 % aux États-Unis sans changement de prix en Grande-Bretagne, ou encore une hausse des prix de 10 % en Grande-Bretagne sans changement de prix aux États-Unis. Mais il serait beaucoup moins gênant de modifier le taux de change de 10 % que de subir une baisse générale des prix aux États-Unis. » (*Inflation et systèmes monétaires,* partie 3, chapitre 2.) Un système de taux de change flottants a donc la même nature et présente les mêmes avantages qu'une monnaie unifiée même s'il paraît très différent. Ils ont en commun de ne pas nécessiter d'intervention des banques centrales. En effet, si les taux de change sont flexibles, toute tendance à l'excédent ou au déficit de la balance des paiements se traduit par une évolution du taux de change qui va corriger le déséquilibre initial. Un excédent entraîne une hausse de la demande pour la monnaie du pays et ainsi une amélioration de son taux de change. L'appréciation du taux de change rend les marchandises étrangères moins chères en termes de monnaie nationale et les marchandises nationales plus chères en termes de monnaie étrangère. Les importations ont alors tendance à augmenter et les exportations à baisser. L'excédent naissant tend ainsi à disparaître. Inversement un déficit entraîne une baisse de la demande pour la monnaie du pays et une dégradation de son taux de change. Il s'ensuit que les marchandises étrangères deviennent plus chères en termes de monnaie nationale alors que les marchandises nationales deviennent meilleur marché en termes de monnaie étrangère. Les exportations augmentent, les importations diminuent et le déficit naissant s'annule. Autrement dit, un système de changes flottants élimine les risques de déséquilibres structurels des balances des paiements. Mais est-ce le seul système performant ? En théorie, en l'absence de taux de change flottants, des modifications de prix intérieurs aboutiraient au même résultat. En cas d'excédent, une hausse des prix intérieurs par rapport aux prix mondiaux rétablirait l'équilibre et en situation de déficit une baisse des prix intérieurs augmenterait les exportations et abaisserait les importations. Mais Friedman note que les prix intérieurs, pour différentes raisons, ne possèdent pas une flexibilité aux modifications des conditions extérieures suffisante pour être rééquilibrants. De même, un retour à l'étalon-or lui paraissant impossible, il se déclare partisan des taux de change flottants. Dans ses *Essais d'économie positive,* il écrit : « un système de taux de change flexibles ou flottants [...] est absolument essentiel à l'accomplissement de notre objectif économique fondamental : l'émergence et l'instauration d'un commerce mondial libre et prospère pratiquant un commerce multilatéral sans restrictions » (chapitre 6). Il réfute, par ailleurs, les différentes objections qui sont faites contre le système de taux de change flottants, en particulier celle du risque de change que ferait subir une forte instabilité des taux de change. Il affirme que la flexibilité, loin de conduire à l'instabilité, est une condition de l'autorégulation des marchés des changes. Et même si le risque de change peut dissuader quelques importateurs et exportateurs, le flottement des monnaies constitue une entrave aux échanges moins forte que le protectionnisme. En effet, précise-t-il, il existe des possibilités de couverture sur les marchés à terme contre le risque de change. Dans ce cas, l'incertitude est prise en charge par les spéculateurs et épargne les participants aux échanges.

IV. Les anticipations des agents et le taux de chômage naturel de l'économie

Le plaidoyer libéral de Friedman s'appuie sur la prise en compte des anticipations des agents économiques car elle lui permet de remettre en cause la courbe de Phillips et l'interventionnisme keynésien.

- **Les causes du chômage durable**

Dans *Prix et théorie économique* (chapitre 12), Friedman se demande pourquoi il peut se produire un chômage involontaire et durable dans l'économie.

Parmi les différentes causes possibles, il rappelle l'explication libérale traditionnelle selon laquelle le manque de flexibilité à la baisse des salaires empêche le taux de salaire pratiqué de rejoindre le taux de salaire d'équilibre et crée un volant de personnes inemployées. Le manque de flexibilité est, lui, expliqué par l'existence de salaires minimums et par la résistance des travailleurs à la baisse des salaires nominaux. Mais, pour Friedman, ces causes ne sont pas essentielles : le principal facteur de persistance du chômage est l'accélération de l'inflation.

Il n'est pas le premier à poser la question du lien entre le chômage et l'inflation. Irving Fisher note déjà, dans un article de 1926, « *A Statistical Relation between Unemployement and Price Changes* », que d'après ses observations empiriques l'inflation tend à être associée à des niveaux faibles de chômage et la déflation à des niveaux élevés de chômage. Il l'explique par le fait que la variation des prix entraîne une variation inverse du chômage. Si les prix augmentent, les producteurs commencent par l'interpréter comme une augmentation du volume de la demande qui leur est adressée. Ils augmentent alors leur production et recourent à des embauches. De la même façon, si les prix se ralentissent, chaque producteur individuel considère que la demande de consommation qui lui est adressée baisse et il est tenté d'abaisser sa production et de procéder à des licenciements.

Mais la contribution la plus importante sur le sujet est celle que développe un professeur de la *London School of Economics,* Alban William Phillips (1914-1975), dans un article célèbre de 1958 :

« The Relation between Unemployement and the Rate of Change of Money Wage Rates in United Kingdom, 1861-1957 » ou « La relation entre le chômage et taux de croissance des salaires nominaux au Royaume-Uni, 1861-1957 ».

• La courbe de Phillips

Les statistiques britanniques du taux de chômage et du taux de variation des salaires nominaux relevées par Phillips font apparaître une relation inverse entre ces deux variables. Il peut alors construire la courbe suivante, le point g représentant le taux de chômage compatible avec une stabilité des salaires nominaux.

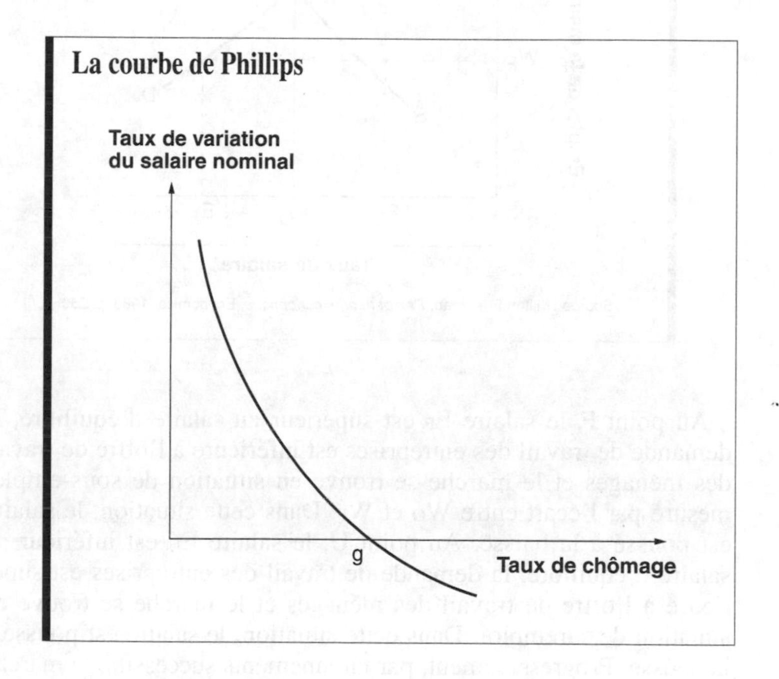

Notons qu'à la différence de Fisher, Phillips considère « le niveau de l'emploi comme la variable indépendante qui déclenche le processus », le rythme de variation des salaires n'étant que « la variable dépendante ».

Pourquoi en est-il ainsi ? Pour le comprendre, rappelons d'abord comment fonctionne, en statique, le marché du travail :

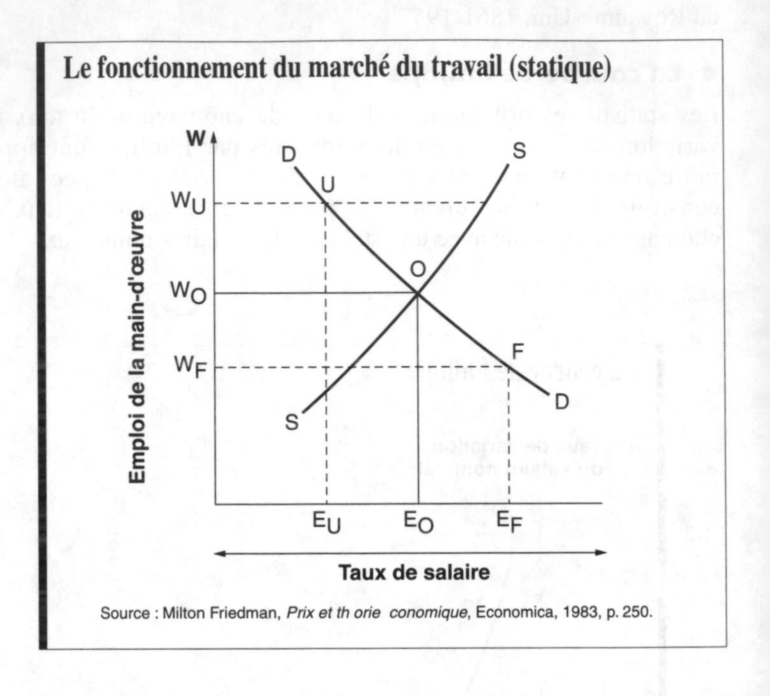

Le fonctionnement du marché du travail (statique)

Source : Milton Friedman, *Prix et th orie conomique*, Economica, 1983, p. 250.

Au point F, le salaire E_F est supérieur au salaire d'équilibre, la demande de travail des entreprises est inférieure à l'offre de travail des ménages et le marché se trouve en situation de sous-emploi mesuré par l'écart entre W_O et W_F. Dans cette situation, le salaire est poussé à la baisse. Au point U, le salaire E_U est inférieur au salaire d'équilibre, la demande de travail des entreprises est supérieure à l'offre de travail des ménages et le marché se trouve en situation de suremploi. Dans cette situation, le salaire est poussé à la hausse. Progressivement, par tâtonnements successifs, le marché du travail est conduit à s'autoréguler. Au point d'intersection O entre la courbe d'offre (S) et la courbe de demande de travail (D), le marché est équilibré : la quantité de travail demandée par les entreprises est égale à la quantité offerte par les ménages et le chômage, au chômage frictionnel près, est nul. Le salaire E_O est le salaire d'équilibre.

En dynamique, le marché du travail fonctionne donc ainsi :

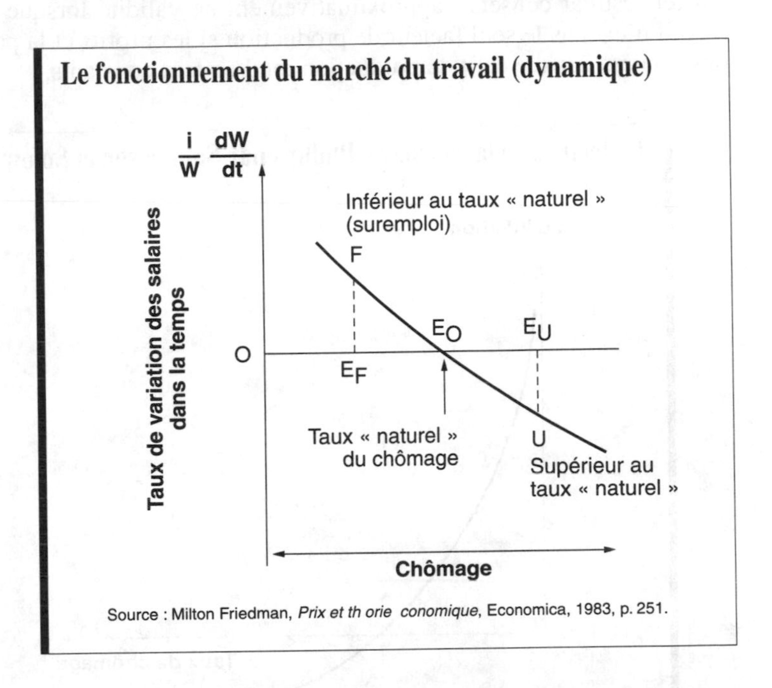

Source : Milton Friedman, *Prix et th orie conomique*, Economica, 1983, p. 251.

L'axe des ordonnées représente le taux de variation des salaires et l'axe des abscisses le taux de chômage. Le taux de variation des salaires apparaît donc comme étant une fonction du taux de chômage : à l'équilibre du marché, les salaires sont stables alors qu'ils augmentent quand l'économie est en suremploi et qu'ils baissent quand l'économie est en sous-emploi.

Un an après la publication de l'article de Phillips, soit en 1959, Paul Samuelson (prix Nobel d'économie en 1970) et Robert Solow (prix Nobel en 1987) font une nouvelle lecture de la courbe de Phillips en la transformant en une relation entre l'inflation et le chômage. L'analyse économique de l'inflation par les coûts montre en effet qu'une augmentation de la rémunération des facteurs de production supérieure à celle de leur productivité conduit à une hausse des prix. Aussi, si le facteur travail est le seul facteur utilisé et si le profit est nul, le coût de production se ramène au coût salarial et le taux d'inflation correspond alors au taux de croissance des salaires diminué du taux de croissance de la productivité du travail. Un tel résultat conserve approximativement sa validité lorsque le travail n'est pas le seul facteur de production si les profits et la part des salaires dans le coût de production total restent constants.

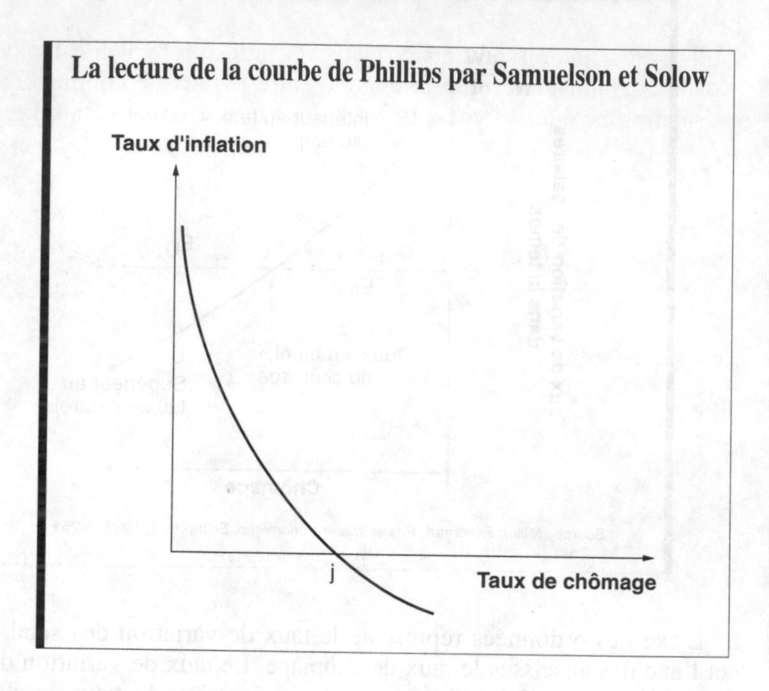

Se développe alors l'idée, largement partagée dans les années 1960, que la courbe de Phillips peut être utilisée à des fins de politique économique pour choisir un certain niveau d'inflation au détriment du chômage ou vice versa un certain taux de chômage au détriment de l'inflation. Ainsi une société peut choisir une inflation 0, c'est le point j, mais elle devra alors accepter un chômage élevé. Si elle choisit un bas niveau de chômage, elle devra accepter une inflation plus élevée.

• Le rejet de la courbe de Phillips

Friedman juge « fallacieuses » l'analyse de Phillips et les interprétations qui en découlent car déjà, écrit-il, il s'avère impossible de construire une courbe de Phillips s'appliquant à toutes les économies et à toutes les périodes.

Ensuite, la demande et l'offre de travail ne sont pas des fonctions du taux nominal des salaires, mais du taux réel des salaires. Les agents ne sont pas durablement victimes d'une illusion monétaire. Ils savent apprécier l'évolution des salaires nominaux à l'aune de l'évolution des prix. Or si l'on remplace, dans l'argumentation de Phillips, les salaires nominaux par les salaires réels, il n'est plus possible de considérer que la relation entre le taux de chômage et les salaires est équivalente à une relation entre le taux de chômage et les prix.

Enfin, Friedman, et c'est sa critique fondamentale, considère que davantage d'inflation ne fait pas baisser le chômage. S'il accepte la validité de la courbe de Phillips à court terme, c'est-à-dire pour lui tant que les salariés gardent les mêmes anticipations en matière d'inflation, il considère que dans le long terme la relation inverse entre le taux d'inflation et le taux de chômage disparaît. Davantage d'inflation conduit alors à la hausse du chômage.

Pourquoi en est-il ainsi ? Friedman l'explique par les anticipations des agents. Le raisonnement économique en termes d'anticipations consiste à considérer que les agents prennent leurs décisions, non pas en fonction de données certaines, mais en fonctions de prévisions qu'ils font sur l'avenir. « Du fait que les employeurs potentiels aussi bien que les salariés potentiels ont dans l'esprit un contrat de travail (implicite ou explicite) couvrant une assez longue période, les uns et les autres doivent évaluer à l'avance le salaire réel qui correspondra à un salaire nominal donné. En conséquence, les uns et les autres doivent se faire à l'avance une idée du niveau futur des prix. » Comment construisent-ils leurs anticipations en matière d'inflation ? Traditionnellement, les anticipations de hausses de prix des agents sont considérées comme adaptatives – d'après l'expression utilisée par Philipp Cagan – ce qui signifie qu'elles « sont révisées en fonction de la différence entre le taux effectif et le taux anticipé d'inflation. Si ce dernier est, par exemple, de 5 % mais que le taux effectif est de 10 %, le taux anticipé d'inflation est une moyenne pondérée de façon exponentielle des taux d'inflation passés, les coefficients de corrélation diminuant à mesure qu'on remonte dans le temps. » (*Prix et théorie économique,* chapitre 12.) Les individus corrigent alors progressivement les erreurs qu'ils peuvent commettre.

Dans la courte période, la courbe de Phillips est pertinente car les salariés ont des difficultés à apprécier correctement le rythme de l'inflation. Supposons que la hausse des prix et des salaires se fasse respectivement aux taux de 2 % et 3 % par an. Dans un premier temps, les travailleurs sont victimes d'un phénomène d'illusion monétaire et n'ont pas conscience de l'inflation. Ils considèrent que les prix sont constants et que la hausse de leur salaire nominal correspond à une hausse de leur salaire réel. Ils offrent plus de travail. Comme les salaires réels ont baissé, les employeurs peuvent augmenter leur demande de travail et l'économie se trouve alors dans une nouvelle situation caractérisée par une hausse de l'emploi. L'inflation fait donc effectivement baisser le chômage, le niveau de l'emploi augmentant à court terme – il passe de U_0 à U_1 – quand les salariés ne prennent pas conscience de la baisse de leur salaire réel de $(W/P)_1$ à $(W/P)_2$.

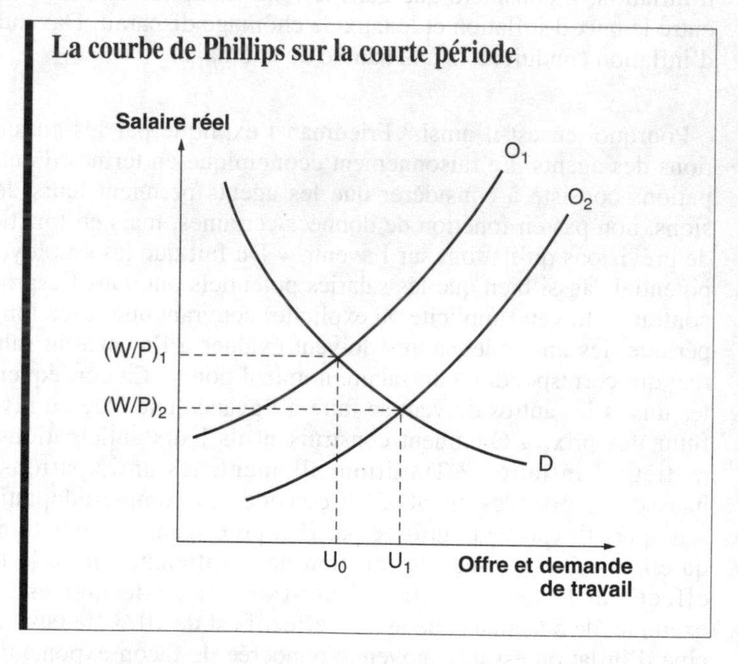

Mais une telle situation n'est pas durable. Tôt ou tard, les salariés se rendent compte de leur erreur d'appréciation et de la hausse des prix. Sur une longue période, ils cessent d'être victimes de l'illusion monétaire qui les a trompés et corrigent à la hausse leur anticipation de l'inflation. Puisque, dans notre exemple, ils ont anticipé une inflation nulle dans la première période, la hausse des prix qu'ils constatent les conduit à réviser, de façon adaptative, leurs anticipations pour la période qui suit. Ils anticipent ainsi, pour cette seconde période, une inflation égale à 3 %. Leur offre de travail se réduit, revient à son niveau initial et les salariés revendiquent une augmentation de leur salaire réel. Une nouvelle combinaison inflation-chômage apparaît : le taux de chômage redevient ce qu'il était, mais le taux d'inflation est devenu supérieur. Autrement dit, une nouvelle courbe de Phillips apparaît. Si l'économie se trouvait au point (E_0) et se caractérisait par une certaine inflation (P_1) et un certain chômage (U_0), elle se trouve désormais dans une nouvelle situation (F) avec un même taux de chômage (U_0), mais une inflation supérieure (P_2). Il n'y a alors plus d'arbitrage possible entre l'inflation et le chômage et la courbe de Phillips tend à être verticale dans le long terme.

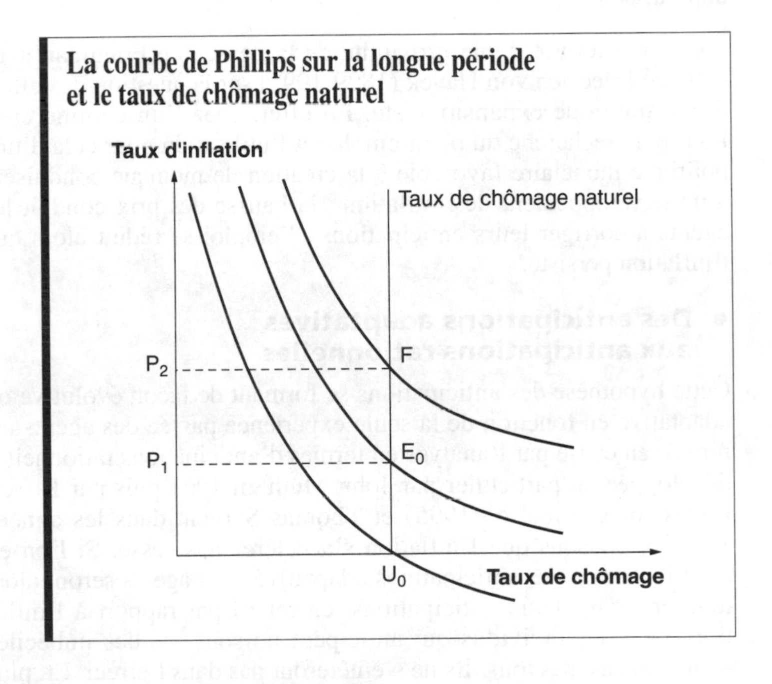

Cette analyse d'un développement progressif de l'inflation et du chômage – la stagflation – permet à Friedman de mettre en évidence l'un des concepts clés de son analyse, celui du taux de chômage naturel. C'est le taux de chômage minimal en dessous duquel une économie ne peut pas descendre compte tenu des règles qui régissent le marché du travail et de ses rigidités. Quand l'économie est à son taux de chômage naturel, elle se trouve, en fait, au plein-emploi et toute action qui viserait à abaisser le chômage ne conduirait qu'à créer de l'inflation. Le taux de chômage naturel est donc un NAIRU *(Non Accelerating Inflation Rate of Unemployement),* c'est-à-dire un taux de chômage compatible avec une inflation stable. Si l'État met en place une politique de relance, le supplément d'inflation qui en résulte permet, tant que les salariés sont victimes d'une illusion monétaire, de faire reculer le chômage. Puis lorsque cette illusion disparaît, le taux de chômage redevient ce qu'il était, mais l'inflation s'est accélérée. Le NAIRU ne peut être abaissé que si l'on peut supprimer des obstacles sur le marché du travail. En revanche, il augmente si des obstacles nouveaux apparaissent.

On peut ici noter une proximité de la pensée de Friedman avec celle de Friedrich von Hayek (1899-1992) sur la question des effets d'une politique expansionniste. En effet, chez l'un comme chez l'autre, la recherche du plein-emploi et l'utilisation pour cela d'une politique monétaire favorable à la création de monnaie conduisent à un développement de l'inflation ; la hausse des prix conduit les agents à corriger leurs anticipations ; l'emploi se réduit alors que l'inflation persiste.

• Des anticipations adaptatives aux anticipations rationnelles

Cette hypothèse des anticipations se formant de façon évolutive ou adaptative en fonction de la seule expérience passée des agents est remise en cause par l'analyse en termes d'anticipations rationnelles développée en particulier par John Muth en 1961 puis par Robert Lucas (prix Nobel en 1995) et Thomas Sargent dans les années 1970. Supposons que l'inflation s'accélère sans cesse. Si l'on en croit la théorie des anticipations adaptatives, les agents seront alors toujours, dans leurs anticipations, en retard par rapport à l'inflation. Or « les individus qui anticipent ne sont pas des imbéciles – en tous cas, pas tous. Ils ne s'entêteront pas dans l'erreur. Et, plus généralement, ils ne fonderont pas leurs anticipations sur la seule évolution passée des prix. [...] Par conséquent, dit Muth, nous devons supposer que le public forme ses anticipations sur la base d'une théorie économique exacte : les individus n'auront pas raison dans *chaque cas individuel,* mais sur la longue période, ils auront raison *en moyenne.* » (*Prix et théorie économique,* chapitre 12.) Autrement dit, les agents n'utilisent pas seulement leurs erreurs passées, mais aussi toutes les autres informations qu'ils ont à leur disposition pour former leurs anticipations. Ainsi, ils se trompent de moins en moins et leurs anticipations, à long terme du moins, correspondent à la réalité : elles deviennent rationnelles.

Cette théorie des anticipations rationnelles a des implications fortes en matière de politique économique et conduit leurs auteurs à rejeter la validité de la courbe de Phillips, y compris à court terme : « aucune règle étatique de politique monétaire ou fiscale ne permettra d'obtenir autre chose que le taux naturel de chômage [...] parce que le seul moyen d'obtenir une réduction du chômage passe par l'inflation *non anticipée.* » (*Prix et théorie économique,* chapitre 12.) Ainsi, Robert Barro (né en 1944) explique qu'une politique de relance budgétaire par la demande ne peut atteindre son objectif car les agents anticipent alors une hausse à venir de la pression fiscale. Donc, ils ont tendance non pas à dépenser, mais à épargner le supplément de revenu dont leur fait bénéficier la relance. La relance de la demande n'a aucun effet positif sur le chômage. Elle se traduit seulement par une accélération du taux d'inflation. On retrouve l'idée selon laquelle la courbe de Phillips tend à devenir verticale. Par conséquent, pour éviter que les anticipations ne constituent des obstacles aux actions des gouvernants, ceux-ci doivent éviter les effets d'annonce. Ils doivent prendre les agents par surprise pour espérer que leur action soit, au moins un temps, efficace. Aucune autre intervention de l'État ne peut donc avoir d'effet positif. En revanche, une politique de stabilisation des prix, même si elle se traduit à court terme par un ralentissement de la croissance économique et par un risque d'augmentation du chômage, est la seule susceptible d'apporter la croissance et le plein emploi. Certes, à court terme, le ralentissement de la masse monétaire entraîne inévitablement un frein à l'ensemble des dépenses. Car les agents – que ce soient les employeurs, les producteurs, les salariés – ne savent pas si le ralentissement qu'ils observent est spécifique à leur métier ou s'il concerne toute l'économie. Aussi, ils ralentissent leur propre activité, c'est-à-dire leur consommation, leur investissement et leur production. Puis, quand ils sont persuadés que le ralentissement est passé, la croissance peut repartir, et ce sur la base d'un taux d'inflation plus bas. Autrement dit, la disparition de l'inflation d'origine monétaire permet aux agents de faire des anticipations et de prendre des décisions qui ne seront pas faussées. La production peut alors augmenter sans tension inflationniste et le plein-emploi se réaliser.

VI. Postérité et influence

Dans l'histoire de la pensée libérale, Friedman occupe une place majeure. Si Adam Smith est le père de l'économie moderne et du libéralisme économique, le chef de file de l'école de Chicago est le représentant contemporain le plus important de ce courant de pensée. Il participe ainsi activement à la contre-révolution keynésienne.

L'intérêt pour les thèses de Friedman s'est surtout manifesté après que l'histoire économique de la deuxième moitié du XXe siècle a confirmé la tendance à la stagflation. Les faits montrent effectivement une accélération progressive de l'inflation et du chômage.

États-Unis				
Taux d'inflation	1950-55 2,2 %	1960-65 1,3 %	1970-75 6,7 %	1975-80 8,9 %
Taux de chômage	1948-52 4,3 %	1958-62 6,0 %	1973-75 6,2 %	1979-81 6,8 %
France				
Taux d'inflation	1950-55 5,5 %	1960-65 3,9 %	1970-75 8,8 %	1975-80 10,5 %
Taux de chômage	1948-52 1,2 %	1958-62 1,1 %	1973-75 3,1 %	1979-81 6,5 %

Source : Paul Bairoch, *Victoires et déboires*
(© éditions Gallimard, Coll. « Folio », 1997, tome 3, partie 4, chapitre 25.)

À la fin des années soixante-dix, l'inflation est particulièrement forte dans les pays capitalistes développés, et ce d'autant plus qu'éclate le deuxième choc pétrolier. Progressivement, toutes les économies adoptent l'objectif prioritaire de la lutte contre l'inflation et mènent des politiques de désinflation. C'est d'abord le cas au Royaume-Uni avec l'accession au pouvoir de Margaret Thatcher, aux États-Unis avec la nomination de Paul Volcker à la présidence de Banque fédérale de réserve. Pour sa part, la France adopte l'objectif de la désinflation à partir de 1983. Ces politiques sont, en partie, dues à l'influence des idées de Friedman. Elles reposent sur l'idée que la variable centrale de l'économie et de la politique économique est la monnaie, que la manipulation monétaire est déstabilisatrice et qu'elle produit des déséquilibres inflationnistes et ainsi à terme un chômage croissant. C'est pourquoi, même si l'objectif à terme des politiques économiques est de faire progresser le niveau de l'emploi, la priorité immédiate doit être d'atteindre la stabilité des prix.

Le concept friedmanien de chômage naturel reste couramment utilisé. Par exemple, lors de son assemblée générale de septembre 1997, les économistes du FMI « considèrent que la plupart des pays européens continuent à souffrir d'un taux de chômage structurel anormalement élevé qu'ils situent autour de 8 % à 9 % de la population active pour les pays les plus affectés par le phénomène, notamment la France et l'Allemagne. À partir de comparaisons effectuées à l'échelle mondiale, ils estiment que ces taux sont supérieurs de 3 à 3,5 points à ce qu'il est convenu d'appeler "les frictions normales" du marché du travail. » (Serge Marti, *Le Monde*, 19 septembre 1997.)

Son idée de l'impôt négatif peut aussi sembler proche de la proposition des économistes qui, aujourd'hui, réclament la création d'un Revenu Minimum d'Activité ou d'un Revenu d'Existence ou encore d'un Revenu Universel qui consisterait dans le versement à chaque membre de la société d'une allocation de base inconditionnelle.

• Éléments de bibliographie

Principaux ouvrages de Milton Friedman

Essais d'économie positive, Litec, 1995, 1re édition en 1953.
Studies in the Quantity Theory of Money, Chicago, 1956.
A Theory of the Consumption Function, Princeton University Press, 1957.

Capitalisme et liberté, Robert Laffont, 1971, 1re édition en 1962.
Prix et théorie économique, Economica, 1983, 1re édition en 1962.
A Monetary History of the United States, en collaboration avec Anna Schwartz, Princeton University Press, 1963.
Inflation et systèmes monétaires, Calmann-Lévy, 1976, 1re édition en 1969.
The Optimum Quantity of Money and Others Essays, Aldine, 1969.
La Théorie des prix, Economica, 1983, 1re édition en 1976.
Monetary Trends in the United States and the United Kingdom, en collaboration avec Anna Schwartz, University Chicago Press, 1982.
La monnaie et ses pièges, Dunod, 1993, 1re édition en 1992.

Ouvrages de Milton et Rose D. Friedman

Libre choix, Pierre Belfond, 1980.
La Tyrannie du statut quo, Jean-Claude Lattès, 1984, 1re édition en 1983.

Ouvrages sur Milton Friedman

Lavoie Marc, Seccareccia Mario (dir.), *Milton Friedman et son œuvre,* Montréal : Presses de l'université de Montréal, Paris : Dunod, 1993.
Roux Dominique, Soulié Daniel, *Les Prix Nobel de Sciences Économiques 1969-1990,* Economica, 1991.
Silk Léonard, *Après Keynes : 5 grands économistes,* Les éditions d'organisation, 1978.

INDEX

Aubin Imprimeur
LIGUGÉ, POITIERS

Achevé d'imprimer en septembre 1998
N° d'édition 10735 / N° d'impression L 56877
Dépôt légal septembre 1998 / Imprimé en France